Kad romāna pēdējās lappuses apakšā uz mani nežēlīgi lūkojās vārdi *PIRMĀS GRĀMATAS BEIGAS*, es nevilšus iesaucos: "Kā? Kādas beigas? Kur ir otrā grāmata? Dodiet to man tūlīt! Es gribu lasīt tālāk!" Jo bija skaidrs, ka Bada Spēles nebūt vēl nav beigušās. Tām IR turpinājums, un varbūt pat vēl satraucošāks. Pārāk tuvi man bija kļuvuši šo Spēļu uzvarētāji, un man nav vienaldzīgs viņu turpmākais liktenis. Neticu, ka var būt kāds, kurš, izlasījis Sūzenas Kolinsas "Bada Spēles", spēs aizmirst Katnisu un Pītu. Un – ne tikai viņus vien...

Latviešu izdevuma redaktors

SUZANNE
COLLINS

THE HUNGER GAMES

SŪZENA KOLINSA

BADA SPĒLES

No angļu valodas tulkojusi **Ieva Elsberga**

ZVAIGZNE

THE HUNGER GAMES
Suzanne Collins

Copyright © 2008 by Suzanne Collins
Translation copyright © 2009

Sūzena Kolinsa
BADA SPĒLES

Redaktors *Aldis Vēvers*
Maketētāja *Ilze Šmite*

Apgāds Zvaigzne ABC, SIA, K. Valdemāra ielā 6,
Rīgā, LV-1010. Red. nr. T-104
Jelgavas tipogrāfija

© Tulkojums latviešu valodā, Apgāds Zvaigzne ABC
ISBN 978-9934-0-0896-2

Džeimsam Proimosam

PIRMĀ DAĻA

PĀRSTĀVJI

1

Kad es pamostos, gultas otra puse ir auksta. Es pasniedzos, ar pirkstiem meklēdama Primas siltumu, bet sataustu tikai matrača raupjo audekla pārvalku. Viņai laikam rādījās murgi, tāpēc ierāpās gulēt pie mātes. Protams. Šodien ir izlozes diena.

Es paslejos uz viena elkoņa. Guļamistabā ir pietiekami gaišs, lai viņas redzētu. Mana mazā māsa Prima ir saritinājusies uz sāna un iekūņojusies mātes auguma līkumā, abu vaigi ir saspiesti kopā. Miegā mana māte izskatās jaunāka, tomēr nogurusi, bet ne tik izmocīta. Primas sejiņa ir svaiga kā lietuslāse un piemīlīga kā prīmula, kuras vārdu māsa nes. Mana māte arī reiz bija ļoti skaista. Vismaz tā man stāstīja.

Pie Primas ceļiem sardzē sēž neglītākais kaķis pasaulē. Tam ir saspiests purns, vienai ausij noplēsta puse, bet runča acis ir pūstoša ķirbja krāsā. Prima viņu nosauca par Gundegu, uzstādama, ka šamā netīri dzeltenais kažoks esot košas puķes krāsā. Runcis mani ienīst. Vai vismaz neuzticas. Kaut gan tas bija pirms daudziem gadiem, man šķiet, ka dzīvnieks joprojām atceras, kā mēģināju viņu noslīcināt spainī, kad Prima bija atnesusi to mājās. Kaķēns bija kaulains, viņa vēders vai blīda no tārpiem, un spalvā ņudzēja blusas. Man nepavisam

9

nebija vajadzīga vēl viena mute, ko barot. Bet Prima tik ļoti lūdzās un pat raudāja, ka man bija jāatļauj tam palikt. Beigās viss nokārtojās. Māte iznīdēja parazītus. Kaķis ir dzimis peļu junkurs. Gadās, ka noķer pat kādu žurku. Dažreiz es, tīrot medījumu, izbaroju Gundegam iekšas. Viņš uz mani vairs nešņāc. Iedot iekšas. Nešņākt. Vairāk mēs viens otru nekad neiemīlēsim.

Es izceļu kājas no gultas un ieslidinu savos medību zābakos. Tie ir no mīkstas ādas, kas ir ieguvusi manas pēdas formu. Es uzrauju bikses un kreklu, sabāžu savu garo, tumšo matu pīni cepurē un paķeru savu pārtikas somu. Uz galda zem koka bļodas, kas pasargā gan no izsalkušām žurkām, gan kaķiem, gaida mazs, nevainojams, bazilika lapās ievīstīts kazas siera gabaliņš. Tā ir Primas dāvana man izlozes dienā. Es uzmanīgi ielieku sieru kabatā un izslīdu laukā.

Parasti mūsu Divpadsmitā apgabala rajonā, ko saukā par Vīli, mudž ogļrači, kas ap šo laiku dodas uz rīta maiņu. Vīrieši un sievietes salīkušiem pleciem un pietūkušām pirkstu locītavām – daudzi no viņiem jau sen vairs nemēģina izberzt ogļu putekļus no aplūzušo nagu panadzēm un grumbām iekritušajās sejās. Bet šodien ar melnajiem izdedžiem klātās ielas ir tukšas un zemo māju slēģi ir ciet. Izloze būs tikai divos. Drīkst izgulēties. Ja var pagulēt.

Mūsu māja ir gandrīz pašā Vīles malā. Man ir jāiziet tikai pa dažiem vārtiem, un tad es jau esmu pie netīrā lauka, ko sauc par Pļavu. No meža to šķir augsts drāšu žogs, kam augšmalā ir piestiprināta cilpās savīta dzeloņdrāts. Vispār žogs iekļauj visu Divpadsmito apgabalu. Teorētiski tam 24 stundas dienā vajadzētu būt pieslēgtam strāvai, lai aizbiedētu plēsējus – savvaļas suņu barus, kādu pumu, lāčus –, kas kādreiz apdraudēja mūsu ielas. Bet, tā kā pie mums elektrība ir labi ja divas vai trīs stundas vakaros, tad žogam parasti var droši pieskarties. Es vienalga vienmēr mirkli ieklausos, vai nesadzirdēšu dūkoņu, kas liecinātu, ka žogā plūst strāva. Šobrīd tas ir kluss kā kaps. Paslēpusies aiz krūmu pudura, es izstiepjos uz vēdera un ieslīdu pa divas pēdas platu spraugu tai vietā, kur žogs jau gadiem ilgi ir vaļīgs. Žogā ir vēl vairākas vājās vietas, bet šī ir tik tuvu mājām, ka es gandrīz vienmēr dodos mežā no šejienes.

Nokļuvusi starp kokiem, es uzreiz sameklēju dobā baļķī paslēpto loku un bultu maku. Vai nu ar strāvu, vai bez tās žogam ir izdevies neielaist Divpadsmitajā apgabalā plēsoņas. Mežos tie klaiņo brīvi, turklāt ir jābaiļojas par indīgām čūskām, trakumsērgas apsēstiem zvēriem un īstu taku neesamību. Bet te ir arī pārtika, ja zina, kā to atrast. Mans tēvs to zināja un šo to man iemācīja, pirms viņu saplosīja eksplozija raktuvēs. Nebija pat ko apglabāt. Man toreiz bija vienpadsmit gadi. Tagad, pēc pieciem gadiem, es joprojām mostos un kliedzu, lai viņš bēg.

Kaut arī bez atļaujas iet mežā ir nelikumīgi un par malumedniecību pienākas visbargākais sods, turp doties riskētu daudz vairāk cilvēku, ja viņiem būtu ieroči. Bet lielākā daļa nav tik pārdroši, lai dotos mežā tikai ar nazi. Mans šaujamloks ir retums. To izgatavoja tēvs – loku un vēl vairākus citus, ko es glabāju mežā, labi noslēptus un

11

rūpīgi ietītus ūdensnecaurlaidīgos pārvalkos. Tēvs būtu varējis krietni nopelnīt, lokus pārdodot, bet, ja to uzzinātu varas pārstāvji, tad viņam publiski izpildītu nāvessodu par dumpja kurināšanu. Lielākā daļa Miera sargu uz mums, nedaudzajiem medniekiem, skatās caur pirkstiem, jo tāpat kā pārējie alkst svaigas gaļas. Patiesībā viņi ir vieni no mūsu labākajiem noņēmējiem. Bet tas būtu nepieļaujami, ja kāds mēģinātu apbruņot Vīli.

Rudeņos daži drosmīgie ielavās mežā vākt ābolus. Bet viņi vienmēr paliek Pļavas tuvumā. Allaž gana tuvu, lai varētu skriešus nokļūt atpakaļ Divpadsmitā apgabala patvērumā, ja gadītos nepatikšanas.

– Divpadsmitais apgabals: vieta, kur drošībā var nomirt bada nāvē, – es nomurminu. Tad žigli pametu skatienu pār plecu. Pat te, nekurienes vidū, ir jāraizējas, ka mani kāds varētu noklausīties.

Kad biju mazāka, es dažreiz pārbiedēju māti līdz nāvei, izspļaudama kaut ko par Divpadsmito apgabalu, par cilvēkiem, kas tālajā pilsētā, ko sauc par Kapitoliju, pārvalda mūsu valsti – Panemu. Beigu beigās es atskārtu, ka tas tikai sagādās mums vēl vairāk nepatikšanu. Tā nu es iemācījos turēt mēli aiz zobiem un uzlikt sejai vienaldzības masku, lai neviens nekad nespētu nolasīt manas domas. Klusi paveikt darāmo skolā. Tirgus laukumā tikai pieklājīgi aprunāties ar ļaudīm. Centrā, melnajā tirgū, kur es nopelnu lielāko daļu mūsu iztikas, runāt tikai par darījumiem. Pat mājās, kur es vispār neesmu tik savaldīga, es izvairos no ākīgiem tematiem. Par izlozi un trūcīgo pārtiku, un Bada Spēlēm. Prima tad varbūt sāktu manis teikto atkārtot, un ko tad?

Mežā mani gaida vienīgais cilvēks, ar kuru kopā es varu būt es pati. Geils. Es jūtu, kā atslābst sejas muskuļi un kā mans solis kļūst raitāks. Es kāpju augšup uz mūsu satikšanās vietu – klints radzi, kas slejas pāri ielejai. No nevēlamiem skatieniem to pasargā biezi ogulāji. Ieraudzījusi viņu tur gaidām, es pasmaidu. Geils saka: es vispār smaidot tikai mežā.

– Čau, Kaķumētra, – Geils sasveicinās. Mans īstais vārds ir Katnisa, bet iepazīstoties es to pateicu čukstus. Un viņš domāja, ka es saku "kaķumētra"[1]. Un, kad man mežā sāka sekot viens traks lūsis, kurš cerēja, ka šim arī kas atliks, Kaķumētra kļuva par manu oficiālo iesauku. Beigās man nācās lūsi nogalināt, jo viņš aizbaidīja medījumu. Es to gandrīz vai nožēloju, ar viņu vismaz nebija garlaicīgi. Bet par viņa ādu es dabūju pieklājīgu naudu.

– Paskaties, kas man te ķērās! – Geils paceļ gaisā maizes klaipu ar tajā iedurtu bultu, un es iesmejos. Tā ir īsta maize no maiznīcas, nevis viens no plakanajiem, blīvajiem klaipiem, kādus mēs cepam no savām labības devām. Es paņemu maizi rokās, izvelku bultu un pielieku degunu pārdurtajai garozai, ieelpodama smaržu, kas liek mutē saskriet siekalām. Tāda smalka maize ir īpašiem gadījumiem.

– Mmm, tā vēl ir silta, – es saku. Geils laikam no paša rīta bijis maiznīcā, lai to ietirgotu. – Ko tev par to nācās atdot?

– Tikai vienu vāveri. Vecais laikam šodien bija sentimentālā omā, – Geils attrauc. – Viņš pat novēlēja man veiksmi.

---

[1] Vārdu spēle angļu valodā: Katnisa – meitenes vārds, *catnip* – kaķumētra. (*Red. piez.*)

– Nujā, šodien mēs visi jūtamies mazliet tuvāki, vai ne? – es izmetu, pat nepūlēdamās pabolīt acis. – Prima mums atstāja sieru.

Es izvelku māsas velti.

Geils atplaukst, ieraugot gardumu.

– Paldies, Prima. Mums būs īstas dzīres. – Pēkšņi viņš sāk runāt ar Kapitolija akcentu, izmēdīdams Efiju Trinketu, maniakāli žirgto sievieti, kas vienreiz gadā ierodas apgabalā, lai izziņotu izlozēto vārdus.

– Gandrīz aizmirsu! Laimīgas Bada spēles! – Viņš noplūc no apkārtējiem krūmiem dažas kazenes. – Un lai veiksme... – Viņš slaidā lokā lidina kazeni uz manu pusi.

Es saķeru ogu mutē un pārkožu maigo miziņu. Man uz mēles izplūst saldums. – ... VIENMĒR ir jūsu pusē! – es pabeidzu vienlīdz pompozi. Mums ir jādzen joki, jo citādi mēs baidītos līdz nemaņai. Turklāt Kapitolija akcents ir tik mākslots, ka tajā gandrīz jebkas izklausās smieklīgi.

Es skatos, kā Geils izņem nazi un sagriež maizi. Viņš varētu būt mans brālis. Viņam ir taisni, melni mati, olīvkrāsas āda, un pat mūsu acis ir vienādi pelēkas. Bet mēs neesam radinieki, vismaz ne tuvi. Lielākā daļa ogļraču ģimeņu līdzinās cita citai.

Tāpēc mana māte un Prima ar viņu gaišajiem matiem un zilajām acīm vienmēr izskatās, it kā nebūtu savā īstajā vietā. Nav jau arī. Manas mātes vecāki bija vieni no nedaudzajiem tirgotājiem, kas apkalpoja amatpersonas, Miera sargus un tos Vīles iedzīvotājus, kam izdevās sagrabināt gana naudas iepirkumiem. Vecvecākiem piederēja aptieka Divpadsmitā apgabala labākajā daļā. Tā kā gandrīz neviens nevar atļauties samaksāt ārstam, mūs ārstē aptiekāri. Tēvs dažreiz vāca ārstniecības augus un pārdeva tos aptiekā, un tā mani vecāki iepazinās. Māte laikam viņu ļoti mīlēja, lai pamestu mājas un pārvāktos uz Vīli. Es to mēģinu atcerēties brīžos, kad spēju domāt tikai par to, kā viņa nekustīgi sēdēja ar klēpī saliktām rokām, kamēr no viņas bērniem palika tikai kauli un āda. Es mēģinu viņai to piedot tēva dēļ. Bet vispār es nemēdzu piedot.

Geils apziež maizes rikas ar mīksto kazas sieru un rūpīgi uzliek katrai bazilika lapu. Es tikmēr aplasu ogulājus. Mēs iekārtojamies klints iedobē. Te mēs paši paliekam neredzami, bet varam novērot visu ieleju, kur kūsā vasaras dzīve – plaukst zaļumi, ko var savākt, briest saknes, ko var izrakt, un saules gaismā spoži atmirdz zivju sāni. Ir brīnišķīga diena. Debesis ir zilas, un pūš maigs vējš. Ēdiens garšo lieliski. Siers iesūcas siltajā maizē, un mums mutē izplūst ogu sula. Viss būtu brīnišķīgi, ja būtu brīvdiena, ja šodien mums ar Geilu būtu tikai jāpārstaigā kalni un jānomedī vakariņas. Bet mums pulksten divos ir jābūt galvenajā laukumā un jāgaida, kad izlozēs vārdus.

– Zini, mēs to varētu, – Geils klusi ierunājas.

– Ko tad? – es prasu.

– Pamest apgabalu. Aizbēgt. Dzīvot mežā. Mēs ar tevi to varētu, – viņš atbild.

Es nezinu, ko lai saku. Tāda doma ir nejēdzīga.

– Ja vien mums nebūtu tik daudz sīko, – viņš ātri piebilst.

Tie, protams, nav mūsu sīkie. Bet gandrīz vai. Geila divi mazie brāļi un māsa. Prima. Un mūsu mātes arī mierīgi var tiem pieskaitīt, jo kā gan viņas bez mums izdzīvotu? Kurš pabarotu mutes, kas allaž prasa vēl? Mēs medījam katru dienu, bet vienalga ir dienas, kad guvums ir jāsamaina pret taukiem vai kurpju šņorēm, vai vilnu, vienalga ir vakari, kad nākas iet gulēt ar rūcošiem vēderiem.

– Es nekad negribu bērnus, – es saku.

– Es varbūt gribētu. Ja nedzīvotu te, – Geils prāto.

– Bet tu te dzīvo! – es aizsvilstos.

– Ai, aizmirsti! – viņš cērt pretī.

Tāda saruna ir pilnīgi muļķīga. Bēgt? Kā lai es pametu Primu? Viņa ir vienīgā, kuru es tiešām mīlu. Un Geils ir no sirds uzticīgs sava ģimenei. Mēs nevaram bēgt. Tad kāpēc par to vispār runāt? Un pat ja mēs aizbēgtu... ja mēs tiešām... Kāpēc viņš vispār domā par bērniem? Mūsu starpā nekad nav bijis nekā romantiska. Kad mēs iepazināmies, es biju kaulaina divpadsmitgadīga skuķe un viņš, kaut arī tikai divus gadus vecāks, jau izskatījās pēc vīrieša. Pagāja ilgs laiks, kamēr mēs vispār sadraudzējāmies, izbeidzām kašķēties par katru darījumu un sākām palīdzēt viens otram.

Turklāt, ja jau Geils grib bērnus, viņam nebūs nekādu problēmu atrast sievu. Viņš ir izskatīgs, pietiekami stiprs, lai varētu strādāt raktuvēs, un prot medīt. Skolā meitenes sačukstas par viņu, kad viņš paiet garām, un ir skaidrs, ka viņu iekāro. Es tad jūtos greizsirdīga, bet ne tādēļ, kā varētu domāt. Ir grūti atrast labu pārinieku medībām.

– Ko tu gribētu darīt? – es pajautāju. – Mēs varam medīt, makšķerēt un vākt saknes.

– Iesim makšķerēt pie ezera. Makšķeres mēs varam atstāt un tad iet kaut ko savākt mežā. Kaut ko garšīgu šim vakaram, – viņš ierosina.

Šim vakaram. Pēc izlozes visiem it kā ir jāsvin. Un daudzi tā arī dara, jo jūtas atviegloti, ka bērni ir drošībā vēl uz gadu. Bet vismaz divas ģimenes aizvērs māju slēģus, noslēgs durvis un mēģinās saprast, kā lai pārdzīvo sāpes, kas viņiem būs jāpārdzīvo nākamajās nedēļās.

Mums veicas labi. Dienā, kad netrūkst vieglāka un gardāka medījuma, plēsēji liek mūs mierā. Kad rīts sliecas uz dienas pusi, mums jau ir ducis zivju, soma ar zaļumiem un – pats labākais – galons zemeņu. Pirms vairākiem gadiem es atradu šo zemeņu vietu, bet Geils izdomāja tam aplikt apkārt tīklus, lai ogas nenošķītu dzīvnieki.

Mājupceļā mēs iegriežamies Centrā, melnajā tirgū, kas tagad ir pamestā ogļu noliktavā. Savulaik, kad tika izdomāta sistēma, kā ogles no raktuvēm taisnā ceļā nogādāt uz vilcieniem, noliktavā pamazām sākās tirgošanās. Izlozes dienā šajā laikā parasti nekāda tirgošanās nenotiek. Bet šorīt te, melnajā tirgū, ir diezgan daudz ļaužu, un mēs viegli iemaināmies sešas zivis pret labu maizi un vēl divas – pret sāli. Taukā Sē, kaulainā, sīkā veča, kas pārdod zupu no liela katla, paņem pusi mūsu zaļumu par dažiem gabaliem parafīna. Citur mēs varbūt dabūtu vairāk, bet mēs pūlamies saglabāt labas attiecības ar Sē. Viņa ir vienīgā, kura vienmēr nopirks savvaļas suni. Tos mēs īpaši nemedījam, bet, ja uzbrukumā gadās kādu novākt... gaļa paliek gaļa. "Kad suns būs zupā, tas sauksies par liellopu." – Taukā Sē piemiedz aci. Vīlē neviens nesmādētu krietnu savvaļas suņa stilbu, bet Miera sargi, kas nāk uz Centru, var atļauties būt mazliet izvēlīgāki.

Pabeiguši darīšanas tirgū, mēs dodamies pie mēra mājas pagalma durvīm, lai pārdotu pusi zemeņu. Mēs zinām, ka mēram zemenes sevišķi garšo un viņš var atļauties maksāt prasīto cenu. Durvis atver mēra meita Medža. Viņa mācās manā klasē. Varētu domāt, ka mēra meita ir augstprātīga, bet viņai nav ne vainas. Viņa vienkārši turas savrup. Tāpat kā es. Skolā nevienai no mums nav sava draugu pulka, tāpēc mēs bieži sagadāmies kopā. Kopā ēdam pusdienas, pasākumos sēžam blakus un kopā veicam vingrojumus. Mēs sarunājamies reti, un abas esam ar to apmierinātas.

Šodien viņai mugurā nav dzeltenpelēkās skolas formas, kādā esmu paradusi viņu redzēt. Medža ir ģērbusies dārgā baltā kleitā, un viņas gaišie mati ir saņemti ar sārtu lenti. Tas ir izlozes tērps.

– Smuka kleita, – Geils novelk.

Medža uzmet runātājam skatienu, mēģinādama saprast, vai tas ir īsts kompliments vai tikai ironija. Kleita *ir* smuka, bet parastā dienā viņa tādu nemūžam nevilktu. Viņa sakniebj lūpas un pasmaida.

– Nujā, ja man būs jādodas uz Kapitoliju, es gribu izskatīties skaisti, vai ne?

Tagad samulsis izskatās Geils. Vai viņa tiešām tā arī domā? Vai arī tikai ķēmojas? Laikam jau otrais variants.

– Tu jau nu uz Kapitoliju nedosies, – Geils auksti atsaka, paskatīdamies uz nelielu, apaļu zelta piespraudi pie meitenes kleitas. Īsta zelta. Un skaisti veidota. Par tādu varētu vairākus mēnešus pabarot ģimeni.

– Cik tad tev tur ir? Kādas piecas lozes? Man jau divpadsmit gadu vecumā bija sešas.

– Tā nav viņas vaina, – es iejaucos.

– Nē, tur vainīgs nav neviens. Tas vienkārši tā ir, – Geils piekrīt.

Medžas seja kļūst neizteiksmīga. Viņa ieliek man plaukstā naudu par ogām. – Veiksmi, Katnis.

– Tev tāpat, – es atbildu, un durvis aizveras.

Mēs klusēdami ejam uz Vīli. Man nepatika, ka Geils tā uzknāba Medžai, bet viņam, protams, ir taisnība. Izloze ir netaisna un pret nabadzīgajiem jo īpaši. Dienā, kad cilvēkam paliek divpadsmit gadu, viņu var izlozēt. Tajā gadā vārds ir uz vienas lozes. Trīspadsmit gadu vecumā – uz divām. Un tā līdz astoņpadsmit gadiem, kad ir pēdējā iespēja tikt izlozētam un vārds ir uz septiņām lozēm. Tā tas ir ikvienam visos divpadsmit Panemas apgabalos.

Bet ir vēl kas. Pieņemsim: kāds ir nabadzīgs un mirst badā – kā tas bija mums. Tad var izvēlēties papildu lozes apmaiņā pret gada graudu un eļļas devu vienam cilvēkam. Par katru ģimenes locekli var pievienot vēl vienu lozi. Tā nu divpadsmit gadu vecumā mans vārds bija uz četrām lozēm. Vienreiz tāpēc, ka tā vajadzēja, un trīs reizes par tezerām – graudu un eļļas devām man, Primai un manai mātei. Man to nācās darīt katru gadu. Un lozes uzkrājas. Tāpēc tagad, kad man ir sešpadsmit gadu, mans vārds būs rakstīts uz divdesmit lozēm. Geilam ir astoņpadsmit gadu, un viņš jau septiņus gadus palīdz un viens pats pabaro piecu cilvēku ģimeni, bet viņa vārds būs uz četrdesmit divām lozēm.

Skaidrs, ka tāda meitene kā Medža, kurai nekad nav vajadzējis tezeras, viņu kaitina. Salīdzinājumā ar tiem, kas dzīvo Vīlē, viņai tikpat kā nedraud iespēja, ka izvilks viņas vārdu. Tas nav neiespējami, bet gandrīz. Un, kaut arī ir zināms, ka noteikumus izdomā Kapitolijs, nevis apgabali, un nekādā ziņā jau ne Medžas ģimene, tomēr ir grūti nejust nepatiku pret cilvēkiem, kuriem nekad nav bijis jāsaņem tezeras.

Geils zina, ka nav taisnīgi dusmoties uz Medžu. Dažreiz viņš meža biezoknī spriedelē par to, ka tezeras ir vēl viens paņēmiens, kā sēt nabadzību mūsu apgabalā. Paņēmiens, kā panākt, ka izbadējušies Vīles strādnieki un tie, kuri vienmēr dabū paēst vakariņas, neuzticas viens otram. "Kapitolijam ir izdevīgi mūs sašķelt," viņš varbūt teiktu, ja to dzirdētu tikai es. Ja nebūtu izlozes diena. Ja meitene ar zelta piespraudi un bez papildu lozēm nebūtu izmetusi, manuprāt, gluži nekaitīgi domātu piezīmi.

Ejot es paskatos uz Geilu. Var manīt, ka viņš joprojām niknojas. Man viņa dusmas šķiet bezjēdzīgas, bet es to nekad nesaku skaļi. Vispār es viņam piekrītu. Tiešām. Taču kāda jēga lamāt Kapitoliju meža vidū? Lamāšanās neko nemaina. Tā neiedibina taisnīgumu. Nepiepilda mūsu vēderus. Tikai aizbaida medījumu. Bet es ļauju viņam izlamāties. Labāk lai viņš to dara mežā, nevis kaut kur apgabalā.

Mēs ar Geilu sadalām guvumu, un mums katram tiek divas zivis, daži labās maizes klaipi, zaļumi, kvarta zemeņu, sāls, parafīns un mazliet naudas.

– Tiksimies laukumā, – es atvados.

– Uzvelc kaut ko smuku, – viņš sāji atmet.

Mājās mana māte un māsa jau ir sagatavojušās. Māte ir tērpusies smalkā kleitā no aptiekāra meitas laikiem. Prima ir saģērbta manā pirmās izlozes ietērpā – svārkos un blūzē ar volāniem. Viņai blūze ir mazliet par lielu, bet māte to ir saspraudusi ar adatām. Bet aizmugurē tā vienalga īsti neturas svārkos.

Mani gaida baļļa ar siltu ūdeni. Es noberžu meža netīrumus un sviedrus, un pat izmazgāju matus. Esmu pārsteigta, ka māte ir man nolikusi vienu no savām skaistajām kleitām. No maigi zila auduma, arī kurpes pēc krāsas pieskaņotas.

– Vai tev nebūs žēl? – es jautāju. Es mēģinu neatteikties no jebkādas viņas palīdzības. Agrāk es uz viņu biju tik nikna, ka neko neļāvu darīt savā labā. Un kleita ir kas īpašs. Mātes jaunības laika drēbes viņai ir ļoti dārgas.

– Nekādā ziņā. Ieveidosim arī tavus matus, – viņa saka. Es ļauju viņai nosusināt manus matus ar dvieli un sapīt uz pakauša tādu kā mezglu. Pēc tam es pati sevi tik tikko atpazīstu saplaisājušajā spogulī pie sienas.

– Tu esi skaista, – Prima klusi noteic.

– Un nemaz neizskatos pēc sevis, – es piebilstu un apskauju māšeli, jo zinu, ka nākamās stundas viņai būs briesmīgas. Viņas pirmā izloze. Viņa ir gandrīz pilnīgā drošībā, jo es viņai neļāvu izņemt tezeras. Bet Prima raizējas par mani. Ka varētu notikt neiedomājamais.

Es sargāju Primu, kā vien varu, bet pret izlozi es neko nespēju. Vienmēr, kad māsiņai sāp, man krūtīs tā sažņaudzas raizes, ka es baidos – tās parādīsies man sejā. 21

Tagad pamanu, ka viņas blūze aizmugurē atkal ir izlīdusi no svārkiem, un apspiežu satraukumu.

– Ievelc asti, pīlēn, – es pazobojos, sakārtojot blūzi.

Prima ieķiķinās un saka: – Pēkš.

– Pēkš, pēkš. – Es maigi atsmeju. Kaut ko tādu tikai Prima spēj no manis izvilināt. – Nāc ēst, – es mudinu, žigli noskūpstīdama viņu uz pakauša.

Zivs un zaļumi jau sautējas, bet tas būs vakariņām. Mēs izlemjam pietaupīt arī zemenes un smalko maizi, lai vakara maltīte būtu īpaša. Tā vietā mēs iedzeram Primas kazas Lēdijas pienu un ēdam rupjo maizi no tezeru graudiem. Lielas apetītes mums vienalga nav.

Vienos mēs dodamies uz laukumu. Tur ir jāierodas obligāti, ja vien kāds neguļ uz nāves gultas. Šovakar amatpersonas ies pārbaudīt, vai tā tiešām ir. Ja nebūs, tad vainīgo iemetīs cietumā.

Tiešām žēl, ka izloze notiek galvenajā laukumā – vienā no nedaudzajām jaukajām vietām Divpadsmitajā apgabalā. Ap laukumu rindojas veikali, un tirgus dienās, īpaši, ja ir labs laiks, te ir tāda sajūta kā brīvdienās. Bet šodien, kaut arī pie ēkām karājas koši karogi, noskaņa ir drūma. Nelāgo gaisotni vēl pastiprina televīzijas komandas, kas kā maitasputni glūn no jumtiem.

Cilvēki klusi sapulcējas un parakstās, ka ir ieradušies. Izlozē Kapitolijs pie reizes arī iegūst statistiku par iedzīvotāju skaitu. Divpadsmit līdz astoņpadsmit gadus vecos sadzen ar virvēm norobežotās zonās atkarībā no vecuma. Vecākie stāv priekšā, un jaunākie, kā Prima, – aizmugurē. Ģimenes sastājas apkārt un cieši sadodas rokās.

22 Bet ir vēl citi cilvēki, kuriem izlozē nepiedalās neviens

no mīļajiem vai arī kuriem jau viss ir vienalga. Viņi lodā pūlī un slēdz derības par izlozētajiem pusaudžiem. Var likt uz viņu vecumu, vai izlozētie būs no Vīles vai arī no tirgotājiem, vai viņi sabruks un raudās. Vairums ļaužu atsakās slēgt derības, bet ir jāuzmanās. Tie paši bukmeikeri parasti ir arī informētāji. Un kuram gan nav gadījies pārkāpt likumu? Mani varētu nošaut par medīšanu, bet mani sargā manu klientu apetīte. Bet ne visi ir tā pasargāti.

Mēs ar Geilu gan esam vienisprātis: ja ir jāizvēlas starp bada nāvi un lodi galvā, tad lode vismaz būtu ātrāka. Ierodas arvien vairāk cilvēku, un laukumā kļūst šauri un smacīgi. Laukums ir diezgan liels, bet ne jau tik liels, lai tajā saietu visi Divpadsmitā apgabala iedzīvotāji – apmēram astoņi tūkstoši cilvēku. Vēlāk atnākušos aizsūta uz tuvējām ielām, kur viņi varēs visu noskatīties valsts televīzijā tiešajā ēterā.

Es stāvu Vīles sešpadsmitgadnieku bariņā. Mēs stīvi pamājam sveicienam un tad pievēršamies pagaidu skatuvei, kas ir uzslieta pie Tiesas ēkas. Uz skatuves ir trīs krēsli, paaugstinājums un divas lielas stikla lodes – viena ir zēnu un otra – meiteņu vārdiem. Es blenžu uz papīra gabaliņiem meiteņu bumbā. Uz divdesmit no tiem rūpīgā rokrakstā ir rakstīts *Katnisa Everdīna*.

Vienā no trim krēsliem sēž Medžas tēvs, mērs Anderzī – garš, gandrīz plikgalvains vīrs – un otrā – tikko kā no Kapitolija ieradusies Divpadsmitā apgabala kuratore Efija Trinketa – viņai ir biedējoši bāls smīns, iesārti mati un spilgti zaļš kostīms. Abi kaut ko sačukstas un tad norūpējušies paraugās uz tukšo sēdekli.

Tajā brīdī, kad pilsētas pulkstenis nosit divas reizes, mērs uzkāpj uz podesta un sāk lasīt. Lasāmais katru gadu ir viens un tas pats. Viņš izklāsta Panemas vēsturi: valsts, kas izauga no pelniem vietā, ko reiz sauca par Ziemeļameriku. Viņš uzskaita katastrofas, sausumu, vētras, ugunsgrēkus, draudīgās jūras, kas aprija tik daudz zemes, un izstāsta par brutālo karu nelielā atlikušās zemes pleķīša dēļ. Rezultātā radās Panema – mirdzošs Kapitolijs, ko lokā iekļāva trīspadsmit apgabali un kas atnesa mieru un labklājību saviem pilsoņiem. Tad nāca Tumšie Laiki, kad apgabali sacēlās pret Kapitoliju. Divpadsmit no tiem sakāva, bet trīspadsmito nolīdzināja līdz ar zemi. Nodevības līgums ieviesa jaunus likumus, lai nodrošinātu mieru, un iedibināja Bada Spēles – ikgadēju atgādinājumu, ka Tumšie Laiki nekad nedrīkst atkārtoties.

Bada Spēļu noteikumi ir vienkārši. Lai sodītu visus divpadsmit apgabalus par sacelšanos, Kapitolijs noteica, ka katram apgabalam ir jāsūta piedalīties spēlēs viena meitene un viens zēns, kurus sauc par pārstāvjiem. Divdesmit četrus pārstāvjus iesloga milzīgā savvaļas arēnā, kur apstākļi var būt jebkādi – no svelmaina tuksneša līdz ledainiem tukšiem klajumiem. Vairākas nedēļas pārstāvjiem ir jācīnās līdz nāvei. Uzvar pēdējais, kurš paliek dzīvs.

Kapitolijs paņem no apgabaliem bērnus un piespiež tos nogalināt citam citu visas valsts acu priekšā, lai mums atgādinātu, ka mēs esam absolūti atkarīgi no viņu žēlastības un cik maz izredžu mums būtu pārdzīvot vēl vienu sacelšanos. Lai ko viņi teiktu, jēga vienmēr ir tā pati: "Redziet, kā mēs atņemam un nonāvējam jūsu bērnus, un jūs tur neko nevarat padarīt. Ja pakustināsiet kaut vai pirkstu, mēs iznīcināsim jūs visus līdz pēdējam. Tāpat kā to izdarījām Trīspadsmitajā apgabalā."

Lai Bada Spēles būtu ne tikai mokošas, bet vēl arī pazemojošas, Kapitolijs pieprasa, lai tās svinētu kā svētkus, kā sporta sacensības, uzrīdot apgabalus citu pret citu. Pēdējais pārstāvis, kurš paliek dzīvs, iegūst bezrūpīgu dzīvi savās mājās, un pār viņa apgabalu līst balvu lietus, galvenokārt pārtikas veidā. Kapitolijs visa gada garumā rāda dāvanas uzvarējušajam apgabalam – graudus, eļļu un pat tādu gardumu kā cukurs –, kamēr pārējiem apgabaliem ir jācīnās ar badu.

– Tas ir nožēlas un pateicības laiks, – mērs uzsver.

Tad viņš nolasa agrāko Divpadsmitā apgabala Spēļu uzvarētāju sarakstu. Septiņdesmit četros gados mums tādi ir bijuši divi. Tikai viens joprojām ir dzīvs. Heimičs Ebernatijs – lielvēderains pusmūža vīrs, kurš tieši šai brīdī parādās laukumā. Brēkādams kaut ko nesakarīgu, viņš uzsteberē uz skatuves un iekrīt trešajā krēslā. Viņš ir piedzēries. Smagi. Pūlis viņu sveic ar simboliskiem aplausiem, bet viņš ir apmulsis un mēģina cieši apskaut Efiju Trinketu, kura tik tikko paspēj izlocīties.

Mērs izskatās noraizējies. Tā kā visu rāda televīzijā, par Divpadsmito apgabalu pašlaik smejas visa Panema, un viņš to zina. Viņš žigli stāda priekšā Efiju Trinketu, mēģinot atkal pievērst uzmanību izlozei.

Efija uztipina uz podesta tikpat dzīvespriecīga un sparīga kā vienmēr un uzsauc pazīstamo:

– Laimīgas Bada Spēles! Un lai veiksme *vienmēr* ir jūsu pusē! – Viņas rozā mati laikam ir parūka, jo pēc sadursmes ar Heimiču sprogas vairs nesākas īsti galvas vidū. Viņa īsu brīdi klāsta, kāds gods ir te būt, bet visi tāpat zina, ka viņa to vien kāro, lai viņu pārceltu uz labāku apgabalu, kur ir pieklājīgi uzvarētāji, nevis žūpas, kas uzmācas visas valsts priekšā.

Cauri pūlim es pamanu Geilu, kurš lūkojas manī ar smaida ēnu sejā. Šogad izloze vismaz ir nedaudz izklaidējoša. Bet piepeši es domāju par Geilu un četrdesmit diviem papīriņiem ar viņa vārdu lielajā stikla lodē, un to, ka veiksme nav viņa pusē. Salīdzinājumā ar daudziem citiem zēniem – noteikti ne. Un varbūt viņš domā to pašu par mani, jo viņa seja satumst un viņš aizgriežas. Es vēlos, kaut varētu viņam pačukstēt, ka tur taču ir vēl tūkstošiem papīriņu.

Ir laiks vilkt lozes. Efija Trinketa saka to pašu, ko vienmēr: – Dāmas pa priekšu! –, un dodas pie stikla lodes ar meiteņu vārdiem. Viņa pasniedzas lodē, ierok roku dziļi papīros un izvelk vienu. Pūlis aiztur elpu, un šajā klusumā varētu dzirdēt pat adatu nokrītam, bet man ir slikti, un es tik izmisīgi vēlos, kaut tā nebūtu es, kaut nebūtu es, kaut nebūtu es...

Efija Trinketa uzkāpj atpakaļ uz podesta, nogludina papīriņu un skaidrā balsī nolasa vārdu. Un tā neesmu es.

Tā ir Prīmula Everdīna.

2

Reiz, kad es sēdēju slēpnī kokā un nekustīgi gaidīju, kad garām ies medījums, man gadījās iesnausties un es uz muguras nokritu zemē no desmit pēdu augstuma. Sajūta bija tāda, it kā trieciens būtu izsitis no manām plaušām pēdējo gaisa kripatu, un es tikai gulēju un pūlējos ieelpot, izelpot... jebko.

Tāpat es jūtos šobrīd. Es mēģinu atcerēties, kā lai elpoju, kā lai runāju, un stāvu pilnīgi apstulbusi, kamēr vārds atbalsojas manā galvā. Kāds sagrābj manu roku – kāds zēns no Vīles –, un es iedomājos, ka varbūt kritu, bet viņš mani saķēra.

Tai jābūt kļūdai. Tas nav iespējams. Primas vārds bija uz viena papīra no tūkstošiem! Viņas iespējas tikt izvēlētai bija tik niecīgas, ka es pat nebiju papūlējusies par viņu uztraukties. Vai tad es nebiju darījusi visu? Vai tad es neizņēmu savas tezeras, vai tad neliedzu viņai to darīt? Viens papīriņš. Viens no tūkstošiem. Veiksme bija viņas pusē. Bet tam nebija nozīmes.

Kaut kur tālumā es dzirdu pūļa drūmo murdoņu, kāda izceļas vienmēr, kad tiek izvēlēts kāds divpadsmitgadnieks, jo neviens nedomā, ka tas būtu taisnīgs. Un tad es viņu ieraugu. Bālu seju un dūrēs sažņaugtām, sāniem piespiestām rokām māsa nelieliem, stīviem soļiem dodas uz skatuvi, paiet man garām, un es ieraugu, ka blūze ir izlīdusi no svārkiem un aizmugurē nokarājas. Tieši šis sīkums – nekārtīgā blūze, kas aizmugurē veido pīles asti, liek man attapties.

– Prima! – man no rīkles izlaužas aizžņaugts kliedziens, un mani muskuļi atkal sakustas. – Prima! – Man nav jāspraucas cauri pūlim. Pārējie pusaudži uzreiz pašķir man ceļu uz skatuvi. Es sasniedzu māsu brīdī, kad viņa gatavojas kāpt augšup pa kāpnēm. Ar vienu rokas vēzienu es aizstumju viņu sev aiz muguras.

– Es piesakos brīvprātīgi! – es saucu. – Es brīvprātīgi piesakos par pārstāvi!

Uz skatuves izceļas sajukums. Divpadsmitajā apgabalā jau vairākus desmitus gadu nav bijis brīvprātīgo, un neviens vairs īsti neatceras, kas darāms. Likums nosaka: pēc tam kad no lodes ir izvilkts pārstāvja vārds, tad cita piemērota meitene, ja tas ir meitenes vārds, vai cits piemērots zēns, ja ir izvilkts zēna vārds, var pieteikties ieņemt viņa vietu. Dažos apgabalos uzvara izlozē ir liels gods, un cilvēki labprāt grib likt uz spēles savu dzīvību, tāpēc kļūt par brīvprātīgo nav viegli. Bet mūsu apgabalā, kur vārds "pārstāvis" nozīmē gandrīz to pašu ko "līķis", brīvprātīgo nav bijis vispār.

– Burvīgi! – izsaucas Efija Trinketa. – Bet man šķiet, ka vispār būtu jāstāda priekšā izlozes uzvarētājs un tad jājautā, vai ir kāds brīvprātīgais, un, ja kāds piesakās, tad mēs, ēe... – viņa pieklust, pati nebūdama pārliecināta.

– Kāda tam nozīme? – iejaucas mērs. Viņš lūkojas manī ar sāpjpilnu izteiksmi. Pa īstam jau viņš mani nezina, bet skatienā ir jaušams, ka viņš manī ir sazīmējis ko pazīstamu. Es esmu meitene, kas nes zemenes. Meitene, kuru viņa meita varbūt kādreiz ir pieminējusi. Meitene, kura pirms pieciem gadiem stāvēja viņa priekšā, saspiedusies kopā ar māti un māsu, kad viņš tai kā vecākajam bērnam pasniedza medaļu par drosmi. Medaļu viņas raktuvēs saspridzinātajam tēvam. Vai viņš to atceras?

– Kāda tam nozīme? – mērs piesmakušā balsī atkārto.

– Lai viņa nāk.

Prima aiz manis histēriski kliedz. Viņas tievās rokas tur mani kā skrūvspīlēs. – Nē, Katnis! Nē! Tu nedrīksti!

– Prima, laid vaļā! – es pavēlu visai skarbi, jo tas mani satrauc un es negribu raudāt. Kad šovakar televīzijā rādīs izlozes atkārtojumu, visi pamanīs manas asaras un mani uzskatīs par vieglu mērķi. Par vārguli. Tādu prieku es nevienam nesagādāšu. – Laid vaļā!

Es jūtu: kāds atrauj viņu no manis. Pagriezusies es ieraugu, ka Geils ir pacēlis Primu un māšele mežonīgi spārdās viņa rokās.

– Aiziet, Kaķumētra, – viņš saka saspringti rāmā balsī un tad aiznes Primu pie manas mātes. Es nocietinos un uzkāpju pa pakāpieniem.

– Bravo! – līksmo Efija Trinketa. – Tas ir īstais Spēļu gars! – Viņa ir apmierināta, ka beidzot ir dabūjusi apgabalu, kurā kaut kas notiek. – Kā tevi sauc?

Es ar grūtībām noriju siekalas. – Katnisa Everdīna, – es atbildu.

– Lieku galvu ķīlā, ka tā bija tava māsa. Tu negribēji, lai visa slava tiek viņai, ko? Tā, tagad visi kopā! Aplaudēsim, kā pienākas, mūsu pirmajai pārstāvei! – spiedz Efija Trinketa.

Neviens pat nesasit plaukstas – lai gods un slava Divpadsmitā apgabala ļaudīm! Pat ne tie, kam rokās ir derību papīri, tie, kuriem parasti viss ir vienalga. Varbūt tāpēc, ka viņi mani pazīst no Centra vai arī pazina manu tēvu, vai arī ir satikuši Primu, kuru neviens nespēj nemīlēt. Tā nu vietā, lai noklausītos aplausos, es stāvu nekustīgi, un ļaudis vienojas pārdrošākajā pretestības aktā, uz kādu ir spējīgi. Valda klusums. Klusums vēstī: mēs nepiekrītam. Mēs nedodam tam savu svētību. Tas viss ir nepareizi.

Tad notiek kaut kas negaidīts. Vismaz es to negaidu, jo neuztveru Divpadsmito apgabalu kā vietu, kam es rūpētu. Bet brīdī, kad es pieteicos ieņemt Primas vietu, kaut kas izmainījās, un tagad šķiet, ka es esmu kļuvusi ļaudīm dārga. Vispirms viens, tad vēl viens un tad gandrīz visi pūlī ar kreisās rokas trim vidējiem pirkstiem pieskaras lūpām un tad pastiepj roku pret mani. Tas ir sens un reti lietots žests mūsu apgabalā, dažreiz to var redzēt bērēs. Tas nozīmē pateicību, tas nozīmē apbrīnu, tas nozīmē atvadas no mīļa cilvēka.

Tagad tiešām pastāv briesmas, ka es sākšu raudāt, bet laimīgā kārtā Heimičs tieši šajā brīdi pārstreipuļo pāri skatuvei, lai mani apsveiktu.

– Paskatieties uz viņu! Paskatieties uz viņu! – viņš klaigā, apmezdams roku ap maniem pleciem. Viņš ir pārsteidzoši spēcīgs, ņemot vērā, ka izskatās pēc gatavā grausta. – Man viņa patīk! – Viņa elpa smird pēc viskija, un viņš jau ilgāku laiku nav mazgājies. – Daudz... – Kādu laiku viņš nevar izdomāt piemērotu vārdu. – Spara! – viņš triumfējoši izsaucas. – Vairāk nekā jums! – Viņš palaiž mani vaļā un dodas uz pūļa pusi. – Vairāk nekā jums! – viņš brēc, ar pirkstu bakstīdams tieši kamerā. Vai viņš to saka skatītājiem, vai arī ir tā pielējies, ka tīšām ņirgājas par Kapitoliju? To es nekad neuzzināšu, jo Heimičs pašlaik atver muti, lai turpinātu, bet nogāžas no skatuves un triecienā zaudē samaņu.

Viņš ir pretīgs, bet es jūtos pateicīga. Kad visas kameras kāri pievēršas viņam, man ir tieši tik daudz laika, lai izlaistu klusu, aizlauztu skaņu no rīkles un saņemtos. Es salieku rokas aiz muguras un blenžu tālumā. Es redzu pakalnus, kur šorīt kāpelēju kopā ar Geilu. Mirkli es ilgojos pēc kaut kā... pēc domas par apgabala pamešanu... par dzīves uzsākšanu mežā... Bet es zinu, ka man bija taisnība – nevajag bēgt. Jo kurš gan cits pieteiktos par brīvprātīgo Primas vietā?

Heimiču uzceļ uz nestuvēm, un Efija Trinketa mēģina visu atkal iekustināt. – Cik satraucoša diena! – viņa čivina, mēģinādama iztaisnot savu parūku, kas ir stipri nošķiebusies uz labo pusi. – Bet kļūs vēl aizraujošāk! Ir laiks izvēlēties zēnu pārstāvi! – Acīmredzot cerēdama apslēpt matu nelāgo stāvokli, viņa uzliek vienu roku uz galvas un metas pie lodes ar zēnu vārdiem, un pagrābj pirmo papīriņu, kas pagadās. Viņa aizšaujas atpakaļ uz paaugstinājumu, un man pat nepietiek laika vēlēties, kaut Geils paliktu drošībā, kad viņa jau nolasa vārdu:

– Pīta Melārks.

Pīta Melārks!

Ak, nē, es domāju. *Tikai ne viņš.* Jo es zinu šo vārdu, kaut arī nekad neesmu runājusi ar tā īpašnieku. Pīta Melārks. 31

Nē, šodien veiksme nav manā pusē.

Es vēroju puisi, kas pašlaik nāk uz skatuvi. Viņš ir vidēji garš, spēcīgas miesasbūves un pelnu blondiem matiem, kas viļņos krīt pār pieri. Viņa sejā atspoguļojas šoks, un var redzēt, ka viņš pūlas apspiest emocijas, bet zilajās acīs gail pārbīlis, kādu es tik bieži esmu redzējusi medījuma skatienā. Tomēr viņš noteiktiem soļiem uzkāpj uz skatuves un ieņem savu vietu.

Efija Trinketa jautā, vai ir kāds brīvprātīgais, bet neviens nepiesakās. Es zinu, ka Pītam ir divi vecāki brāļi, es esmu viņus redzējusi maiznīcā, bet viens tagad jau droši vien ir par vecu, lai pieteiktos, un otrs to nedarīs. Tā ir parasti. Ģimenes saiknes lielākajai daļai ļaužu ir svarīgas tikai līdz izlozes dienai. Tas, ko izdarīju es, bija radikāli.

Kā jau katru gadu šajā brīdī, mērs sāk lasīt garo, garlaicīgo Nodevības līgumu. Tā pienākas. Bet es nedzirdu ne vārda.

Kāpēc viņš? es domāju. Tad es mēģinu sevi pārliecināt, ka tas nav svarīgi. Mēs ar Pītu Melārku neesam draugi. Pat ne kaimiņi. Mēs nesarunājamies. Pa īstam satikties mums ir iznācis tikai vienu reizi pirms vairākiem gadiem. Viņš droši vien ir to aizmirsis. Bet es neesmu un zinu, ka to neaizmirsīšu nekad...

Tas bija visgrūtākajā laikā. Trīs mēnešus iepriekš, skarbākajā janvārī, kādu jebkurš atcerējās pieredzējis, mans tēvs bija gājis bojā negadījumā raktuvēs. Nejutīgums pēc zaudējuma bija pārgājis, un sāpes mani ķēra negaidīti kā zibens šautras, liekot sačokuroties un krampjaini raustīties šņukstos. *Kur tu esi?* es domās kliedzu. *Kur tu paliki?* Atbildes, protams, nebija.

Apgabals bija mums piešķīris nelielu naudas summu kompensācijai par viņa nāvi – pietiekami, lai iztiktu vienu sēru mēnesi, kura laikā manai mātei vajadzēja atrast darbu. Bet viņa neatrada. Viņa nedarīja neko, tikai sēdēja krēslā vai arī – vēl biežāk – saritinājās zem palagiem savā gultā un ar acīm iezīdās kādā punktā tālumā. Laiku pa laikam viņa sakustējās, piecēlās, it kā viņai būtu kāds steidzams mērķis, bet tad atkal sabruka un sastinga. Nekāda Primas lūgšanās vai raudāšana viņu neietekmēja.

Es biju šausmās. Tagad man šķiet, ka māte bija ieslodzīta kādā tumšā skumju pasaulē, bet toreiz es manīju tikai to, ka esmu zaudējusi ne tikai tēvu, bet arī māti. Vienpadsmit gadu vecumā, kad Primai bija tikai septiņi gadi, es kļuvu par ģimenes galvu. Citas izvēles nebija. Es iepirku tirgū pārtiku un pagatavoju to, cik vien labi spēju, un mēģināju Primu un sevi apkopt tik labi, lai varētu rādīties cilvēkos. Ja būtu kļuvis zināms, ka mana māte vairs nespēj par mums parūpēties, apgabals būtu mūs viņai atņēmis un ievietojis bāreņu namā. Es esmu uzaugusi, redzot tādus bērnus skolā. Es redzēju skumjas, cietsirdīgu roku atstātas zīmes sejās un bezcerību, kas lika sagumt viņu pleciem. Es nevarēju pieļaut, ka tā notiek ar Primu. Mīļo, sīko Primu, kas raudāja vienmēr, kad raudāju es, pat nezinādama, kāpēc, kas pirms skolas izsukāja un sapina mātes matus un kas joprojām ik vakaru spodrināja spoguli, pie kura tēvs agrāk skuvās, jo viņam riebās ogļu putekļu kārtiņa, kāda Vīlē pārklāja pilnīgi visu. Bāreņu namā Prima salūztu kā smildziņa. Tāpēc es paturēju mūsu nelaimi noslēpumā.

Bet nauda izbeidzās, un mēs mirām lēnā bada nāvē. Citādi to nevar nosaukt. Es visu laiku sev sacīju: ja vien izturēšu līdz maijam, tikai līdz 8. maijam, kad man apritēs divpadsmit gadi, es varēšu pieteikties tezerām un dabūt dārgo labību un eļļu, lai mūs pabarotu. Bet līdz tam laikam bija vēl vairākas nedēļas. Mēs varējām arī nomirt. Bada nāve Divpadsmitajā apgabalā nav nekas neparasts. Kurš gan nav redzējis tās upurus? Vecus cilvēkus, kas vairs nespēj strādāt. Bērnus no ģimenēm, kurās jābaro pārlieku daudzas mutes. Raktuvēs sakropļotos. Viņi klīst pa ielām. Un kādu dienu viņus uziet nekustīgi sēžam pie sienas vai guļam Pļavā, no kādas mājas atskan raudas un tiek izsaukti Miera sargi, lai aizvāktu līķi. Oficiālais nāves cēlonis nekad nav bads. Pie vainas vienmēr ir gripa vai vīrusu infekcija, vai plaušu karsonis. Bet tam neviens nenotic.

Pēcpusdienā, kad es satiku Pītu Melārku, nebeidzamām, ledainām straumēm lija lietus. Es biju pilsētā un mēģināju tirgū pārdot nedaudzas sadilušas Primas bērnu drēbītes, bet pircēju nebija. Kaut arī es vairākas reizes biju bijusi Centrā kopā ar tēvu, es baidījos uz nesaudzīgo, skarbo vietu doties viena pati. Lietus bija līdz pēdējai vīlītei izmērcējis mana tēva medību jaku, un aukstums koda līdz kauliem. Jau trīs dienas mums nebija nekā cita, ko likt mutē, kā vien vārīts ūdens ar dažām vecām piparmētru lapām, kuras es atradu virtuves skapīša dziļumā. Kad tirgu slēdza, es jau tā trīcēju, ka iesviedu savu zīdaiņu drēbīšu paunu dubļos. Es to nepacēlu, baidīdamās, ka pakritīšu un vairs nespēšu piecelties kājās. Turklāt tās drēbes neviens negribēja.

Es nevarēju iet mājās. Jo mājās gaidīja māte ar nedzīvām acīm un mazā māsa ar iekritušiem vaigiem un saplaisājušām lūpām. Es nevarēju tukšām rokām ieiet istabā, kur dūmojot kurējās uguns no miklajiem zariem, ko es savācu mežmalā, pēc tam kad bija izbeigušās ogles. Es steberēju pa dubļainu ielu aiz veikaliem, kas apgādā pilsētas turīgākos iedzīvotājus. Tirgotāji paši mitinās virs saviem veikaliem, tāpēc es patiesībā biju viņu pagalmos. Es atceros vēl neapsētu dobju apveidus, pa kādai kazai aplokā, kādu izmirkušu suni, kas bija bezcerīgi ieslīdzis dubļos.

Divpadsmitajā apgabalā ir aizliegta jebkāda veida zagšana. Par to pienākas nāvessods. Bet man iešāvās prātā, ka varbūt kaut ko var atrast atkritumu tvertnēs, un tur meklēt nav noziegums. Varbūt skārņa atkritumos būs kāds kauls vai dārzeņu tirgotāja pabirās – sapuvuši dārzeņi, kaut kas tāds, ko var ēst tikai tādā izmisumā, kādā bija mana ģimene. Nelaimīgā kārtā tvertnes bija nesen iztukšotas.

Man ejot garām beķerejai, uzsmaržoja pēc svaigi ceptas maizes tā, ka sareiba galva. Krāsnis bija ēkas aizmugurē, un pa atvērtajām virtuves durvīm plūda zeltaina atblāzma. Sajūtot siltumu un gardo smaržu, es apstājos kā noburta. Bet tad burvību salauza lietus, kas ledainiem pirkstiem taustījās lejup pa manu muguru, un es atguvos. Es pacēlu maiznieka atkritumu tvertnes vāku un ieraudzīju, ka tā ir nevainojami, nežēlīgi tukša.

Piepeši kāda balss sāka uz mani kliegt, un es pacēlu galvu un ieraudzīju maiznieka sievu. Viņa brēca, lai es lasoties prom, vai es gribot, lai viņa izsauc Miera sargus, un kā viņai esot noriebies, ka visādi Vīles knēveļi

gramstās gar viņas atkritumiem. Lamu straume bija rie-
bīga, un es nekādi nevarēju aizstāvēties. Es uzmanīgi no-
laidu vāku un atkāpos, un tad ieraudzīju viņu – blondu
puiku, kas aiz mātes muguras lūkojās manī. Es biju to
zēnu redzējusi skolā. Viņš mācījās paralēlklasē, bet es
nezināju viņa vārdu. Viņš turējās kopā ar pilsētas bēr-
niem – kā gan lai es viņu pazītu? Viņa māte purpinā-
dama iegāja atpakaļ beķerejā, bet viņš laikam noskatījās,
kā es aizeju aiz aploka, kurā tupēja viņu cūka, un at-
spiežos pret vecas ābeles sānu. Beidzot es biju atskārtusi,
ka man tiešām nav, ko pārnest mājās. Man saļodzījās
ceļi, un es gar koka stumbru noslīdēju zemē. Tas bija
par daudz. Man bija pārāk slikti, es biju pārāk vārga un
nogurusi. Vai, cik nogurusi!... *Lai sauc vien Miera sargus
un ved mūs uz patversmi*, es domāju. *Vai vēl labāk – lai
es nomirstu tepat lietū.*

Piepeši beķerejā izcēlās jezga, un es dzirdēju sievieti
atkal klaigājam, un tad nobūkšķēja sitiens, un es izklai-
dīgi prātoju, kas gan tur notiek. Dubļos uz manu pusi
noplakšķēja soļi, un es nodomāju: *Tā ir viņa. Viņa nāk,
lai patriektu mani ar stibu.* Bet tā nebija maiznieka sieva.
Tas bija puika. Viņam rokās bija divi lieli maizes klaipi,
kas laikam bija iekrituši ugunī, jo to sāni bija pārvērtu-
šies melnās oglēs.

Viņa māte kliedza: – Izbaro vien cūkai, tu stulbais
radījum! Kāpēc gan ne? Neviens kārtīgs cilvēks nepirks
sadegušu maizi!

Puika sāka plēst gabalus no sadegušā sāna un mest
tos silē, un tad iezvanījās beķerejas durvju zvaniņš un
māte nozuda, lai apkalpotu pircēju.

Puika ne reizes nepaskatījās uz manu pusi, bet es viņu vēroju. Maizes dēļ. Sarkanās švīkas dēļ uz viņa vaiga. Ar ko viņa bija tam iesitusi? Mani vecāki mūs nekad nesita. Es to nespēju pat iztēloties. Puika pameta īsu skatienu uz beķereju, it kā pārbaudot, vai gaiss ir tīrs, un tad, atkal pievērsies cūkai, viņš nosvieda maizes klaipu pie manām kājām. Tam žigli sekoja otrs, un viņš aizplakšķināja atpakaļ uz virtuvi un cieši aizvēra aiz sevis durvis.

Es neticīgi blenzu uz klaipiem. Tie bija labi, patiesībā lieliski, ja neņēma vērā apdegušās malas. Vai viņš gribēja tos atdot man? Laikam taču. Jo tagad klaipi mētājās pie manām kājām. Pirms kāds pamanīja notikušo, es pagrūdu kukuļus zem krekla, cieši ietinos medību jakā un stīviem soļiem devos prom. Karstā maize apdedzināja manu ādu, bet es satvēru to vēl ciešāk, turēdamās pie dzīvības.

Kad es pārnācu mājās, klaipi bija mazliet padzisuši, bet mīkstums vēl bija silts. Es nometu abus kukuļus uz galda, un Prima pasniedzās nolauzt gabalu, bet es liku viņai apsēsties, piespiedu māti nākt kopā ar mums pie galda un salēju siltu tēju. Es noskrāpēju melni apdegušo garozu un sagriezu maizi šķēlēs. Šķēli pēc šķēles mēs apēdām veselu kukuli. Tā bija laba un sātīga maize – ar rozīnēm un riekstiem.

Es uzkāru savas drēbes žāvēties pie uguns, ierāpos gultā un iegrimu miegā bez sapņiem. Tikai nākamajā rītā man iešāvās prātā, ka varbūt puika speciāli sadedzināja maizi. Varbūt viņš iemeta klaipus ugunī, zinot, ka par to tiks sodīts, un tad atnesa tos man. Bet es šo domu izmetu no galvas. Tas noteikti bija nejauši. Kāpēc lai viņš tā darītu? Viņš mani pat nepazīna. Un tomēr jau tas vien, ka viņš nometa maizi man, bija milzīga laipnība, par ko viņš noteikti dabūtu pērienu, ja kāds to atklātu. Es nespēju izskaidrot zēna rīcību.

Brokastīs mēs ieēdām maizes rikas un tad devāmies uz skolu. Šķita: vienas nakts laikā ir atnācis pavasaris. Gaiss bija silts un maigs. Debesīs peldēja pūkaini mākoņi. Skolas gaitenī es pagāju garām zēnam. Viņa vaigs bija uztūcis, un ap aci melnoja zilums. Viņš bija kopā ar draugiem un nelikās mani redzam. Bet, kad es tajā pēcpusdienā sagaidīju Primu un devos mājup, es pamanīju, ka viņš skatās uz mani pāri skolas pagalmam. Mūsu skatieni sastapās tikai uz mirkli, tad viņš aizgrieza galvu. Es nokaunējusies nolaidu acis un to ieraudzīju. Pirmo pavasara pieneni. Piepeši manā galvā sāka gavilēt zvani. Es atcerējos stundas, ko biju pavadījusi mežā kopā ar tēvu, un zināju, kā mēs izdzīvosim.

Līdz pat šai dienai es nespēju nesaistīt to zēnu, Pītu Melārku, un maizi, kas deva man cerību, ar pieneni, kura man atgādināja, ka es neesmu lemta bojāejai. Un vairāk nekā vienu reizi es esmu skolas gaitenī pagriezusies un piekķērusi viņu lūkojamies manī, un tad žigli aizgriezusies. Man ir tāda izjūta, it kā es būtu viņam parādā, un man riebjas būt parādniecei. Ja es kādā brīdī būtu viņam pateikusies, varbūt tagad tā nemocītos. Pāris reižu es par to iedomājos, bet izdevība tā arī neradās. Un tagad arī vairs neradīsies. Jo mūs iesviedīs arēnā, kur būs jācīnās līdz nāvei. Kā lai tur atrod vietu pateicībai? Diez vai tā nāks no sirds, ja es tai pašā laikā mēģināšu pārgriezt viņam rīkli.

Mērs pabeidz lasīt drausmīgo Nodevības līgumu un mudina mūs ar Pītu paspiest rokas. Viņa plauksta ir tikpat stingra un silta kā tie maizes klaipi. Pīta ielūkojas man tieši acīs un paspiež manu roku, man šķiet, it kā gribēdams mani mierināt. Bet varbūt tie bija tikai uztraukuma krampji.

Atskan Panemas himna, un mēs pagriežamies pret pūli.

Nu ko, es domāju. *Mēs būsim divdesmit četri. Droši vien man paveiksies, un kāds cits viņu nogalinās pirms manis.*

Taču uz veiksmi pēdējā laikā nevar diez ko paļauties.

3

Kad himna beidzas, mūs uzreiz arestē. Tas ir, mūs jau nesaslēdz roku dzelžos vai kaut kā tā, bet grupa Miera sargu mūs eskortē pa galvenajām durvīm Tiesas ēkā. Varbūt kādreiz pārstāvji ir mēģinājuši izbēgt. Es gan nekad neko tādu neesmu pieredzējusi.

Mani pavada uz kādu istabu un atstāj vienu. Šī istaba ir greznākā vieta, kādā es jebkad esmu bijusi, te ir biezi, tumši paklāji un ar samtu apvilkts dīvāns un krēsli. Es pazīstu samtu, jo manai mātei ir kleita, kam no šī materiāla ir apkakle. Apsēdusies uz dīvāna, es nespēju pretoties kārdinājumam atkal un atkal ar pirkstiem noglāstīt audumu. Tas palīdz nomierināties, kamēr es mēģinu sagatavoties nākamajai stundai. Laikam, kas ir paredzēts pārstāvju atvadām no tuvajiem cilvēkiem. Es nevaru ļauties aizkustinājumam un pamest telpu ar aiztūkušām acīm un sarkanu degunu. Raudāt nedrīkst. Stacijā arī būs kameras.

Pirmās atnāk mana māsa un māte. Es pasniedzos pretī Primai, un viņa ieraušas man klēpī, apliek rokas ap kaklu un pieglauž galvu manam plecam – gluži kā tad, kad vēl bija maza. Māte apsēžas man blakus un apskauj mūs abas. Dažas minūtes mēs klusējam. Tad es sāku uzskaitīt visu, kas viņām jāatceras, kad nebūs manis, kas to paveiktu viņu vietā.

Prima nedrīkst izņemt tezeras. Ja viņas būs prātīgas, tad iztiks, pārdodot Vīles ļaudīm Primas kazas pienu. Vēl jau ir arī nelielā aptieka, ko tagad vada mana māte. Geils sadabūs viņai zālītes, ko viņa neaudzē pati, bet vajadzīgais jāapraksta ļoti uzmanīgi, jo viņš augus nepazīst tik labi kā es. Geils atnesīs arī medījumu, mēs ar viņu par to vienojāmies pirms kāda gada, un droši vien samaksu neprasīs, bet tomēr vajadzētu kaut kā pateikties – iedot viņam pienu vai zāles.

Es pat nepapūlos ierosināt to, ka Primai būtu jāmācās medīt. Pāris reižu es mēģināju viņai to ierādīt un pilnīgi izgāzos. Mežs māšeli biedēja, un vienmēr, kad es kaut ko nošāvu, viņa sāka puņķoties un gvelzt, ka mēs varētu dzīvnieku izārstēt, ja gana ātri aiznestu mājās. Bet ar kazu viņai veicas labi, tāpēc es koncentrējos uz to.

Pabeigusi pamācības par kurināmo un tirgošanos, un palikšanu skolā, es pagriežos pret māti un cieši satveru viņas roku. – Paklausies. Vai tu manī klausies? – Viņa pamāj, iztrūkusies no manas dedzības. Viņa noteikti zina, kas sekos. – Tu nedrīksti atkal pazust, – es saku.

Mātes skatiens aizklīst pa grīdu. – Es zinu. Es nepazudīšu. Es toreiz nevarēju...

– Nu ko, šoreiz tev būs jāvar. Tu nevari atslēgties un atstāt Primu vienu. Tagad vairs nav manis, kas jūs abas noturētu pie dzīvības. Nav nekādas nozīmes tam, kas notiks. Ir vienalga, ko tu redzēsi uz ekrāna. Tev ir man jāapsola, ka tu cīnīsies! – Mana balss ir pacēlusies līdz kliedzienam. Tajā ir visas manas dusmas un bailes, ko es izjutu, kad viņa mūs pameta.

41

Viņa izrauj roku no mana tvēriena, tagad jau pati sadusmojusies.

– Es biju slima. Es būtu varējusi izārstēties, ja man būtu bijušas tās zāles, kas man ir tagad.

Tas, ka viņa bija slima, varētu būt tiesa. Es esmu redzējusi, kā viņa pati atmodina cilvēkus no paralizējošām skumjām. Varbūt tā arī ir slimība, bet mēs nevaram to atļauties.

– Nu tad dzer tās zāles. Un parūpējies par māsu! – es nosaku.

– Ar mani viss būs kārtībā, Katnis, – iejaucas Prima, satverdama manu seju plaukstās. – Bet tev arī ir par sevi jāparūpējas. Tu esi tik žigla un droša. Varbūt tu vari uzvarēt.

Es nevaru uzvarēt. Dziļi sirdī Prima to noteikti zina. Es nespēšu sacensties ar pārējiem. Jauniešiem no bagātākiem apgabaliem, kur uzvara ir liels gods, jauniešiem, kuri visu dzīvi ir tam trenēti. Zēniem, kas būs divas un trīs reizes lielāki par mani. Meitenēm, kurām zināmi divdesmit dažādi veidi, kā nogalināt ar nazi. Būs jau gan arī tādi kā es. Tādi, ko izravēt kā nezāles, pirms sākas īstā jautrība.

– Varbūt, – es nosaku, jo diez vai varu pavēlēt mātei turēties, ja pati jau esmu padevusies. Turklāt nav manā dabā padoties bez cīņas pat tad, ja grūtības šķiet nepārvaramas. – Tad mēs būtu tik bagātas kā Heimičs.

– Man vienalga, vai mēs esam bagātas. Es tikai gribu, lai tu pārnāc mājās. Tu taču mēģināsi, vai ne? Tiešām, no sirds mēģināsi? – Prima taujā.

– Tiešām, no sirds mēģināšu. Apzvēru, – es nosolos.

42 Un es zinu, ka Primas dēļ man būs tā jādara.

Un tad pie durvīm parādās Miera sargs, signalizējot, ka mūsu laiks ir beidzies, un mēs apskaujamies tik cieši, ka apskāviens sāp, un es tikai saku: – Es mīlu jūs. Es jūs abas mīlu. – Un viņas saka to pašu, un tad Miera sargs liek viņām doties prom un durvis aizveras. Es paslēpju galvu vienā no samta spilveniem, it kā tas spētu visu izdzēst.

Istabā ienāk kāds cits, es paceļu galvu un pārsteigta ieraugu, ka tas ir maiznieks, Pītas Melārka tēvs. Es nespēju noticēt, ka viņš ir atnācis mani apciemot. Es taču drīz mēģināšu nogalināt viņa dēlu. Bet mēs esam mazliet pazīstami, un Primu viņš pazīst vēl labāk. Viņa pārdod Centrā savu kazas sieru un atliek divus gabalus maizniekam, un viņš apmaiņā dāsni dod maizi. Mēs vienmēr nogaidām, lai tirgotos ar maiznieku, kad tuvumā nav viņa nešpetnās sievas, jo viņš ir daudz, daudz jaukāks. Es esmu droša, ka viņš nemūžam tā nesistu dēlu par apdegušu maizi kā sieva. Bet kāpēc viņš ir atnācis pie manis?

Maiznieks neveikli apsēžas uz mīkstā krēsla maliņas. Viņš ir liels vīrs ar platiem pleciem un apdeguma rētām, kas iegūtas pie krāsns pavadītajos gados. Viņš laikam ir tikko atvadījies no dēla.

Viņš izvelk no jakas kabatas balta papīra turziņu un pasniedz to man. Es to atveru un ieraugu cepumus. Tā ir greznība, ko mēs nevaram atļauties.

– Paldies, – es pasaku. Maiznieks pat labākajās dienās nav diez ko runātīgs, un šodien viņam vispār neatrodas, ko teikt. – Šorīt es ēdu jūsu maizi. Mans draugs Geils jums par to iedeva vāveri. – Viņš pamāj, it kā 43 atcerēdamies medījumu. – Tas jums nebija īpaši izdevīgs darījums, – es turpinu. Viņš parausta plecus, it kā tam nebūtu nekādas nozīmes.

Tad man vairs nekas nenāk prātā, tāpēc mēs sēžam un klusējam, līdz maiznieku pasauc Miera sargs. Viņš pieceļas un nokremšļojas. – Es pieskatīšu mazo meitēnu. Lai viņa dabū paēst.

To dzirdot, es jūtu, ka krūtis atvieglo kaut kas no smaguma, kāds tām bija uzgūlies. Ar mani ļaudis tirgojas, bet Prima viņiem patīk pa īstam. Varbūt ar patiku pietiks, lai viņa izdzīvotu.

Arī mans nākamais viesis ir negaidīts. Medža pienāk man tieši klāt. Viņa neraud un neizvairās, un viņas balsī skan dedzība, kas mani pārsteidz.

– Arēnā tev ļaus paturēt vienu lietu no tava apgabala. Vienu lietu, kas tev atgādinātu par mājām. Vai ņemsi šo? – Medža pasniedz apaļo zelta piespraudi, kas iepriekš rotāja viņas kleitu. Iepriekš es tai nebiju pievērsusi lielu uzmanību, bet tagad pamanu, ka tas ir neliels putns lidojumā.

– Tavu piespraudi? – es jautāju. Par piemiņu no apgabala es vispār nebiju ne iedomājusies.

– Tā, es piespraudīšu to tev pie kleitas, labi? – Medža negaida atbildi, vienkārši pieliecas un piestiprina putnu manām drānām. – Vai apsoli, ka pieliksi to arēnā, Katnis? – viņa jautā. – Vai apsoli?

– Jā, – es atbildu. Cepumi. Piespraude. Šodien es saņemu dažādas dāvanas. Medža pasniedz man vēl vienu. Skūpstu uz vaiga. Tad viņa ir prom, un es vienatnē prātoju, ka viņa varbūt tomēr bija mana draudzene.

Pēdējais atnāk Geils un papleš rokas, un es uzreiz metos viņa skavās, kaut arī starp mums varbūt nav nekā romantiska. Es pazīstu viņa ķermeni – kā tas kustas, kā smaržo pēc koksnes dūmiem. Es pazīstu pat viņa sirdspukstus, ko es atceros no klusiem medību brīžiem. Bet šodien es pirmo reizi tiešām viņu sajūtu – slaiku un muskuļotu ķermeni pret pašas augumu.

– Paklausies, – viņš mani uzrunā. – Salūkot nazi droši vien būs diezgan vienkārši, bet tev ir jādabū loks. Tā ir tava labākā iespēja.

– Tur ne vienmēr ir loki, – es atbildu, domādama par gadu, kad bija pieejamas tikai drausmīgas, atskabargainas rungas, ar kurām pārstāvjiem bija citam citu jānosit.

– Nu tad uztaisi loku, – Geils pamāca. – Pat slikts loks ir labāks par nekādu.

Es esmu mēģinājusi atdarināt tēva darinātos lokus, bet ar vājiem panākumiem. Tas nav tik vienkārši. Pat viņam dažreiz neizdevās.

– Es nezinu, vai tur būs koki, – es saku. Vienu gadu visus izmeta vietā, kur bija tikai klintis un smiltis, un sīki krūmeļi. Tas gads man likās vispretīgākais. Daudzus dalībniekus sakoda indīgas čūskas vai arī viņi sajuka prātā no slāpēm.

– Nedaudz koku ir gandrīz vienmēr, – Geils nepiekrīt. – Kopš tā gada, kad puse nomira no aukstuma. Tas nav diez cik izklaidējoši.

Tas ir tiesa. Vienās Bada Spēlēs mēs noskatījāmies, kā pārstāvji naktī mirst nosalstot. Viņus gandrīz nevarēja redzēt, jo viņi bija saritinājušies kamolā un viņiem

nebija koku ugunskuriem vai lāpām, nekam. Kapitolie-
šiem ļoti nepatika tāda nāve – klusumā un bez asinsiz-
liešanas. Kopš tā laika arēnā parasti ir koki, lai varētu
sakurt uguni.

– Jā, parasti ir gan, – es piekrītu.

– Katnis, tās ir tikai medības. Tu esi labākā medniece,
kādu es pazīstu, – Geils uzmundrina.

– Tās nav tikai medības. Pārējie ir apbruņoti. Viņi
domā, – es pretojos.

– Tu arī. Un tev ir bijis vairāk prakses. Īstas prak-
ses, – viņš neatstājas. – Tu zini, kā nogalināt.

– Ne jau cilvēkus, – es saku.

– Kāda gan tur atšķirība? – Geils drūmi novelk.

Tas ir šausmīgākais: ja man izdosies aizmirst, ka tie ir
cilvēki, atšķirības tiešām nebūs nekādas.

Jau pārāk drīz atgriežas Miera sargi, un Geils lūdz,
lai atļauj palikt ilgāk, bet viņu aizved, un mani sagrābj
panika.

– Neļauj viņām nomirt badā! – es izsaucos, pieķerda-
mās drauga rokai.

– Es neļaušu! Tu zini, ka neļaušu! Katnis, atceries,
es... – Geils vēl steidzas pateikt, un tad mūs atrauj vienu
no otra, durvis aizcērtas, un nu es vairs nekad neuzzi-
nāšu, ko viņš gribēja, lai atceros.

Ceļš no Tiesas ēkas līdz stacijai ir īss. Es nekad agrāk
neesmu bijusi mašīnā. Pat ar ratiem nav gadījies braukt
bieži. Vīlē mēs ejam kājām.

Pareizi vien bija, ka neraudāju. Stacijā čum un ņudz
reportieri, un viņu kameras urbjas man sejā kā visur-
46   esoši knišļi. Bet man ir liela pieredze, kā neizpaust sejā

savas izjūtas, un tagad es to daru. Es mirkli ieraugu sevi uz ekrāna pie sienas, kur tiešajā ēterā rāda manu ierašanos, un jūtos apmierināta, ka izskatos gandrīz vai garlaikota.

Pīta Melārks gan acīmredzot ir raudājis, un dīvainā kārtā neizskatās, ka viņš pūlētos to slēpt. Es uzreiz sāku prātot, vai tā būs viņa stratēģija Spēlēs. Izskatīties vājam un izbiedētam, pārliecināt pārējos pārstāvjus, ka viņš tiem nav nekāds sāncensis, un tad sākt cīnīties. Pirms dažiem gadiem tas labi palīdzēja meitenei no Septītā apgabala Johannai Meisonei. Viņa izskatījās pēc raudulīgas un glēvas muļķes, un neviens par viņu nesatraucās, kamēr nebija atlikusi tikai saujiņa dalībnieku. Izrādījās, ka viņa spēj nežēlīgi nogalināt. No viņas puses tas bija visai viltīgs gājiens. Bet Pītas Melārka gadījumā tāda stratēģija šķiet savāda, jo viņš ir maiznieka dēls. Daudzus gadus viņam bija pieticis, ko ēst, un bija jāstaipa maizes abras, tāpēc tagad viņam ir plati pleci un spēcīgs ķermenis. Būs šausmīgi daudz jāpinkšķ, lai kādu pārliecinātu neņemt viņu vērā.

Dažas minūtes mums ir jāstāv vilciena durvīs, un kameras kāri iezīžas mūsu sejās, tad mums ļauj doties iekšā, un aiz muguras žēlsirdīgi aizveras durvis. Vilciens uzreiz sāk kustēties.

Sākumā man no ātruma aizcērtas elpa. Es, protams, nekad neesmu bijusi vilcienā, jo braukt uz citiem apgabaliem ir aizliegts, izņemot gadījumus, kad braucējs pilda oficiāli atļautu pienākumu. Pie mums ar vilcienu galvenokārt pārvadā ogles. Bet šis nav nekāds parasts ogļu vilciens. Šis ir viens no ātrajiem kapioliešu modeļiem, 47 kura vidējais ātrums ir 250 jūdzes stundā. Ceļam uz Kapitoliju vajadzēs mazāk nekā dienu.

Skolā mums māca, ka Kapitolijs esot uzbūvēts vietā, ko kādreiz sauca par Klinšu kalniem. Divpadsmito apgabalu toreiz pazina kā Apalačiju. Jau pirms simtiem gadu tur raka ogles. Tāpēc mūsu ogļračiem ir jārokas tik dziļi.

Skolā viss kaut kā vienmēr nonāk pie oglēm. Lielākā daļa apmācības, izņemot lasīšanas un matemātikas pamatus, ir saistīta ar oglēm. Izņemot iknedēļas lekciju par Panemas vēsturi. Tur parasti pļāpā blēņas par to, ko esam parādā Kapitolijam. Es zinu, ka mums neizstāsta visu, ka noteikti eksistē arī stāsti par to, kas patiesībā notika sacelšanās laikā. Bet es par to daudz nedomāju. Lai kāda būtu patiesība, es nesaprotu, kādā veidā tā man būtu varējusi palīdzēt dabūt, ko likt galdā.

Pārstāvju vilciens ir vēl smalkāks par istabu Tiesas ēkā. Mums katram piešķir savus apartamentus, kur ir guļamistaba, ģērbistaba un atsevišķa vannasistaba ar karstu un aukstu ūdeni no krāna. Mājās mums karstā ūdens nav, izņemot tad, ja to uzvārām.

Atvilktnes ir pilnas ar smalkām drānām, un Efija Trinketa man saka, lai daru, ko vien vēlos, lai velku mugurā, ko gribu. Viss ir manā rīcībā. Man tikai pēc stundas jābūt gatavai vakariņām. Es novelku mātes zilo kleitu un ieeju dušā. Nekad agrāk neesmu bijusi dušā. Sajūta ir tāda kā vasaras lietū, tikai siltākā. Es uzvelku tumši zaļu kreklu un bikses.

Pēdējā brīdī es atceros Medžas mazo zelta piespraudi. Pirmo reizi to kārtīgi aplūkoju. Rota izskatās tā, it kā kāds būtu izkalis sīku zelta putnu un tad tam apkārt piestiprinājis gredzenu. Putns turas pie gredzena tikai ar spārnu galiem. Piepeši es atpazīstu putnu. Tas ir zobgaļsīlis.

Zobgaļsīļi ir jokaini putni un tāda kā pļauka Kapitolijam tieši sejā. Sacelšanās laikā kapitolieši audzēja vairākas sugas ģenētiski modificētu dzīvnieku, ko izmantoja kā ieročus. Visus kopā tos sauca par *mutētiem dzīvniekiem* vai dažreiz īsāk – par *mutantiem*. Viens no tādiem dzīvniekiem bija pļāpusīlis, kas spēja atcerēties un atkārtot veselas sarunas. Visi pļāpusīļi bija tikai vīriešu kārtas un bija trenēti vienmēr atgriezties mājās. Viņus palaida vietās, kur atradās zināmās Kapitolija ienaidnieku slēptuves. Noklausījušies sarunas, putni lidoja atpakaļ uz centriem, kur stāstīto ierakstīja. Ļaudis uzreiz nemaz neaptvēra, kas notiek un kā noklausās viņu privātās sarunas. Protams, ka tad, kad viss atklājās, dumpiniekiem bija māksla rokā un viņi kapitoliešiem piestāstīja pilnu galvu ar meliem. Tāpēc pļāpusīļu centrus aizvēra un putnus pameta nobeigties savvaļā.

Bet tie nenobeidzās. Pļāpusīļi sapārojās ar zobgaļstrazdu mātītēm, un tā radās pilnīgi jauna putnu suga, kas spēja atdarināt gan putnu dziesmas, gan cilvēku melodijas. Viņi vairs nespēja skaidri izrunāt vārdus, bet joprojām varēja atkārtot daudzas cilvēku balss skaņas, sākot ar bērna smalko lalināšanu un beidzot ar dobju vīrieša balsi. Un viņi spēja atdarināt dziesmas. Ne tikai dažas notis, bet veselas dziesmas ar vairākiem pantiem, ja kādam bija pacietība dziedāt putniem priekšā un ja putniem patika dziedātāja balss.

Manam tēvam ārkārtīgi patika zobgaļsīļi. Kad mēs devāmies medībās, viņš svilpoja vai dziedāja tiem sarežģītas dziesmas, un putni pēc pieklājīgas pauzes vienmēr atsaucās. Tāds gods nepienākas kuram katram. Bet ikreiz, kad dziedāja mans tēvs, visi putni apkārt pieklusa un klausījās. Viņa balss bija tik skaista un tik plaša, un tik dzidra, un tik pārpilna dzīvības, ka gribējās vienlaikus smieties un raudāt. Pēc tēva nāves es nespēju turpināt viņa iesākto. Un tomēr sīkajā putnā ir kaut kas nomierinošs. Ir tāda sajūta, it kā kaut kas no mana tēva būtu klāt un mani sargātu. Es piestiprinu piespraudi pie sava krekla, un uz tumši zaļā auduma fona gandrīz var iztēloties zobgaļsīli lidojam cauri koku lapotnei.

Efija Trinketa atnāk, lai vestu mani vakariņās. Es sekoju viņai pa šauro koridoru, kas šūpojas vilciena gaitā, un nonāku ar pulētiem paneļiem apšūtā ēdamistabā. Tur atrodas ar smalkiem, trausliem šķīvjiem klāts galds. Pīta Melārks sēž un gaida mūs, un krēsls viņam blakus ir tukšs.

– Kur tad Heimičs? – Efija Trinketa moži apvaicājas.

– Pēdējo reizi, kad viņu redzēju, viņš teicās nosnausties, – Pīta attrauc.

– Nu ko, šodien bija nogurdinoša diena, – Efija Trinketa nosaka. Man šķiet: viņa jūtas atvieglota, ka Heimiča te nav, un kāpēc lai viņu par to vainotu?

Vakariņās ir vairāki ēdieni. Bieza burkānu zupa, zaļie salāti, jēra karbonāde ar kartupeļu biezputru, siers un augļi, un šokolādes kūka. Maltītes laikā Efija Trinketa mums visu laiku atgādina, lai pietaupām vēderā vietu, jo būs vēl. Bet es loku tik iekšā, jo vēl nekad neesmu ēdusi tādus ēdienus, nekad neesmu ēdusi tik labi un tik daudz, un arī tāpēc, ka droši vien labākais, ko varu darīt līdz Spēlēm, ir par dažām mārciņām pieņemties svarā.

– Jums abiem vismaz ir pienācīgas manieres, – slavē Efija, kad esam piebeiguši otro ēdienu. – Pagājušā gada pāris visu ēda ar rokām kā tādi mežoņi. Tas man galīgi sabojāja apetīti.

Pagājušā gada pāris bija divi pusaudži no Vīles, kuri vēl nekad, vēl nevienu dienu dzīvē nebija dabūjuši pietiekami paēst. Un, kad viņi tika pie ēdiena, manieres viņiem noteikti nebija ne prātā. Pīta ir maiznieka dēls. Mana māte iemācīja mums ar Primu ēst pieklājīgi, tāpēc, jā, es protu apieties ar dakšiņu un nazi. Bet man tik ļoti riebjas Efijas Trinketas komentārs, ka es to izrādu, atlikušo maltīti ēzdama ar pirkstiem. Tad es noslauku pirkstus galdautā. To redzot, viņa cieši sakniebj lūpas.

Tagad, kad maltīte ir galā, es pūlos noturēties, lai nevemtu. Es redzu, ka arī Pīta izskatās mazliet zaļgans. Mūsu vēderi nav pieraduši pie tik bagātīgas ēdmaņas. Bet, ja jau es varu ēst Taukās Sē gatavoto virumu no peļu gaļas, cūku iekšām un koku mizām – tas ir īpašais ziemas piedāvājums –, tad šo te jau nu neatdošu.

Mēs aizejam uz citu vagonu, lai noskatītos kopsavilkumu par izlozēm visā Panemā. Izlozes mēģina izkārtot dienas garumā, lai visi varētu visu noskatīties tiešajā ēterā, bet to var tikai kapitolieši, jo nevienam no viņiem pašam nav jāpiedalās.

Citu pēc citas mēs noskatāmies pārējās izlozes. Nosauc vārdus, tad piesakās vai – biežāk – nepiesakās brīvprātīgie. Mēs nopētām to pusaudžu sejas, kas būs mūsu sāncenši. Daži paliek man prātā. Īsts milzis no Otrā apgabala, kas metas un priekšu un piesakās brīvprātīgi. Meitene ar lapsas seju un gludiem, sarkaniem matiem no Piektā apgabala. Puika ar kroplu kāju no Desmitā apgabala. Neizdzēšami atmiņā iespiežas divpadsmitgadīga meitene no Vienpadsmitā apgabala. Viņai ir tumši brūna āda un acis, bet citādi viņa pēc auguma un izturēšanās ļoti atgādina Primu. Vienīgi tad, kad viņa uzkāpj uz skatuves un vadītāji prasa, vai ir brīvprātīgie, pussagruvušajās ēkās viņai apkārt var dzirdēt tikai vēja gaudas. Neviens negrib ieņemt viņas vietu.

Pēdējo rāda Divpadsmito apgabalu. Izsauc Primu, un es metos uz priekšu pieteikties brīvprātīgi. Nevar nesadzirdēt izmisumu manā balsī, kad es parauju Primu sev aiz muguras, jo baidos, ka mani nesadzirdēs, bet Primu aizvedīs. Protams, mani sadzird. Es redzu, kā Geils paņem māsu no manis, un noskatos, kā pati uzkāpju uz skatuves. Televīzijas ļaudis nezina, kā lai komentē to, ka pūlis neaplaudē. Visi klusumā sveicina. Kāds saka: Divpadsmitais apgabals vienmēr ir bijis mazliet dīvains, bet vietējās paražas esot apburošas. Heimičs kā saukts nogāžas no skatuves, un komentētāji komiski novaidas. Izvelk Pītas vārdu, un viņš klusi ieņem savu vietu. Mēs paspiežam rokas. Atkal atskan himna, un programma beidzas.

Efija Trinketa ir sapīkusi par savas parūkas izskatu.

– Jūsu padomdevējam ir daudz jāmācās, kā sevi pasniegt. Kā uzvesties televīzijā.

Pīta negaidīti iesmejas. – Viņš bija piedzēries, – Pīta saka. – Viņš katru gadu ir piedzēries.

– Katru dienu, – es piebilstu un nespēju mazliet ne-pasmīnēt. No Efijas Trinketas mutes viss izklausās tā, it kā Heimičam būtu tikai mazliet neizkoptas manieres, ko varētu izlabot daži viņas padomi.

– Jā! – Efija Trinketa iešņācas. – Savādi, ka jums abiem tas šķiet uzjautrinoši. Jūs zināt, ka Spēlēs padom-devējs būs jūsu saikne ar pasauli. Viņš dos jums pado-mus, uzturēs sakarus ar jūsu atbalstītājiem un uzraudzīs jebkādu dāvanu pasniegšanu. Heimičs varbūt izšķirs, vai jūs dzīvosiet vai mirsiet!

Tai mirklī telpā iestreipuļo Heimičs. – Vai es palaidu garām vakariņas? – viņš neskaidri noburbulē, tad ap-vemj dārgo paklāju un iekrīt vēmekļos.

– Tā ka smejieties vien! – Efija Trinketa vēl uzsauc. Viņa savās augstpapēžu kurpēs tipina apkārt vēmekļu lāmai un tad aizmūk.

4 ◎ ▶

Brīdi mēs ar Pītu vērojam, kā mūsu padomdevējs mēģina piecelties slidenajā, nejaukajā putrā no sava vēdera. Vēmekļu un spirta smakas dēļ es gandrīz pati izvemju vakariņas. Mēs pārmijam skatienus. Skaidrs, ka Heimičs nav nekas dižs, bet par vienu Efijai Trinketai ir taisnība – kad būsim arēnā, nekā vairāk mums nebūs. Kā vienojušies bez vārdiem, mēs ar Pītu saņemam Heimiču aiz rokām un palīdzam piecelties.

– Vai es paklupu? – Heimičs šļupst. – Te smird. – Viņš ar roku noslauka degunu, izsmērēdams pa seju vēmekļus.

– Iesim atpakaļ uz tavu istabu, – saka Pīta. – Notīrīsim tevi mazliet.

Mēs pa pusei aizvedam, pa pusei aiznesam Heimiču atpakaļ uz viņa kupeju. Tā kā viņu nevar likt uz izšūtā gultas pārklāja, tad mēs ievelkam viņu vannā un atgriežam dušu. Viņš to tik tikko mana.

– Būs labi, – Pīta man saka. – Tālāk es pats tikšu galā.

Es nespēju nejusties mazliet pateicīga, jo pēdējais, ko es vēlos, ir izģērbt Heimiču, mazgāt vēmekļus no viņa krūšu matiem un noguldīt viņu gultā. Pīta droši vien cenšas radīt par sevi labu iespaidu, lai būtu viņa favorīts, kad sāksies Spēles. Bet, spriežot pēc viņa pašreizējā stāvokļa, rīt Heimičs neko neatcerēsies.

– Nu labi, – es piekrītu. – Es varu atsūtīt kādu no kapitoliešiem tev palīgā. – Viņu vilcienā ir kaudzēm. Viņi gatavo mums ēst. Apkalpo mūs. Apsargā mūs. Viņu darbs ir par mums rūpēties.

– Nē. Es viņus negribu, – Pīta atsakās.

Pamāju un dodos uz savu istabu. Es saprotu, kāpēc Pīta atteicās. Es jau arī pati kapitoliešus neciešu ne acu galā. Bet likt viņiem valdīt Heimiču būtu neliela atriebība. Tā nu es prātoju, kāpēc viņš uzstāja, ka rūpēsies par Heimiču, un piepeši man iešaujas prātā: *tāpēc, ka viņš ir labsirdīgs. Tāpat kā viņš bija labsirdīgs, kad iedeva man maizi.*

Tāda doma liek man apstāties kā iemietai. Labsirdīgs Pīta Melārks man ir daudz, daudz bīstamāks nekā cietsirdīgs. Labsirdīgi cilvēki var spēlēt uz manām jūtām. Nevar pieļaut, ka to darītu Pīta. Ne jau tur, kur mēs braucam. Tāpēc es izlemju, ka no šī brīža turēšos no maiznieka dēla pēc iespējas pa gabalu.

Kad es tieku līdz savai istabai, vilciens ir apstājies pie platformas uzņemt degvielu. Es žigli atveru logu, izmetu no vilciena Pītas tēva dotos cepumus un aizcērtu logu ciet. Pietiek. Es negribu nevienu no viņiem.

Nelaimīgā kārtā cepumu turza nokrīt zemē un atveras tieši pieneņu pudurī pie sliedēm. Es to pamanu tikai mirkli, jo vilciens atsāk kustēties, bet ar to pietiek. Pietiek, lai man atgādinātu par to pieneni skolas pagalmā pirms daudziem gadiem...

Es nupat biju novērsusies no Pītas Melārka sejas ar sitiena pēdām, kad ieraudzīju pieneni un sapratu, ka cerība nav zudusi. Es to uzmanīgi noplūcu un steidzos mājās. Es pagrābu spaini un Primas roku, un mēs devāmies uz Pļavu, un tā tik tiešām bija izraibināta ar zeltainajām nezālēm. Mēs tās savācām un tad kādu jūdzi gājām gar žogu, kamēr spainis bija pilns ar pieneņu lapām, kātiem un ziediem. Tovakar mēs mielojāmies ar pieneņu salātiem un atlikušo beķerejas maizi.

– Un vēl? – Prima jautāja. – Kādu vēl ēdamo mēs varam atrast?

– Visvisādu, – es māšelei apsolīju. – Man tikai jāatceras, kādu tieši.

Manai mātei bija grāmata, ko viņa bija paņēmusi līdzi no savas aptiekas. Lapas bija no veca pergamenta, un tās klāja ar tinti zīmēti augi. Glītā rokrakstā bija uzrakstīti augu nosaukumi, kad tie sāk ziedēt, kad tos vākt, kā arī medicīniskais pielietojums. Bet mans tēvs grāmatai pievienoja vēl citus šķirkļus. Ēdamos, nevis ārstniecības augus. Pienenes, fitolaku, savvaļas sīpolus, priedes. Atlikušo nakti mēs ar Primu pavadījām, ieurbušās grāmatā.

Nākamajā dienā mums nebija jāiet uz skolu. Kādu laiku es kavējos Pļavas malā, bet tad beidzot saņēmu dūšu un palīdu zem žoga. Tā bija pirmā reize, kad biju mežā viena, bez tēva ieročiem, kas mani sargātu. Bet es no doba koka izvilku nelielo loku un bultas, ko viņš bija man uztaisījis. Todien es laikam neiegāju mežā dziļāk par divdesmit jardiem. Lielāko daļu laika es tupēju veca ozola zarā, cerēdama, ka garām ies medījums. Pēc vairākām stundām man palaimējās nomedīt zaķi. Agrāk es biju nošāvusi dažus zaķus tēva vadībā. Bet šo es biju pieveikusi pati.

Mums jau vairākus mēnešus nebija gaļas. Ieraugot zaķi, manā mātē, šķiet, kaut kas sakustējās. Viņa piecēlās, novilka zaķim ādu un pagatavoja sautējumu no gaļas un nedaudziem Primas savāktiem zaļumiem. Tad viņa tā kā apjuka un aizgāja atpakaļ gultā, bet, kad sautējums bija gatavs, mēs piespiedām viņu izēst bļodu.

Mežs kļuva par mūsu glābiņu, un es ik dienas devos arvien tālāk tā skavās. Sākumā lēni, bet es biju apņēmusies sagādāt mums ēdamo. Es zagu no ligzdām olas, ar tīklu zvejoju zivis, dažreiz izdevās nošaut kādu vāveri vai zaķi sautējumam, un es vācu dažādus augus, kas dīga pie manām kājām. Ar augiem nav tik vienkārši. Daudzi ir ēdami, bet viens kumoss no nepareizā, un cilvēks ir pagalam. Es atkal un atkal salīdzināju ievāktos augus ar tēva zīmējumiem. Es noturēju mūs pie dzīvības.

Sākumā skriešus metos atpakaļ uz žogu, manīdama jebkādas briesmu pazīmes, izdzirdējusi attālu kaucienu vai neizskaidrojamu zara brīkšķi. Tad es sāku riskēt kāpt kokos, lai paglābtos no savvaļas suņiem, kuri ātri vien sagarlaikojās un gāja prom. Lāči un lielie kaķi dzīvoja dziļāk mežā, varbūt viņiem nepatika mūsu apgabala sodrēju dvaka.

Astotajā maijā es devos uz Tiesas ēku, pierakstījos uz savām tezerām un Primas rotaļu ratos pārvedu mājās savu pirmo graudu un eļļas kravu. Katra mēneša astotajā datumā es drīkstēju darīt to pašu. Protams, es nevarēju pārtraukt medīt un vākt. Ar graudiem nepietika dzīvošanai, un bija jāpērk vēl citas lietas – ziepes un piens, un diegi. Visu, ko mēs varējām atlicināt un neapēst, es sāku pārdot Centrā. Bija biedējoši – iet turp bez tēva pie sāniem, bet cilvēki bija cienījuši viņu un pieņēma arī mani. Galu galā medījums paliek medījums, lai kas to arī būtu nošāvis. Es tirgojos arī pie bagātāko pilsētnieku pagalma durvīm, mēģinādama atcerēties tēva stāstīto un iemācīdamās arī jaunas viltības. Miesniece pirka no manis zaķus, bet vāveres ne. Maizniekam smeķēja vāveres, bet viņš tās pirka tikai tad, kad tuvumā nebija sievas. Galvenajam Miera sargam ļoti gāja pie sirds savvaļas tītari. Mēram ļoti garšoja zemenes.

Vasaras nogalē es kādu dienu dīķī mazgāju veļu un pēkšņi pamanīju apkārt esošos augus. Augstus, ar bultu uzgaļiem līdzīgām lapām. Ziediem bija trīs baltas ziedlapas. Es nometos ūdenī ceļos, ar pirkstiem ierakos mīkstajos dubļos un izcēlu pilnas saujas ar saknēm. Pie tām karājās nelieli, zilgani bumbuļi, kas nav diez ko izskatīgi, bet, ja tos izvāra vai izcep, tad tie garšo tikpat labi kā kartupeļi. – Katnisas, – es skaļi noteicu. Šī auga vārdā es esmu nosaukta. Un es domās sadzirdēju tēvu jokojam: "Ja vien spēsi atrast sevi, tad badā nenomirsi." Vairākas stundas rakņājos pa dīķa dibenu ar kāju pirkstiem un nūju un savācu bumbuļus, kas uzpeldēja virspusē. Tovakar mēs mielojāmies ar zivīm un katnisu saknēm, kamēr visas trīs pirmo reizi pēc vairākiem mēnešiem bijām paēdušas.

Mana māte lēnām atgriezās realitātē. Viņa sāka tīrīt māju un gatavot ēst, un paglabāja daļu manis atnestās pārtikas ziemai. Cilvēki graudā vai naudā maksāja par viņas zālēm. Kādu dienu es izdzirdēju māti dziedam.

Prima bija sajūsmā, ka māte ir atguvusies, bet es turpināju novērot, gaidīdama, kad viņa atkal pazudīs. Es viņai neuzticējos. Un kaut kur pašos sirds dziļumos es viņu ienīdu par vājumu, par nolaidību, par mēnešiem, ko mums viņas dēļ nācās pārciest. Prima piedeva, bet es biju attālinājusies no mātes un uzbūvējusi starp mums sienu, lai viņa man nebūtu vajadzīga, un starp mums vairs nekad viss nebija tā kā agrāk.

Tagad es miršu, un to vairs nekad nevarēs vērst par labu. Es domāju, kā šodien Tiesas ēkā uz viņu kliedzu. Bet es arī pateicu, ka mīlu viņu. Varbūt viss izlīdzināsies.

Kādu laiku es stāvu un blenžu ārā pa vilciena logu, vēlēdamās, kaut varētu to atkal atvērt, bet īsti nezinādama, kas tādā ātrumā varētu notikt. Tālumā es redzu cita apgabala gaismas. Septītā? Desmitā? Es nezinu. Es domāju par cilvēkiem, kas mājās gatavojas naktsmieram. Es iztēlojos savas mājas ar cieši noslēgtiem slēģiem. Ko mana māte un Prima tagad dara? Vai viņas spēja ieēst vakariņas? Zivju sautējumu un zemenes? Vai arī tās neskartas palika uz šķīvjiem? Vai viņas skatījās dienas kopsavilkumu pa veco, grabažīgo televizoru, kas stāv uz galda pie sienas? Viņas noteikti atkal raudāja. Vai māte turas, vai viņa ir stipra Primas dēļ? Vai arī ir jau sākusi attālināties, atstājot visu pasaules smagumu uz manas māsas trauslajiem pleciem?

Prima šonakt noteikti gulēs pie mātes. Mani mierina doma, ka gultā iekārtosies plušķainais, vecais Gundega un viņu uzraudzīs. Ja viņa raudās, kaķis ielīdīs viņai rokās un saritināsies, kamēr viņa nomierināsies un aizmigs. Es tā priecājos, ka viņu nenoslīcināju.

Iztēlojoties mājas, es sāpīgi sajūtu vientulību. Diena bija nebeidzama. Vai tiešām vēl tikai šorīt mēs ar Geilu ēdām kazenes? Liekas: tas notika pirms veselas mūžības. Liekas: viss ir kā garš sapnis, kas pārvērties murgā. Ja es aiziešu gulēt, varbūt atmodīšos Divpadsmitajā apgabalā, kur ir mana īstā vieta?

Atvilktnēs droši vien ir kaudzēm naktstērpu, bet es vienkārši norauju kreklu un bikses un ierāpjos gultā apakšveļā. Palagi ir no mīksta, zīdaina auduma, un mani uzreiz sasilda biezā, pūkainā sega.

Ja es vispār taisos raudāt, tad tagad ir īstais brīdis. No rīta es varēšu nomazgāt no sejas visas asaru pēdas. Bet asaras nenāk. Es esmu vai nu pārāk nogurusi, vai pārāk nejūtīga, lai raudātu. Es jūtu tikai vēlēšanos būt kaut kur citur. Tāpēc ļaujos, lai vilciens mani iešūpo aizmirstībā.

Kad mani pamodina klauvējieni, caur aizkariem kupejā ielīst pelēcīga gaisma. Es dzirdu Efijas Trinketas balsi, viņa sauc, lai ceļos: – Augšā, augšā, augšā! Šodien būs liela, liela, liela diena! – Es brīdi mēģinu iztēloties, kas notiek tās sievietes galvā. Par ko viņa domā nomoda stundās? Kādi sapņi viņai rādās naktīs? Nav ne jausmas.

Atkal uzvelku zaļās drēbes, jo tās nav netīras, tikai drusku saburzījušās pēc nakts uz grīdas. Ar pirkstiem novelku pa apli ap sīko zelta zobgaļsīli un domāju par mežu un par savu tēvu, un par to, kā māte un Prima tagad mostas un kā viņām ir jāturpina dzīve. Es gulēju, neatpinusi smalko vijumu, ko uz izlozi māte sataisīja manos matos, un mati neizskatās pārāk slikti, tāpēc es tos atstāju saņemtus. Tiem nav nozīmes. Tagad mēs noteikti vairs neesam tālu no Kapitolija. Un, kad mēs sasniegsim pilsētu, manu izskatu uz atklāšanas ceremoniju vakarā vienalga noteiks stilists. Jācer tikai, ka es nedabūšu kādu, kas iedomājas, ka kailums ir pēdējais modes kliedziens.

Kad es ienāku ēdamvagonā, man garām paspraucas Efija Trinketa ar tasi melnas kafijas rokā. Viņa pie sevis murmina kaut kādas rupjības. Heimičs sprauslā, un viņa seja ir apsarkusi un pietūkusi no vakardienas dzīrēm. Pītam rokā ir maizīte, un viņš izskatās mazliet nokaunējies.

– Apsēdies! Apsēdies! – izsaucas Heimičs, mādams, lai nāku tuvāk. Tajā pašā brīdī, kad ieslīdu savā krēslā, man pasniedz milzīgu šķīvi ar ēdienu. Olas, šķiņķis, kaudze ceptu kartupeļu. Trauks ar augļiem ir nolikts uz ledus, lai saglabātos vēss. No groza ar maizītēm, ko tagad noliek manā priekšā, mana ģimene varētu izdzīvot nedēļu. Blakus stāv eleganta glāze ar apelsīnu sulu. Vismaz man šķiet, ka tā ir apelsīnu sula. Apelsīnu es esmu ēdusi tikai vienu reizi Jaunajā gadā, kad tēvs man vienu nopirka kā īpašu gardumu. Tase kafijas. Mana māte dievina kafiju, ko mēs gandrīz nekad nevarējām atļauties, bet man tā šķiet tikai rūgta un ūdeņaina. Tase kaut kā brūna un bieza, ko es nepazīstu.

– To sauc par karsto šokolādi, – ierunājas Pīta. – Tā ir laba.

Es iedzeru malku karstā, saldā, krēmīgā šķidruma, un man pārskrien trīsas. Kaut arī mani aicina pārējā maltīte, es to ignorēju, kamēr neesmu iztukšojusi savu tasi. Tad es ieloku tik daudz, cik vien spēju, kas ir pamatīgi daudz, tikai uzmanīdamās, lai nepārspīlētu ar treknākajiem ēdieniem. Reiz māte man pārmeta, ka es ēdot tā, it kā tā būtu mana pēdējā maltīte. Un es atcirtu: "Būs jau arī, ja es kaut ko nepārnesīšu." Tas aizbāza viņai muti.

Kad man jau ir tāda sajūta, ka tūlīt pārplīsīšu, es atlaižos krēslā un aplūkoju savus brokastu kompanjonus. Pīta vēl ēd, viņš lauž maizi gabaliņos un mērcē tos karstajā šokolādē. Heimičs savam šķīvim nav pievērsis daudz uzmanības, bet toties tempj no glāzes sarkanu sulu, ko visu laiku atšķaida ar caurspīdīgu šķidrumu no pudeles. Spriežot pēc izgarojumiem, tas ir kaut kāds alkohols. Es Heimiču nepazīstu, bet gana bieži esmu redzējusi Centrā, kur viņš uzmet sauju naudas uz letes sievietei, kura pārdod spirtu. Kad mēs sasniegsim Kapitoliju, viņš jau būs nepieskaitāms.

Es aptveru, ka ienīstu Heimiču. Nav nekāds brīnums, ka Divpadsmitā apgabala pārstāvjiem nekad nav izredžu. Tas, ka mēs esam slikti baroti un neesam trenēti, nav vienīgā nelaime. Daži no mūsu pārstāvjiem vienalga ir bijuši gana stipri, lai vismaz mēģinātu. Bet mūsējiem reti ir atbalstītāji, un tur pie vainas ir galvenokārt Heimičs. Bagātnieki, kas atbalsta pārstāvjus – vai nu tāpēc, ka ir uz tiem saderējuši, vai arī vienkārši lai paplātītos, ja būs izvēlējušies uzvarētāju –, grib slēgt darījumus ar kādu, kas izskatītos šikāk nekā Heimičs.

– Nu ko, tev tā kā vajadzētu dot mums padomus, – es viņu uzrunāju.

– Te jums būs padoms: palieciet dzīvi, – Heimičs izgrūž un izplūst smieklos. Es pārmiju skatienu ar Pītu un tikai pēc tam atceros, ka man ar viņu vairs nav nekāda sakara. Esmu pārsteigta, ieraugot skarbo izteiksmi puiša acīs. Parasti viņš ir tik lēnprātīgs.

– Ļoti smieklīgi, – Pīta nosaka un piepeši izsit Heimičam no rokas glāzi. Tā sašķīst uz grīdas, un asinssarkanais šķidrums aiztek uz vilciena aizmuguri. – Tikai mums gan smiekli nenāk.

Heimičs brīdi apdomājas un tad gāž Pītam pa žokli, izsizdams puisi no krēsla. Kad viņš pagriežas atpakaļ, lai pasniegtos pēc alkohola, es iecērtu nazi galdā starp viņa roku un pudeli, gandrīz trāpīdama pa šamā pirkstiem. Sagatavojos atvairīt sitienu, bet tāds neseko. Heimičs apsēžas un nolūkojas uz mums ar samiegtām acīm.

– Paskat, paskat, – viņš saka. – Vai tiešām es šogad būšu dabūjis pārīti cīnītāju?

Pīta pieceļas no grīdas, paķer sauju ledus zem augļu terīnes un jau ceļ to pie sarkanās švīkas uz zoda.

– Nē, – Heimičs iejaucas un viņu aptur. – Lai zilumu redz. Publika domās, ka tu jau saķēries ar citu pārstāvi, pirms vispār tiki līdz arēnai.

– Tas ir pret noteikumiem, – iebilst Pīta.

– Tikai tad, ja pieķer. Tas zilums vēstīs, ka tu kāvies un, kas vēl labāk, netiki pieķerts, – Heimičs pamāca. Viņš pagriežas pret mani. – Vai tu ar to nazi vari trāpīt vēl kaut kam, izņemot galdu?

Mani ieroči ir loks un bultas. Bet es esmu arī diezgan daudz trenējusies mest nažus. Dažreiz, kad esmu ievainojusi dzīvnieku ar bultu, pirms tuvošanās tam der mest arī nazi. Es saprotu: ja gribu gūt Heimiča ievērību, tad šī ir mana izdevība atstāt uz viņu iespaidu. Es izrauju nazi no galda, satveru asmeni un iemetu nazi tālākajā sienā. Vispār es tikai cerēju, ka tas tur kārtīgi ieķersies, bet nazis ieurbjas salaiduma vietā starp paneļiem, liekot man justies daudz prasmīgākai, nekā es esmu patiesībā.

– Nostājieties te. Abi, – Heimičs komandē, pamādams uz telpas vidu. Mēs paklausām, un viņš met lokus mums apkārt, laiku pa laikam iedunkādams kā dzīvniekus, pārbaudīdams mūsu muskuļus, nopētīdams sejas. – Nu ko, jūs neesat galīgi bezcerīgi. Izskatāties labā formā. Un, kad tiksiet stilistu nagos, tad būsiet arī gana pievilcīgi.

Mēs ar Pītu neko nejautājam. Bada Spēles gan nav nekāds skaistumkonkurss, bet izskatīgākie pārstāvji tomēr piesaista vairāk atbalstītāju.

– Labi, sarunāsim tā: jūs nejauksieties manā dzeršanā un es palikšu pietiekami skaidrā prātā, lai jums palīdzētu, – Heimičs ierosina. – Bet jums būs jādara tieši tas, ko es teikšu.

Diez kāda labā noruna tā nav, bet vēl pirms desmit minūtēm mums palīga nebija vispār, tā ka tas jau ir liels sasniegums.

– Labi, – piekrīt Pīta.

– Tad palīdzi mums, – es saku. – Kad mēs būsim arēnā, kāda ir labākā stratēģija pie Pārpilnības Raga, lai...

– Lēnām pār tiltu. Pēc dažām minūtēm mēs iebrauksim stacijā. Jūs nodos stilistiem. Jums nepatiks tas, ko viņi ar jums darīs. Bet, lai kas tas arī būtu, nepretojieties, – Heimičs pamāca.

– Bet... – es iesāku.

– Nekādus "bet". Nepretojies, – Heimičs atkārto.

Viņš paņem no galda šņabja pudeli un iziet no vagona.

64 Kad durvis aiz viņa aizveras, vagonā satumst. Iekšā

joprojām deg dažas gaismas, bet ārā ir tā, it kā atkal būtu iestājusies nakts. Es apjaušu, ka mēs noteikti esam tunelī, kas ved cauri kalniem augšup Kapitolijā. Kalni ir dabiska barjera starp Kapitoliju un austrumu apgabaliem. No austrumiem tajā iekļūt ir gandrīz neiespējami, izņemot tuneļus. Izdevīgais ģeogrāfiskais stāvoklis bija viens no galvenajiem iemesliem, kāpēc apgabali zaudēja karu, kura rezultātā es tagad esmu pārstāve. Tā kā dumpiniekiem bija jākāpj kalnos, viņi bija viegls mērķis Kapitolija gaisa spēkiem.

Pīta Melārks un es klusēdami stāvam, kamēr vilciens traucas uz priekšu. Tunelis nebeidzas un nebeidzas, un es domāju par tonnām akmens, kas mani šķir no debesīm, un man krūtīs kaut kas sažņaudzas. Man riebjas būt iesprostotai klintī. Tas atgādina raktuves un manu tēvu – slazdā, bez izredzēm ieraudzīt saules gaismu, apraktu mūžīgā tumsā.

Beidzot vilciens bremzē, un piepeši kupeja pielīst ar spožu gaismu. Mēs nespējam pretoties kārdinājumam. Abi ar Pītu pieskrienam pie loga, lai apskatītu to, ko esam redzējuši tikai televīzijā – Kapitoliju, Panemas valdošo pilsētu. Kameras nav melojušas. Kapitolijs ir grandiozs. Varbūt vienīgi kamerām nav izdevies notvert visu krāšņumu – mirdzošās ēkas, kas laistās visās varavīksnes krāsās un tiecas pretī debesīm, spīdīgās mašīnas, kas ripo pa plašajām, bruģētajām ielām, dīvaini ģērbtos cilvēkus ar savādām frizūrām un izkrāsotām sejām, kuri nekad nav izlaiduši nevienu maltīti. Visas krāsas šķiet mākslīgas – rozā ir pārāk spilgta, zaļā – pārāk koša, bet dzeltenā žilbina acis kā plakanās, apaļās karameļu ripas mazītiņajā saldumu veikaliņā Divpadsmitajā apgabalā, kuras mēs nekad nevaram atļauties nopirkt.

Kad pilsētnieki pamana, ka iebrauc pārstāvju vilciens, viņi sāk dedzīgi uz mums rādīt. Es atkāpjos no loga. Man metas nelabi no kapitoliešu priecīgā satraukuma, zinot, ka viņi nevar vien sagaidīt, kad varēs noskatīties mūsu nāvē. Bet Pīta paliek, kur bijis, viņš pat pamāj un uzsmaida blenzējiem. Viņš pārtrauc tikai tad, kad vilciens iebrauc stacijā un paslēpj mūs no pūļa skatieniem.

Pīta pamana, ka lūru uz viņu, un parausta plecus.

– Kas zina? – viņš saka. – Kāds no viņiem varētu būt bagāts.

Es esmu viņu novērtējusi nepareizi. Pārdomāju puiša rīcību kopš izlozes. Kā viņš draudzīgi paspieda manu roku. Kā viņa tēvs atnāca ar cepumiem un solīja pabarot Primu... Vai to viņam lika darīt Pīta? Viņa asaras stacijā. Kā viņš no brīva prāta pieteicās nomazgāt Heimiču, bet tad šorīt viņu izaicināja, kad laipnā pieeja bija izgāzusies. Un kā viņš māja pa logu, jau tagad pūlēdamies iegūt pūļa simpātijas.

Viss joprojām liekas gluži normāli, bet es jūtu, ka viņam briest kāds plāns. Viņš nav samierinājies ar domu, ka jāmirst. Viņš jau tagad cīnās par savu dzīvību. Un tas nozīmē, ka Pīta Melārks – zēns, kurš iedeva man maizi, cīnās par manu nāvi.

5

Tir-r-r-rkš! Es sakožu zobus, kad Vīnija, sieviete ar tirkīzziliem matiem un zeltainiem tetovējumiem virs uzacīm, norauj man no kājas auduma strēmeli, izraudama ādā augošos matiņus. – Piedod! – viņa čivina ar savu dumjo kapitolietes akcentu. – Bet tu esi tik mataina!

Kāpēc tie kapitolieši runā tik spiedzīgās balsīs? Kāpēc runājot viņu apakšžoklis tik tikko paveras? Kāpēc teikumu beigas paceļas augstāk, it kā viņi kaut ko jautātu? Savādi patskaņi, aprauti vārdi un mūžīgā šņākoņa pie *s*... Kāds tur brīnums, ka nav iespējams viņus neizmēdīt.

Vīnija savelk seju izteiksmē, kam vajadzētu būt līdzjūtīgai. – Bet man tev ir labas ziņas. Šī būs pēdējā. Vai esi gatava? – Es satveru aiz malām galdu, uz kura esmu apsēdināta, un pamāju. Ar sāpīgu rāvienu no manām kājām ar visām saknēm pazūd pēdējie matiņu kušķi.

Es esmu Pārvērtību centrā jau vairāk nekā trīs stundas un joprojām neesmu satikusi savu stilistu. Viņam acīmredzot nav nekādas intereses mani satikt, kamēr Vīnija un pārējie manas sagatavošanas komandas locekļi nav novērsuši acīmredzamās problēmas. Tā nu manu ķermeni norīvēja ar asām, graudainām putām, kas noberza ne tikai netīrumus, bet arī vismaz trīs kārtas ādas, manus nagus apvīlēja vienādus un, pats svarīgākais, iznīcināja manu ķermeņa apmatojumu. Man izplucināja kājas, rokas, ķermeņa augšdaļu, paduses un daļēji arī uzacis. Tagad es esmu kā noplūkts, cepšanai gatavs putns. Man tas nepatīk. Āda sūrst un knieš, un liekas ļoti viegli ievainojama. Bet es esmu turējusies pie norunas ar Heimiču, un pār manām lūpām nav nācis neviens iebildums.

– Tev veicas ļoti labi, – mani slavē tips, vārdā Flāvijs. Viņš sapurina savas oranžās, atsperēm līdzīgās sprogas un uzklāj mutei jaunu kārtu purpura toņa lūpukrāsas.

– Ja nu mēs kaut ko nevaram ciest, tad tie ir čīkstētāji. Ietaukojiet viņu!

Vīnija un Oktāvija, tumīga sieva, kuras ķermenis no galvas līdz kājām ir nokrāsots gaiši dzeltenzaļā tonī, ieziež mani ar losjonu, kas sākumā kož, bet tad nomierina manu jēlo ādu. Tad šie piceceļ mani no galda un novelk plāno halātu, ko man laiku pa laikam atļāva uzvilkt. Es stāvu pilnīgi kaila, un šie trīs riņķo apkārt ar pincetēm, izraudami pēdējos matiņus. Es zinu, ka vajadzētu kaunēties, bet viņi tik maz līdzinās cilvēkiem, ka man kauna nav vairāk, nekā būtu tad, ja pie manām kājām rosītos trīs dīvainu krāsu putni.

Trijotne atkāpjas un apbrīno savu veikumu. – Lieliski! Tagad tu gandrīz izskaties pēc cilvēka! – izsaucas Flāvijs, un šie iesmejas.

Es piespiesti pasmaidu, lai parādītu, cik esmu pateicīga. – Paldies jums, – es mīļi saku. – Divpadsmitajā apgabalā mums nav daudz iemesla posties.

Tas pilnībā iekaro viņu sirdis. – Protams, ka nav, manu nabaga mīlulīt! – Oktāvija sasit rokas, patiesi noraizējusies par mani.

– Bet neuztraucies, – mierina Vīnija. – Kad Sinna būs padarījis savu, tu būsi vienkārši satriecoša!

– Mēs apsolām! Vai zini: tagad, kad esam atbrīvojušies no visiem matiem un netīrumiem, tu it nemaz neizskaties tik šausmīgi! – iedrošina Flāvijs. – Sauksim Sinnu!

Šie izmetas no istabas. Ir grūti ienīst manu sagatavošanas komandu. Viņi ir pilnīgi idioti. Un tomēr es zinu, ka viņi savā dīvainā veidā no sirds cenšas man palīdzēt.

Es aplūkoju aukstās, baltās sienas un grīdu un apspiežu vēlmi paņemt savu halātu. Varu derēt, ka tas Sinna, mans stilists, noteikti uzreiz liks to novilkt. Tāpēc es tikai pielieku rokas savai frizūrai – vienīgajam, ko manai sagatavošanas komandai bija vēlēts neaiztikt. Es ap pirkstiem apglāstu zīdainās pīnes, ko māte tik rūpīgi sakārtoja. Mana māte. Es atstāju viņas zilo kleitu un kurpes uz grīdas savā vagonā vilcienā, pat neiedomādamās tos paņemt un mēģināt paturēt kaut ko no viņas, kaut ko no mājām. Tagad es vēlos, kaut būtu tā izdarījusi.

Durvis atveras, un ienāk jauns vīrietis. Tas noteikti ir Sinna. Es esmu pārsteigta, cik normāli viņš izskatās. Lielākā daļa no stilistiem, ko intervē televīzijā, ir tik ietonēti, sakrāsoti un ķirurģiski uzlaboti, ka ir groteski. Bet Sinnas īsi apgrieztie mati, šķiet, ir to dabīgajā brūnajā krāsā. Viņš ir ģērbies vienkāršā melnā kreklā un biksēs. Vienīgais mākslīgais uzlabojums, ko viņš ir atļāvies, laikam ir nedaudz metāliski zeltaina acu zīmuļa. Tas izceļ zeltainos plankumiņus viņa zaļajās acīs. Un, lai kā man riebtos Kapitolijs un tā atbaidošā mode, es nespēju nedomāt, cik pievilcīgs viņš ir.

– Sveicināta, Katnisa. Es esmu Sinna, tavs stilists, – viņš saka klusā balsī, kurā tikai pavisam mazliet ieskanas eksaltētā kapitoliešu intonācija.

– Sveiki, – nedroši atsaucos.

– Vienu mirklīti, labi? – viņš pajautā un apiet man apkārt, nepieskardamies manam kailajam ķermenim, bet ar acīm iztaustīdams ik collu. Es apspiežu vēlmi sakrustot rokas uz krūtīm. – Kas tev ieveidoja matus?

– Mana māte, – es atbildu.

– Skaisti. Ļoti klasiski. Un gandrīz nevainojamā līdzsvarā ar tavu profilu. Viņai ir ļoti veikli pirksti, – viņš uzteic.

Es biju gaidījusi kādu pārspīlēti ģērbušos ākstu, kādu pavecāku kapitolieti, kas izmisīgi cenšas izskatīties jaunāks, cilvēku, kas manī saskatītu gaļas gabalu, kurš jāsagatavo pasniegšanai. Sinna neatbilst nekam no gaidītā.

– Tu esi jauniņais, vai ne? Man šķiet, ka agrāk neesmu tevi redzējusi, – es ierunājos. Lielākā daļa Spēļu stilistu ir pazīstami, viņi ir pastāvīgie lielumi mūždien mainīgajā pārstāvju straumē. Daži strādā jau visu manu mūžu.

– Jā, šis ir mans pirmais gads Spēlēs, – Sinna saka.

– Tāpēc tev arī iedeva Divpadsmito apgabalu, – es secinu. Jaunpienācējiem parasti tiekam mēs, vismazāk iekārojamais apgabals.

– Es pats prasīju Divpadsmito apgabalu, – viņš nepiekrīt, bet vairāk neko nepaskaidro. – Varbūt uzvelc savu halātu, un mēs mazliet aprunāsimies.

Es sekoju viņam pa durvīm dzīvojamā istabā, pa ceļam vilkdama halātu. Tur viens otram pretī stāv divi sarkani dīvāni un starp tiem – zems galds. Trīs sienas ir tukšas, un ceturtā ir pilnībā no stikla, caur to paveras skats uz pilsētu. Pēc gaismas es redzu, ka ir apmēram pusdienlaiks, kaut arī iepriekš saulainās debesis ir apmākušās. Sinna lūdz mani apsēsties uz viena no dīvāniem un ieņem vietu man pretī. Viņš nospiež pogu galda sānos. Virsma sadalās, un no apakšas paceļas otra, uz kuras atrodas mūsu pusdienas. Vista un apelsīnu gabaliņi krēmīgā mērcē uz pērļaini baltiem, irdeniem graudiem, sīki zaļie zirnīši un sīpoli. Klāt ir maizītes ziedu formā, un desertā pienākas medaini dzeltens pudiņš. Es mēģinu iztēloties, kā es šādu maltīti pagatavotu mājās. Vistas ir pārāk dārgas, bet varētu mēģināt iztikt ar savvaļas tītaru. Vajadzētu nošaut vēl vienu tītaru, lai to iemainītu pret apelsīnu. Krējums būtu jāaizstāj ar kazas pienu. Zirņus mēs varam izaudzēt dārzā. Mežā man būtu jāsadabū savvaļas sīpoli. Graudus biezputrā es nepazīstu, tie, ko mēs dabūjam tezerās, izvārās nepievilcīgi brūnā putrā. Smalkās maizītes nozīmētu vēl vienu darījumu ar maiznieku, varbūt tās varētu dabūt par divām vai trim vāverēm. Kas attiecas uz pudiņu, es nevaru pat uzminēt, kas tajā iekšā. Dienu no dienas medības un vākšana vienai pašai maltītei, un pat tad tā būtu tikai vāja atblāzma no kapitoliešu gatavotās.

Es prātoju, kā gan ir dzīvot pasaulē, kur vajag tikai piespiest pogu, lai parādītos ēdiens. Ko es darītu stundās, ko pavadīju, ķemmējot mežus un meklējot pārtiku, ja to varētu iegūt tik vienkārši? Ko kapitolieši caurām dienām dara, izņemot savu ķermeņu izgreznošanu un laisku gaidīšanu, kad pienāks jauna pārstāvju krava, kas mirs viņu izklaides vārdā?

Paceļu galvu un redzu, ka Sinna uz mani skatās.

– Cik nicināmi mēs tev laikam liekamies, – viņš ierunājas.

Vai viņš to pamanīja manā sejā vai kaut kā nolasīja manas domas? Bet viņam ir taisnība. Viņi visi – viss izkurtējušais bars – ir nicināmi.

– Ko padarīsi, – Sinna nosaka. – Tātad, Katnis, – par tavu tērpu atklāšanas ceremonijā. Mana partnere Porcija ir tava pārinieka Pītas stiliste. Un pašlaik mūsu ideja ir jūs saģērbt vienotru papildinošos kostīmos, – Sinna stāsta. – Tu jau zini, ka parasti tērpi ataino apgabalam raksturīgāko.

Atklāšanas ceremonijā ir jāvelk kaut kas tāds, kas norādītu uz apgabala galveno rūpniecības nozari. Vienpadsmitais apgabals – lauksaimniecība. Ceturtais apgabals – zvejniecība. Trešais apgabals – fabrikas. Tas nozīmē, ka mēs ar Pītu, Divpadsmitā apgabala pārstāvji, būsim saģērbti ogļraču stila drēbēs. Tā kā vaļīgie raktuvju kombinezoni nav diez ko pievilcīgi, mūsu apgabala pārstāvjus parasti saģērbj trūcīgās skrandās un galvā uzbāž cepures ar lukturiem. Vienu gadu pārstāvji bija pilnīgi kaili un viņu ķermeņus klāja melns pūderis, kam vajadzēja atgādināt ogļu putekļus. Tērpi vienmēr ir briesmīgi un nekādā ziņā nepalīdz iegūt pūļa simpātijas. Es sagatavojos ļaunākajam.

– Tātad man būs ogļraces tērps? – es apvaicājos, cerēdama, ka tas neskan pārāk nepieklājīgi.

– Ne gluži. Redzi, mēs ar Porciju domājam, ka ogļrači ir ļoti nodrāzts temats. Tādu tevi neviens neatcerēsies. Un mēs abi uzskatām, ka mūsu darbs ir padarīt Divpadsmitā apgabala pārstāvjus neaizmirstamus.

Es noteikti būšu kaila, nodomāju.

– Tāpēc tā vietā, lai koncentrētos uz ogļu rakšanu, mēs koncentrēsimies uz oglēm, – Sinna turpina.

Kaila un klāta ar melniem putekļiem, es prātoju.
– Un ko mēs darām ar oglēm? Mēs tās dedzinām, – Sinna klāsta. – Tu taču nebaidies no uguns, ko, Katnis? – Viņš pamana izteiksmi manā sejā un pavīpsnā.

Pēc dažām stundām es esmu ieģērbta kostīmā, kas būs vai nu sensacionālākais, vai arī nāvējošākais visā atklāšanas ceremonijā. Man mugurā ir vienkāršs, melns kombinezons, kas klāj manu augumu no kakla līdz potītēm. Kājās man ir spīdīgi ādas zābaki, sasaitēti līdz ceļiem. Bet kostīma raksturu nosaka plīvojošais apmetnis no oranžām, dzeltenām un sarkanām strēmelēm un tam pieskaņotā galvassega. Sinna plāno to visu aizdedzināt, mirkli pirms rati izbrauks ielās.

– Tā, protams, nebūs īsta liesma, tikai maza mākslīga uguntiņa, ko izdomājām mēs ar Porciju. Tu būsi pilnīgā drošībā, – viņš mierina. Bet es neesmu pārliecināta, ka nenonākšu pilsētas centrā pilnīgi izcepusies.

Mana seja gandrīz nemaz nav grimēta, tikai šur tur pielikts kāds akcents. Mani mati ir izķemmēti un sapīti bizē uz muguras manā parastajā stilā. – Es gribu, lai publika tevi atpazītu, kad būsi arēnā, – Sinna sapņaini runā. – Katnisa – meitene ugunī.

Man iešaujas prātā, ka varbūt Sinnas mierīgā, normālā izturēšanās slēpj visīstāko maniaku.

Par spīti manai šārīta atklāsmei par Pītas raksturu, es tiešām jūtos atvieglota, kad viņš parādās tērpies identiskā kostīmā. Viņam jau nu būtu šis tas jāzina par uguni, viņš taču ir maiznieka dēls. Viņam līdzi nāk stiliste Porcija un viņas komanda, un visi ir kā apskurbuši no satraukuma par to, kādu sensāciju mēs radīsim.

Izņemot Sinnu. Pieņemot apsveikumus, viņš izskatās tikai mazliet noguris.

Mūs noved Pārvērtību centra apakšstāvā, kas patiesībā ir milzīgs stallis. Atklāšanas ceremonijai ir jāsākas kuru katru brīdi. Pārstāvju pāri sakāpj ratos ar četriem iejūgtiem zirgiem. Mūsējie ir ogļu melni. Dzīvnieki ir tik labi dresēti, ka nevienam pat nevajag turēt grožus. Sinna un Porcija palīdz mums iekāpt ratos, rūpīgi mūs izvieto un sakārto apmetņu krokas, un tad paiet malā aprunāties.

– Kā tev šķiet? – es čukstu Pītam. – Tas – ar uguni?

– Es noraušu tavu apmetni, ja tu norausi manējo, – viņš izgrūž caur sakostiem zobiem.

– Sarunāts, – es piekrītu. Ja mums izdosies tos nodabūt gana ātri, varbūt mēs izvairīsimies no ļaunākajiem apdegumiem. Bet būs slikti. Mūs iemetīs arēnā, par spīti tam, kādā stāvoklī būsim. – Es zinu: mēs apsolījām Heimičam, ka darīsim visu, ko viņi saka, bet man šķiet, ka nekas tāds viņam gan nav ienācis prātā.

– Kur vispār ir Heimičs? Vai tad viņam nevajadzētu mūs no tādām lietām pasargāt? – Pīta nesaprot.

– Ņemot vērā, cik daudz viņā ir alkohola, viņam droši vien nav ieteicams atrasties atklātas liesmas tuvumā, – es attraucu.

Pēkšņi mēs abi sākam smieties. Laikam jau mēs esam tā sanervozējušies par Spēlēm un vēl jo vairāk – tā nobijušies no tuvajām briesmām pārvērsties par lāpām, ka nereaģējam saprātīgi.

Sākas ievada mūzika. To ir viegli dzirdēt, tā skaidri izskan visā Kapitolijā. Masīvās durvis atveras, atklājot ielas ar cilvēku pūļiem malās. Brauciens ilgst apmēram divdesmit minūtes un beidzas Pilsētas Apļa laukumā, kur mūs apsveiks, nospēlēs himnu un eskortēs uz Apmācības centru, kas līdz Spēļu sākumam būs mūsu mājas-cietums.

Baltu zirgu vilktos ratos izbrauc Pirmā apgabala pārstāvji. Viņi izskatās ļoti skaisti; abu ķermeņi ir nopūsti ar sudrabotu krāsu un saģērbti gaumīgās tunikās, uz kurām mirguļo dārgakmeņi. Pirmais apgabals ražo luksusa preces Kapitolijam. Var dzirdēt, kā pūlis uzgavilē. Viņi vienmēr ir mīluļi.

Otrais apgabals gatavojas sekot. Jau pavisam drīz mēs tuvojamies durvīm, un es pamanu, ka gaisma pelēki pietumst, tuvojoties apmākušās dienas vakaram. Kad pa durvīm izbrauc Vienpadsmitā apgabala pārstāvji, parādās Sinna ar aizdegtu lāpu rokā. – Nu tad aiziet, – viņš saka un, pirms mēs paspējam reaģēt, aizdedzina mūsu apmetņus. Man aizcērtas elpa, un es gaidu karstumu, bet jūtu tikai vieglu kutināšanu. Sinna pakāpjas mums priekšā un aizdedzina galvassegas. Viņš atviegloti nopūšas. – Strādā. – Tad stilists saudzīgi satver plaukstā manu zodu. – Atcerieties: galvu augšā. Smaidiet. Pūlis jūs dievinās!

Sinna nolec no ratiem, un viņam iešaujas prātā vēl pēdējā ideja. Viņš kaut ko mums uzsauc, bet mūzika pārmāc viņa balsi. Viņš atkal kliedz un māj ar rokām.

– Ko viņš tur saka? – es jautāju Pītam. Pirmo reizi pagriežos pret viņu un aptveru, ka ar mākslīgajām liesmām viņš izskatās satriecoši. Tad jau es arī.

– Man šķiet: viņš teica, lai sadodamies rokās, – Pīta spriež. Viņš sagrābj manu labo roku savā kreisajā, un mēs palūkojamies uz Sinnu, meklējot apstiprinājumu. 75

Stilists pamāj, pavērš uz augšu īkšķus, un tas ir pēdējais, ko es vēl redzu, pirms mēs ienirstam pilsētā.

Mums parādoties, pūlis sākumā ir piesardzīgs, bet tad žigli vien sāk gavilēt un saukt: – Divpadsmitais apgabals! – Visas galvas pagriežas pret mums, un neviens vairs neskatās uz trim ratiem mums priekšā. Sākumā es sastingstu, bet tad pamanu mūs uz liela televīzijas ekrāna un gandrīz saļimstu, redzot, cik satriecoši mēs esam. Biezējošajā krēslā mūsu sejas izgaismo liesmas. Liekas: plūstošie apmetņi aiz mums iezīmē uguns taku. Sinna darīja pareizi, ka izveidoja mūsu grimu minimālu, mēs abi izskatāmies pievilcīgi, bet esam pilnīgi atpazīstami. *Atcerieties: galvu augšā. Smaidiet. Pūlis jūs dievinās!* es domās dzirdu Sinnas balsi. Paceļu zodu mazliet augstāk, uzsmaidu savu apburošāko smaidu un ar brīvo roku pamāju. Tagad es priecājos, ka varu līdzsvaram pieturēties pie Pītas, viņš ir pilnīgi stabils un nekustīgs kā klints. Pieaugošā pašapziņā es pat pametu pūlim dažus gaisa skūpstus. Kapitolieši jūk prātā, pār mums nolīst ziedu lietus, visi sauc mūsu vārdus, ko ir papūlējušies atrast programmā.

Mūzikas duna, gaviles un apbrīna izplūst man asinīs, un es nespēju apspiest satraukumu. Sinna man ir devis lielu priekšrocību. Neviens mani neaizmirsīs. Ne manu izskatu, ne manu vārdu. Katnisa. Meitene ugunī.

Pirmo reizi es jūtu pamostamies vārgu cerību staru. Noteikti ir jābūt kādam, kas gribētu mani atbalstīt! Un ar nelielu palīdzību, mazliet ēdiena un pareizo ieroci... Kāpēc lai es uzskatītu, ka esmu Spēles jau zaudējusi?

Kāds man pamet sarkanu rozi. Es to noķeru, viegli pasmaržoju un tad pametu atpakaļ skūpstu aptuveni metēja virzienā. Simtiem roku pasniedzas, lai satvertu manu skūpstu, ir kā tas būtu kaut kas īsts un taustāms. – Katnis! Katnis! – No visām pusēm es dzirdu saucam manu vārdu. Visi vēlas manus skūpstus.

Tikai tad, kad mēs iebraucam Pilsētas Apļa laukumā, es aptveru, ka laikam esmu pilnīgi apstādinājusi asinsriti Pītas plaukstā. Tik cieši es to turu. Es palūkojos lejup uz mūsu sadotajām rokām un atlaižu tvērienu, bet viņš atkal saķer manu plaukstu. – Nē, nelaid mani vaļā, – viņš dveš. Viņa zilajās acīs spoguļojas liesmas. – Lūdzu. Es izkritīšu no šitiem ratiem.

– Nu labi, – es piekrītu. Tā nu es turpinu turēt viņa roku, bet vienalga jūtos dīvaini, ka Sinna mūs ir tā salicis kopā. Nav gluži godīgi stādīt mūs priekšā kā partnerus un tad iemest arēnā, lai viens otru nogalinām.

Pilsētas Apļa laukuma izliekumā sastājas divpadsmit rati. Ēkās ap loku ik logā rēgojas Kapitolija cienījamākie pilsoņi. Mūsu zirgi pievelk ratus tieši pie prezidenta Snova savrupnama, un mēs apstājamies. Mūzika ar pompu izbeidzas.

No balkona virs mūsu galvām mūs oficiāli sveic prezidents – sīks, tievs vīriņš ar tik baltiem matiem kā papīrs. Runas laikā kameras tradicionāli pievēršas pārstāvju sejām. Bet es uz ekrāna redzu, ka mēs dabūjam daudz vairāk nekā tikai savu daļu raidlaika. Jo vairāk satumst, jo grūtāk ir atraut acis no mūsu liesmojošajiem tērpiem. Kad skan valsts himna, televīzija pūlas žigli parādīt visus pārstāvju pārus, bet tad kameras pavada Divpadsmitā apgabala kaujas ratus, kad tie vēl pēdējo reizi apmet loku un tad pazūd Apmācības centrā.

Tiklīdz aiz mums aizveras durvis, apkārt sapulcējas sagatavošanas komandas, kas cita caur citu gandrīz nesaprotami burbuļo uzslavas. Palūkojusies apkārt, es pamanu, ka daudzi no pārējiem pārstāvjiem met uz mums nelāgus skatienus, kas apstiprina manas aizdomas, ka esam vārda vistiešākajā nozīmē atstājuši viņus ēnā. Tad atnāk Sinna un Porcija un palīdz mums izkāpt no ratiem, un uzmanīgi noņem mūsu degošos apmetņus un galvassegas. Porcija apdzēš liesmas ar kaut kādu aerosolu no flakona.

Es apķeros, ka joprojām kā pielīmēta turos pie Pītas un ar pūlēm atkrampēju stīvos pirkstus. Mēs abi masējam plaukstas.

– Paldies, ka mani pieturēji. Man tur bija mazliet drebelīgi, – Pīta pateicas.

– To nevarēja redzēt, – es mierinu. – Es esmu pārliecināta, ka neviens to neievēroja.

– Es esmu pārliecināts, ka neviens neievēroja neko, izņemot tevi. Tev biežāk vajadzētu valkāt liesmas, – viņš glaimo. – Tās tev piestāv. – Un tad viņš man veltī smaidu, kas šķiet tik mīļš un ar precīzi vajadzīgo kautrīgumu, tā ka mani negaidīti pārņem siltums.

Man galvā atskan brīdinājuma zvans. *Neesi tāda muļķe. Pīta plāno, kā tevi nogalināt,* es sev atgādinu. *Viņš tevi piejaucē, lai padarītu par vieglu medījumu. Jo viņš ir patīkamāks, jo bīstamāks.*

Bet, tā kā tādu spēlīti var spēlēt divatā, es pasniedzos uz pirkstgaliem un noskūpstu viņu uz vaiga. Tieši uz ziluma.

6

Apmācības centrs ir īpaši pārstāvjiem un viņu pavadoņiem domāts tornis. Te būs mūsu mājas, līdz Spēles sāksies pa īstam. Katram apgabalam ir paredzēts vesels stāvs. Ir vienkārši jāiekāpj liftā un jānospiež sava apgabala numurs. To nav grūti atcerēties.

Es pāris reižu esmu braukusi ar liftu Tiesas ēkā pie mums, Divpadsmitajā apgabalā. Vienreiz, lai saņemtu medaļu par tēva nāvi, un vakar – lai teiktu pēdējās ardievas draugiem un ģimenei. Bet turienes lifts ir tumšs un čīkst, un kustas gliemeža ātrumā, un ož pēc ieskābuša piena. Šeit lifta sienas ir no stikla, un, šaujoties augšup, var vērot, kā cilvēki apakšstāvā saraujas kā skudriņas. Sajūta ir pasakaina, un mani māc kārdinājums palūgt Efijai Trinketai, vai nevaram pavizināties vēl, bet tas nez kāpēc liekas bērnišķīgi.

Izrādās, ka Efijas Trinketas pienākumi nebeidzās stacijā. Viņi ar Heimiču mūs pieskatīs līdz pat arēnai. Savā ziņā tas ir labi, jo vismaz mēs varam rēķināties, ka viņa mūs visur aizdzīs laikā, turpretī Heimiču mēs neesam redzējuši kopš brīža, kad viņš vilcienā piekrita mums palīdzēt. Droši vien viņš ir kaut kur atslēdzies. Toties Efija Trinketa gandrīz vai lido. Mēs esam pirmā viņas pavadītā komanda, kas atklāšanas ceremonijā ir radījusi sensāciju. Viņa bārsta komplimentus ne tikai par mūsu kostīmiem, bet arī par izturēšanos. Un viens gan ir jāsaka: Efija pazīst visus ievērības cienīgos kapitoliešus un visu dienu par mums vien runā, mēģinādama iegūt atbalstītājus.

– Es gan biju ļoti noslēpumaina, – viņa pļāpā, pa pusei aizmiegusi acis. – Jo Heimičs, protams, nav papūlējies man izstāstīt jūsu stratēģijas. Bet es darīju, ko varēju ar esošo informāciju. Kā Katnisa uzupurējās māsas dēļ. Kā jums abiem veiksmīgi izdevās pārvarēt sava apgabala barbarismu.

Barbarismu? Tas skan ironiski no tādas sievietes mutes, kura palīdz mūs sagatavot slaktiņam. Un kā viņai liekas, kas ir mūsu panākumu pamatā? Mūsu galda manieres?

– Visi, protams, ir nedaudz atturīgi. Jo jūs esat no ogļu apgabala. Bet es teicu, un tas bija ļoti gudri no manas puses, es teicu: "Bet, ja ogles gana stipri saspiež, tās pārvēršas pērlēs!" – Efija mums tik spoži uzstaro, ka nekas cits neatliek kā aizrautīgi apbrīnot viņas gudrību, kaut arī tā nav īsta.

Ogles nepārvēršas pērlēs. Pērles izaug gliemenēs. Varbūt viņa gribēja teikt, ka ogles pārvēršas dimantos, bet arī tas nav tiesa. Esmu dzirdējusi, ka Pirmajā apgabalā esot kāda ierīce, kas spēj pārvērst dimantos grafītu. Bet mēs Divpadsmitajā apgabalā nekādu grafītu nerokam. Pirms iznīcināja Trīspadsmito apgabalu, tas bija viens no viņu pienākumiem.

Interesanti, vai tie cilvēki, ko viņa mūsu labā visu dienu apvārdoja, to zina un vai viņiem tas nav vienalga.

– Diemžēl es nedrīkstu parakstīt līgumus ar jūsu atbalstītājiem. To drīkst tikai Heimičs, – Efija drūmi nosaka. – Bet neuztraucieties: ja vajadzēs, es viņu izšķirošajā brīdī dabūšu līdz galdam.

Efijai Trinketai gan ir daudz trūkumu, bet viņai piemīt arī zināma apņēmība, ko es nespēju neapbrīnot. Mani apartamenti ir lielāki nekā visa mūsu māja. Tie ir tikpat grezni kā vilciena vagons, bet te ir arī tik daudz automātisko ierīču, ka es esmu droša: man nepietiks laika nospiest visas pogas. Jau dušā vien ir panelis ar vairāk nekā simt iespējām: kā regulēt ūdens temperatūru, spiedienu, kādas ziepes, šampūnus, smaržas, eļļas un masāžas sūkļus ņemt. Kad izkāpj no dušas uz paklājiņa, iedarbojas sildītāji, kas ar silta gaisa pūsmu nožāvē ķermeni. Tā vietā, lai cīnītos ar mezgliem slapjajos matos, es vienkārši uzlieku roku uz kastes, un pa manu galvas ādu izplūst strāva, kas gandrīz mirklī atšķeterē, nogludina un izžāvē matus. Tie nokrīt man pār pleciem kā mirdzošs priekškars.

Es ieprogrammēju skapi, lai tas pagādā apģērbu manā gaumē. Logi pēc manas komandas pievelk tuvāk un attālina dažādas pilsētas daļas. Vajag tikai iečukstēt mikrofonā ēdiena nosaukumu no milzīgi plašās ēdienkartes, un tas mazāk nekā minūtes laikā karsts un kūpošs parādās acu priekšā. Es staigāju pa istabu, ēdu zosu aknas un mīkstu maizi, līdz pie durvīm atskan klauvējiens. Efija aicina mani vakariņās.

Tas ir labi. Esmu izsalkusi.

Kad mēs ienākam ēdamistabā, Pīta, Sinna un Porcija stāv ārā uz balkona, no kura paveras skats uz Kapitoliju.

Es priecājos satikt stilistus, īpaši pēc tam kad padzirdēju, ka mums pievienosies Heimičs. Maltīte tikai ar Efiju un Heimiču noteikti būtu katastrofāla. Turklāt vakariņās galvenais nav ēdiens, bet mūsu stratēģijas izplānošana, un Sinna un Porcija jau ir pierādījuši, cik vērtīgi viņi ir. Kluss, jauns vīrietis baltā tunikā piedāvā mums visiem vīnu garkātainās glāzēs. Es jau domāju atteikties, bet es vēl nekad neesmu dzērusi vīnu, izņemot mājās brūvēto, ko mana māte lieto pret klepu, un kad tad man vēl gadīsies iespēja to pagaršot? Es iedzeru malku skābā, sausā šķidruma un slepenībā nodomāju, ka to varētu uzlabot ar dažām karotēm medus.

Heimičs parādās tai pašā brīdī, kad pasniedz vakariņas. Izskatās, ka viņam ir bijis pašam savs stilists, jo viņš ir tīrs un sakopts, un pie tik skaidra prāta, kādā vēl gandrīz nekad neesmu viņu redzējusi. Viņš neatsakās no piedāvātā vīna, bet tad, kad viņš sāk ēst zupu, aptveru, ka pirmo reizi redzu viņu ēdam. Varbūt viņš tiešām būs savācies gana ilgam laikam, lai mums palīdzētu.

Šķiet, ka Sinna un Porcija padara Heimiču un Efiju civilizētākus. Vismaz viņi uzrunā viens otru pieklājīgi. Un abiem nav nekā cita kā vien uzslavas mūsu stilistu pirmajam darbam. Kamēr šie visi pļāpā, es pievēršos maltītei. Sēņu zupa, rūgti zaļumi ar zirņa lieluma tomātiem, rostbifs tik plānās šķēlītēs kā papīrs, makaroni zaļā mērcē, uz mēles kūstošs siers, ko pasniedz kopā ar saldām, zilām vīnogām. Apkalpotāji, visi jauni un tērpušies baltās tunikās kā tas puisis, kas pasniedza mums vīnu, klusēdami kustas ap galdu, neļaujot šķīvjiem un glāzēm palikt tukšām.

Kad esmu iztukšojusi apmēram pusi no savas vīna glāzes, manas domas metas miglainas, tāpēc es sāku dzert ūdeni. Man nepatīk skurbuma sajūta, un es ceru, ka tā drīz pāries. Kā Heimičs spēj tā staigāt apkārt visu laiku, nav saprotams.

Es mēģinu koncentrēties uz sarunu, kas ir pievērsusies mūsu interviju kostīmiem, kad kāda meitene uzliek uz galda pasakaina izskata kūku un veikli to aizdedzina. Kūka uzliesmo, un liesmas vēl kādu laiku līpinās ap tās sāniem, kamēr izdziest. Es brīdi šaubos. – Kā tā deg? Vai tur ir alkohols? – es jautāju, paceldama acis uz meiteni. – To es galīgi negri... Oho! Es tevi pazīstu!

Es nespēju atcerēties ne vietu, ne laiku, kur esmu redzējusi meitenes seju. Bet es esmu pārliecināta. Tumši sarkani mati, satriecoši sejas vaibsti, āda porcelāna baltumā. Bet, jau izrunājot vārdus, es jūtu, kā manas iekšas sažņaudzas raizēs un vainas apziņā, un, kaut arī es nespēju skaidri atcerēties, es zinu, ka ar viņu saistās kādas sliktas atmiņas. Šausmu pilnā izteiksme, kas pārslīd viņas sejai, tikai vēl padziļina manu apjukumu un nemieru. Meitene žigli papurina galvu un aizsteidzas prom.

Kad es atkal pagriežos, četri pieaugušie veras manī ar asiem vanaga skatieniem.

– Nekļūsti smieklīga, Katnis. Kā gan tu varētu pazīt eivoksu? – noskalda Efija. – Tas ir pilnīgs absurds!

– Kas ir eivoksa? – es dumji pajautāju.

– Eivokss ir cilvēks, kas ir izdarījis noziegumu. Viņai ir izgriezta mēle, lai viņa nevarētu runāt, – paskaidro Heimičs. – Viņa droši vien ir kāda nodevēja. Diez vai tu viņu varētu pazīt.

– Un pat tad, ja tu viņu pazītu, tad nedrīksti ar eivoksiem runāt, vienīgi ja dod pavēli, – pamāca Efija. – Protams, ka tu viņu patiesībā nepazīsti.

Bet es pazīstu. Un tagad, kad Heimičs izrunāja vārdu *nodevēja*, es atceros, no kurienes. Nodevēju nosodījums ir tik spēcīgs, ka es nemūžam nevarētu atzīties. – Nē, laikam jau ne, es tikai... – sastomos, un vīns vēl vairāk samežģī man mēli.

Pīta uzsit knipi. – Delija Kārtraita. Tieši tā. Man arī viņa visu laiku likās pazīstama. Un es sapratu, ka viņa izskatās uz mata kā Delija.

Delija Kārtraita ir neveselīgi bāla, neveikla meitene ar dzeltenīgiem matiem, kura mūsu apkalpotāju atgādina tikpat daudz kā vabole taureni. Delija droši vien ir draudzīgākais cilvēks visā pasaulē – skolā viņa visu laiku visiem smaida, pat man. Meiteni ar sarkanajiem matiem es ne reizes neesmu redzējusi smaidām. Bet es pateicīgi pieķeros Pītas izskaidrojumam.

– Protams, tieši to es domāju. Laikam matu dēļ, – es piebalsoju.

– Acīs arī ir kaut kāda līdzība, – Pīta saka.

Saspīlējums pie galda atslābst.

– Nu labi. Ja tā, tad tā, – nosaka Sinna. – Un jā, kūkā ir alkohols, bet tas ir izdedzis. Es kūku īpaši pasūtīju par godu jūsu liesmotajai debijai.

Mēs apēdam kūku un tad aizejam uz dzīvojamo telpu, lai televīzijā noskatītos atklāšanas ceremonijas atkārtojumu. Daži no citiem pāriem izskatās jauki, bet neviens no viņiem nespēj mēroties ar mums. Pat mūsu pašu pavadoņi izdveš: "Ak!", kad rāda, kā mēs izbraucam no Pārvērtību centra.

– Kura ideja bija sadošanās rokās? – iejautājas Heimičs.

– Sinnas, – atsaucas Porcija.

– Nevainojami dumpīgs piesitiens, – Heimičs priecājas. – Ļoti jauki.

Dumpīgs? Par to man mirkli ir jāapdomājas. Bet tad es atceros citus pārus, kas stīvi stāvēja katrs par sevi, nepieskardamies un nekādi nepievērsdami uzmanību otram, it kā Spēles jau būtu sākušās, un saprotu, ko Heimičs ar to grib teikt. Tas, ka mēs izskatījāmies nevis pēc sāncenšiem, bet pēc draugiem, ir mūs izcēlis tāpat kā degošie tērpi.

– Rīt no rīta ir pirmais treniņš. Satiekamies brokastīs, un es jums izstāstīšu, kā gribu, lai jūs rīkojaties, – Heimičs saka Pītam un man. – Un tagad ejiet izgulēties, kamēr pieaugušie parunāsies.

Mēs ar Pītu kopā ejam pa koridoru uz savām istabām. Kad tiekam līdz manām durvīm, viņš atspiežas pret stenderi, ne gluži bloķēdams ieeju, bet piespiezdams mani pievērst viņam uzmanību. – Ko tu neteiksi, Delija Kārtraita. Kas to būtu domājis, ka te ieraudzīsim viņas līdzinieci.

Viņš prasa paskaidrojumu, un mani māc kārdinājums viņam tādu sniegt. Mēs abi zinām, ka viņš mani piesedza. Es atkal esmu viņa parādniece. Ja izstāstīšu viņam patiesību par meiteni, tas manu parādu mazliet samazinātu. Ko gan tas varētu kaitēt? Pat tad, ja viņš to kādam pastāstīs tālāk, tas nevarētu nodarīt nekādu lielo ļaunumu. Es vienkārši kaut ko redzēju. Un par Deliju Kārtraitu viņš meloja tāpat kā es.

Es apjaušu, ka gribu ar kādu parunāt par meiteni. Ar kādu, kas varbūt palīdzētu man saprast notikušo. Es gribētu runāt ar Geilu, bet diez vai es viņu vēl kādreiz satikšu. Mēģinu izdomāt, vai tad, ja izstāstīšu, Pīta salīdzinājumā ar mani būs izdevīgākā situācijā, bet nevaru iedomāties, kādā veidā. Ja es izstāstīšu, varbūt viņš noticēs, ka es viņu uzskatu par draugu.

Turklāt mani biedē doma par meiteni ar izgriezto mēli. Viņa man atgādināja, kāpēc esmu te. Ne jau tāpēc, lai izrādītu krāšņus tērpus un mielotos. Es te esmu, lai mirtu asiņainā nāvē, kamēr pūlis uzmundrina manu slepkavu.

Stāstīt vai nestāstīt? Manas smadzenes vīna skurbumā joprojām darbojas lēni. Es skatos tukšajā gaitenī, it kā tur būtu meklējama atbilde.

Pīta pamana manu vilcināšanos. — Vai tu jau esi bijusi uz jumta? — Es papurinu galvu. — Sinna man parādīja. No turienes var redzēt gandrīz visu pilsētu. Vējš gan ir drusku par skaļu.

Es domās to iztulkoju kā *neviens nevarēs mūs noklausīties*. Šeit tiešām ir sajūta, ka mūs varbūt novēro. — Vai mēs varam tā vienkārši iet augšā?

— Skaidrs. Nāc! — Pīta aicina. Es sekoju viņam augšā pa kāpnēm, kas izved uz jumta. Tur ir neliela kupola formas telpa ar durvīm uz āru. Kad mēs izejam laukā vēsajā, vējainajā vakara gaisā, no skata man aizraujas elpa. Kapitolijs mirguļo kā milzīgs jāņtārpiņu spiets. Divpadsmitajā apgabalā elektrība dažreiz ir un dažreiz nav, parasti mēs to dabūjam dažas stundas dienā. Vakarus mēs bieži pavadām sveču gaismā. Vienīgie brīži, kad ar elektrību var rēķināties, ir tad, kad pārraida Spēles vai arī kādu svarīgu valdības paziņojumu televīzijā, kas visiem obligāti jāskatās. Bet šeit nekādu pārtraukumu strāvas padevē nav. Nekad.

Mēs ar Pītu pieejam pie margām jumta malā. Es palūkojos lejup gar ēkas sienu uz ielu, kur čum un mudž cilvēki. Var dzirdēt mašīnu rūkoņu, pa kādam izsaucienam un savādu, metālisku šķindoņu. Divpadsmitajā apgabalā mēs visi ap šo laiku domātu par gulētiešanu.

– Es pajautāju Sinnam, kāpēc mūs laiž te augšā. Vai tad viņi neuztraucas: kāds no pārstāvjiem taču varētu nolēkt? – saka Pīta.

– Ko viņš atbildēja? – es vaicāju.

– To nevar izdarīt, – Pīta attrauc. Viņš izstiepj roku šķietami tukšajā gaisā. Atskan ass sprakšķis, un viņš atlec atpakaļ. – Kaut kāds elektriskais lauks notur uz jumta.

– Viņi mūždien satraucas par mūsu drošību, – es nosaku. Kaut arī Sinna ir parādījis Pītam jumtu, es prātoju, vai mēs drīkstam būt te augšā tik vēlu un vieni paši. Es vēl nekad neesmu redzējusi pārstāvjus uz Apmācības centra jumta. Bet tas nenozīmē, ka mūs nefilmē.

– Kā tu domā, vai mūs pašlaik novēro?

– Varbūt, – viņš atzīstas. – Nāc apskatīties dārzu.

Kupola otrā pusē ir dārzs ar puķu dobēm un podos sastādītiem kokiem. Zaros karājas simtiem vēja zvaniņu, kas rada šķindu, ko dzirdēju pirmīt. Tādā vējainā vakarā dārzā ar tiem pietiek, lai noklusinātu divu cilvēku balsis, kuri nevēlas, ka viņus sadzird. Pīta nogaidoši paveras manī.

Es izliekos, ka aplūkoju kādu ziedu. – Vienu dienu mēs medījām mežā. Bijām paslēpušies un gaidījām medījumu, – es čukstus iesāku.

– Tu un tavs tēvs? – arī Pīta čukst.

– Nē, mans draugs Geils. Pēkšņi visi putni apklusa. Izņemot vienu. Tas izkliedza tādu kā brīdinājumu. Un tad mēs viņu ieraudzījām. Es esmu pārliecināta, ka tā bija tā pati meitene. Ar viņu kopā bija kāds zēns. Abu drēbes bija skrandās. Viņiem zem acīm bija tumši loki no negulēšanas. Viņi skrēja tā, it kā no tā būtu atkarīgas viņu dzīvības, – es stāstu.

Brīdi es apklustu, atcerēdamās, kā mēs sastingām, ieraugot savādo pāri bēgam cauri biezoknim. Bija skaidrs, ka viņi nav no Divpadsmitā apgabala. Vēlāk mēs prātojām, vai būtu varējuši palīdzēt viņiem izglābties. Varbūt būtu. Mēs varējām viņus paslēpt. Ja ātri būtu izlēmuši. Jā, mūs ar Geilu pārsteidza nesagatavotus, bet mēs abi esam mednieki. Mēs zinām, kā dzīvnieki izskatās bezizejas stāvoklī. Ieraugot abus bēgļus, mēs uzreiz sapratām, ka viņiem draud nepatikšanas. Bet mēs neizkustējāmies.

– Helikopters parādījās kā no zila gaisa, – es turpinu stāstu. – Iedomājies, vienā brīdī debesis bija tukšas, un jau nākamajā tajās lidinājās helikopters. Tas pārvietojās bez skaņas, bet viņi to pamanīja. Meitenei uzkrita tīkls, un viņa tika uzrauta augšā tik ātri kā ar liftu. Zēnam viņi izdūra cauri kaut kādu šķēpu. Tas bija pievienots auklai, un viņu arī pacēla augšā. Bet es esmu pārliecināta, ka viņš bija miris. Mēs dzirdējām meiteni īsi iekliedzamies. Man šķiet, viņa sauca zēna vārdu. Un tad tas bija prom – tas helikopters. Izgaisa kā nebijis. Un putni atsāka dziedāt, it kā nekas nebūtu noticis.

– Vai viņi tevi redzēja? – Pīta jautāja.

– Es nezinu. Mēs bijām zem klints radzes, – atbildu. Bet es zinu. Vienu mirkli pēc putna kliedziena, bet pirms parādījās helikopters, meitene mūs ieraudzīja. Viņa ielūkojās man acīs un sauca pēc palīdzības. Bet ne es, ne Geils neatsaucāmies.

– Tu drebi, – ierunājas Pīta.

Vējš un stāsts ir atņēmuši manam ķermenim visu siltumu. Meitenes kliedziens. Vai tas bija pēdējais? Pīta novelk jaku un apliek to man ap pleciem. Es sāku kāpties atpakaļ, bet tad ļaujos, izlemdama šobrīd pieņemt gan viņa jaku, gan laipnību. Tā darītu draugs, vai ne?

– Vai viņi bija no šejienes? – Pīta jautā un aizpogā pogu man pie kakla.

Es pamāju. Viņi izskatījās pēc kapitoliešiem. Abi – zēns un meitene.

– Kā tu domā, kurp viņi devās? – viņš pajautā.

– To es nezinu, – es atbildu. Divpadsmitais apgabals ir tāda kā pasaules mala. Aiz mums ir tikai mežonīgi, neapdzīvoti plašumi. Ja neskaita Trīspadsmitā apgabala drupas, kas joprojām spoži zvēro no toksiskajām bumbām. Tās laiku pa laikam parāda televīzijā, lai mēs neaizmirstu. – Es arī nezinu, kāpēc lai viņi aizietu no šejienes. – Heimičs nosauca eivoksus par nodevējiem. Bet ko viņi bija nodevuši? Nodot var tikai Kapitoliju. Bet te ir viss. Nav iemesla dumpoties.

– Es aizietu, – Pītam izsprūk, bet tad viņš nervozi paveras apkārt. Tas bija gana skaļi, lai dzirdētu cauri visiem vēja zvaniem. Viņš iesmejas. – Es tūlīt pat dotos mājās, ja man ļautu. Jāatzīst gan, ka ēdiens te ir lielisks.

Viņš atkal ir drošībā. Ja dzirdētu tikai viņa pēdējos vārdus, tie izklausītos pēc izbiedēta pārstāvja pļāpām, nevis neticības Kapitolija neapšaubāmajai labestībai.

– Sāk palikt auksti. Labāk ejam iekšā, – viņš saka. Kupolā ir silti un gaiši. Pītas balss skan kā saviesīgā sarunā. – Tavs draugs Geils. Vai viņš ir tas, kas izlozē paņēma tavu māsu?

– Jā. Vai tu viņu pazīsti? – es jautāju.

– Ne gluži. Es bieži dzirdu meitenes par viņu runājam. Man likās, ka viņš ir tavs brālēns vai kas tāds. Jūs palīdzat viens otram?

– Nē, mēs neesam radinieki.

Pīta mīklaini pamāj. – Vai viņš bija atvadīties no tevis?

– Jā, – es atbildu, rūpīgi nopētīdama jautātāju. – Tavs tēvs arī. Viņš man atnesa cepumus.

Pīta paceļ uzacis, it kā tas viņam būtu jaunums. Bet, pēc tam kad esmu redzējusi viņu tik gludi melojam, es viņa pārsteigumu neturu lielā vērtē. – Tiešām? Nujā, viņam jūs ar māsu patīkat. Man šķiet, viņš vēlas, kaut viņam būtu meita, nevis bars puiku.

Es satrūkstos no domas, ka varbūt esmu apspriesta Pītas mājā – pie vakariņu galda, pie maiznīcas krāsns vai pat tikai garāmejot. Viņa māte tad noteikti bija izgājusi.

– Viņš bērnībā pazina tavu māti, – Pīta turpina.

Vēl viens pārsteigums. Bet tas droši vien ir tiesa. – Ā, jā. Viņa uzauga pilsētā, – es piekrītu. Liekas: ir nepieklājīgi sacīt, ka māte nekad nav nekādi pieminējusi maiznieku, vienīgi uzslavēdama viņa cepto maizi.

Esam pie manām durvīm. Es atdodu jaku Pītam.

– Nu tad tiksimies no rīta.

– Atā, – viņš atvadās un aizsoļo prom pa gaiteni.

Es atveru durvis un redzu, ka sarkanmatainā meitene pašlaik savāc no grīdas manu kombinezonu un zābakus, ko es tur biju pametusi, iekams gāju dušā. Man gribas atvainoties par nepatikšanām, ko viņai varbūt pirmīt sagādāju. Bet tad atceros, ka drīkstu ar viņu runāt tikai tad, ja dodu rīkojumu.

– Vai, piedod, – es saku. – Man vajadzēja tos aiznest atpakaļ Sinnam. Atvaino. Vai tu varētu tos viņam aiznest?

Viņa īsi pamāj, neskatīdamās man acīs, un iziet pa durvīm.

Es ietu viņai pakaļ, lai pateiktu, ka nožēloju to, kas notika pie vakariņām. Bet es zinu, ka mana atvainošanās būtu daudz dziļāka. Man ir kauns par to, ka mežā nemēģināju viņai palīdzēt. Ka nepakustināju ne pirkstiņa, ļāvu Kapitolijam nogalināt puiku un sakropļot viņu pašu.

Tieši tāpat kā skatoties Spēles.

Es nometu kurpes un ar visām drēbēm palienu zem segas. Drebuļi nav pārgājuši. Varbūt meitene mani pat neatceras. Bet es zinu, ka atceras. Nevar aizmirst tā cilvēka seju, kurš bija tava pēdējā cerība. Es uzvelku segu pāri galvai, it kā tā mani varētu pasargāt no sarkanmatainās, mēmās meitenes. Bet es jūtu, kā viņa lūkojas manī: viņas skatiens izurbjas cauri sienām un durvīm, un segām.

Interesanti: vai viņa priecāsies, redzot mani mirstam?

Snaudā mani moka nemierīgi sapņi. Sarkanmatainās meitenes seja jaucas ar asiņainām ainām no agrākajām Bada Spēlēm, ar manu tālo, nesasniedzamo māti, ar izdēdējušu un pārbijušos Primu. Es pietrūkstos sēdus, kliegdama, lai tēvs bēg, kad raktuves sprāgstot pārvēršas miljonos nāvējošu dzirksteļu.

Logos svīst gaisma. Kapitolijā gaiss ir rēgaini miglains. Man sāp galva, un pa nakti es laikam esmu iekodusi vaigā. Es ar mēli aptaustu sakosto vaiga iekšpusi un sagaršoju asinis.

Lēnām izvelkos no gultas un ieeju dušā. Es patvaļīgi spiežu pogas uz kontrolpaneļa un beigās man nākas lēkāt no vienas kājas uz otru, vairoties no ledaini aukstām un kūpoši karstām strūklām. Tad mani noslīcina citronu putās, ko nākas noberzt ar raupju, sarainu birsti. Nu nekas. Vismaz asinis riņķo.

Kad esmu nožāvēta un ieziesta ar mitrinošu losjonu, es atrodu skapja priekšpusē man atstātu tērpu. Pieguļošas melnas bikses, vīnsarkanu tuniku ar garām piedurknēm un ādas kurpes. Es sapinu matus bizē pār muguru. Šorīt es pirmo reizi pēc izlozes izskatos pēc sevis. Man nav greznu drēbju vai liesmota apmetņa. Esmu tikai es. Izskatos tā, it kā gatavotos iet uz mežu. Tas mani nomierina.

Heimičs mums nenoteica konkrētu laiku, kad brokastīs ir jāsatiekas, un šorīt pie manis neviens nav bijis, bet es esmu izsalkusi, tāpēc dodos lejā uz ēdamistabu, cerēdama, ka tur būs kas ēdams. Vilties man nenākas. Galds gan ir tukšs, bet uz garas letes istabas sānos gaida vismaz divdesmit dažādi ēdieni. Pie letes stāv apkalpotājs, jauns eivokss. Kad es pajautāju, vai varu paņemt visu pati, viņš piekrītoši pamāj. Es piekrauju šķīvi ar olām, desām, pankūkām ar biezu apelsīnu ievārījuma kārtu un melones šķēles bālā purpura tonī. Mielodamās es vēroju saullēktu pār Kapitoliju. Tad es apēdu porciju karstas biezputras ar liellopu gaļas sautējumu. Beigās es salieku uz šķīvja maizītes un kavējos pie galda, lauzdama maizi gabaliņos un mērcēdama tos karstajā šokolādē – kā to vilcienā darīja Pīta.

Manas domas aizklīst pie mātes un Primas. Viņas noteikti jau ir piecēlušās. Māte gatavo brokastīs putru. Prima pirms skolas izslauc savu kazu. Pirms divām dienām es no rīta vēl biju mājās. Vai tā varētu būt? Jā, tikai pirms divām dienām. Un māja liekas tik tukša, pat no attāluma. Ko viņas vakar vakarā teica par manu ugunīgo debiju? Vai tā deva viņām cerību? Vai arī tikai padziļināja šausmas, kad viņas ieraudzīja realitāti – visus divdesmit četrus pārstāvjus, no kuriem izdzīvos tikai viens?

Ienāk Heimičs un Pīta un saka man laburītu. Viņi piepilda savus šķīvjus. Mani kaitina, ka Pītam ir mugurā tieši tas pats, kas man. Būs kaut kas jāpasaka Sinnam. Kad sāksies Spēles, šitā dvīņu būšana mums slikti beigsies. To taču viņi noteikti zina. Tad es atceros, kā Heimičs lika man darīt visu, ko stilisti liek. Ja stilists būtu kāds cits, nevis Sinna, es droši vien izjustu kārdinājumu nelikties par padomu ne zinis. Bet pēc triumfa vakar vakarā man nav īpaša pamata kritizēt viņa lēmumus. Es nervozēju par apmācību. Trīs dienas visi pārstāvji trenēsies kopā. Pēdējās dienas pēcpusdienā katram no mums būs iespēja vienam pašam uzstāties Spēļu rīkotāju priekšā. Man metas nelāgi ap dūšu, iedomājoties, ka būs aci pret aci jāsatiekas ar citiem pārstāvjiem. Es grozu rokās maizīti, ko nupat paņēmu no groza, bet man vairs nav ēstgribas.

Heimičs apēd vairākas porcijas sautējuma un tad nopūzdamies atstumj šķīvi. Viņš izņem no kabatas blašķi, iesūc krietnu malku un ar elkoņiem atspiežas pret galdu. – Tā, ķersimies pie lietas. Apmācība. Pirmkārt, ja jūs vēlēsieties, es jūs trenēšu atsevišķi. Izlemiet uzreiz.

– Kāpēc lai tu mūs apmācītu atsevišķi? – es pajautāju.

– Teiksim, ja jums būtu kādas slepenas iemaņas un jūs negribētu, ka par tām uzzina otrs, – Heimičs paskaidro.

Mēs ar Pītu saskatāmies. – Man nekādu slepenu iemaņu nav, – viņš saka. – Un es taču jau zinu, kādas ir tavējās, vai ne? Es esmu ēdis diezgan daudzas no tavām vāverēm.

Nekad nebiju domājusi, ka Pīta būtu ēdis manis šautās vāveres. Nez kāpēc es allaž biju iztēlojusies, ka maiznieks klusiņām kaut kur nolien un izcep vāveres tikai sev. Ne jau nenovīdības dēļ, bet tāpēc, ka pilsētnieki parasti ēd dārgo gaļu no skārņa. Liellopu, vistu un zirga gaļu.

– Tu vari mūs apmācīt kopā, – es saku Heimičam.
Pīta pamāj.

– Labi, tad vismaz aptuveni pasakiet, ko jūs protat, – Heimičs atsaucas.

– Es neprotu neko, – Pīta iesāk. – Izņemot maizes cepšanu.

– Piedod, bet, manuprāt, tas nederēs. Katnis. Es jau zinu, ka tu veikli rīkojies ar nazi, – Heimičs pievēršas man.

– Ne gluži. Bet es protu medīt, – es saku. – Ar loku un bultām.

– Un tas tev padodas labi? – Heimičs grib zināt.

Man ir jāapdomājas. Jau četrus gadus es gādāju par ēdienu, ko likt galdā. Tas nav maz. Man neveicas tik labi kā tēvam, bet viņam bija lielāka pieredze. Es protu labāk nomērķēt nekā Geils, jo šai ziņā lielāka pieredze ir man. Viņš ir ģēnijs slazdu un cilpu izlikšanā. – Tā nekas, – es attraucu.

– Viņai medības padodas lieliski, – iejaucas Pīta.

– Mans tēvs pērk viņas šautās vāveres. Viņš vienmēr piemin, ka bulta nekad nav saplosījusi ķermeni. Viņa vienmēr trāpa acī. Tāpat arī trušiem, ko viņa pārdod skārnī. Viņa var nošaut pat briedi.

Manu spēju novērtējums no Pītas mutes pārsteidz mani pilnīgi nesagatavotu. Pirmkārt, tas, ka viņš vispār to ir pamanījis. Otrkārt, viņš mani slavē. – Kāpēc tu to saki? – es aizdomīgi pajautāju.

– Un kāpēc tu nesaki? Ja gribi, lai viņš tev palīdz, tad viņam ir jāzina, uz ko tu esi spējīga. Nenovērtē sevi par zemu, – Pīta atbild.

Nezinu, kāpēc, bet tas mani nokaitina. – Un kā tad ar tevi? Es esmu tevi redzējusi tirgū. Tu spēj cilāt simt mārciņu miltu maisus, – es atcērtu. – Pasaki to! Tas nav nekāds nekas.

– Jā, es esmu pārliecināts, ka arēnā visās malās mētāsies miltu maisi, ko es varēšu sviest pārējiem virsū. Tas nav tas pats, kas prasme rīkoties ar ieroci. Tu zini, ka nav, – viņš cērt pretī.

– Viņš prot cīkstēties, – es saku Heimičam. – Pagājušajā gadā viņš skolas sacensībās bija otrais, bet pirmais bija viņa brālis.

– Kāda tam nozīme? Cik reizes tu esi redzējusi kādu nonāvējam tuvcīņā? – Pīta nepatikā purpina.

– Cīņas aci pret aci ir vienmēr. Vajag tikai nazi, un tev vismaz būs izredzes. Ja man kāds uzklups, es būšu pagalam! – Es dzirdu, kā mana balss dusmās kļūst spalgāka.

– Bet tev neuzklups! Tu dzīvosi kādā kokā, ēdīsi jēlas vāveres un visus aplasīsi ar bultām! Vai zini, ko mana māte teica, kad atnāca atvadīties? It kā lai mani uzmundrinātu, šī sacīja, ka varbūt beidzot Divpadsmitajam apgabalam būs uzvarētājs. Un man pielēca, ka viņa nedomā mani, bet tevi! – Pīta izspļauj.

– Ak, protams, viņa domāja tevi. – Es atvairos ar rokas mājienu.

– Māte sacīja: "Viņa ir izdzīvotāja, tā skuķe. *Viņa* ir.", – Pīta nepiekrīt.

Tas mani apklusina. Vai viņa māte tiešām tā teica par mani? Vai viņa mani novērtēja augstāk par pašas dēlu? Es redzu sāpes Pītas acīs un saprotu, ka viņš nemelo.

Pēkšņi esmu aiz maiznīcas un jūtu saltu lietu slapinām man muguru un vēderā žņaudzamies tukšumu. Es ierunājos, izklausīdamās pēc vienpadsmitgadīgas meitenītes: – Bet tikai tāpēc, ka man palīdzēja.

Pīta uzmet skatienu maizītei manās rokās, un es zinu, ka arī viņš atceras to dienu. Bet viņš tikai parausta plecus. – Arēnā tev arī palīdzēs. Cilvēki plēsīsies, lai tikai kļūtu par taviem atbalstītājiem.

– Par taviem jau nu arī, – iebilstu.

Pīta pārgriež acis un paskatās uz Heimiču. – Viņai nav ne jausmas, kādu iespaidu viņa prot atstāt. – Viņš ar nagu izseko šķiedrai kokā uz galda virsmas un neskatās uz mani.

Ko viņš ar to grib teikt? Man palīdzēs? Kad mēs mirām badā, man neviens nepalīdzēja! Neviens, izņemot Pītu. Kad es ieguvu kaut ko maiņai, viss kļuva citādi. Es esmu sīksta tirgone. Vai arī varbūt neesmu? Kādu iespaidu es atstāju? Ka esmu vāja un man vajag palīdzību? Vai viņš grib teikt, ka es dabūju labus darījumus, jo cilvēkiem manis ir žēl? Es mēģinu izdomāt, vai tā varētu būt. Iespējams, ka daži tirgoņi ir diezgan dāsni, bet es vienmēr domāju, ka tās ir viņu senās saiknes ar manu tēvu. Turklāt mani medījumi ir pirmklasīgi. Manis nevienam nav žēl!

Es nikni blenžu uz savu maizīti, pārliecināta, ka Pīta gribēja mani aizvainot.

Pēc kādas minūtes ierunājas Heimičs:

– Nu ko. Tā, tā, tā. Katnis, nav nekādas garantijas, ka arēnā būs loks un bultas, bet tavā privātajā skatē parādi Spēļu rīkotājiem, uz ko tu esi spējīga. Līdz tam turies no loka šaušanas pa gabalu. Vai tu proti likt slazdus?

– Es varu izlikt dažas vienkāršākās cilpas, – nomurminu.

– Tas var izrādīties nozīmīgi pārtikas iegūšanai, – Heimičs pamāca. – Un, Pīta, viņai ir taisnība, arēnā spēku nekad nevērtē par zemu. Ļoti bieži fizisks spēks ir spēlētāja priekšrocība. Treniņu centrā būs hanteles, bet pārējo pārstāvju priekšā neatklāj, cik daudz tu spēj pacelt. Plāns jums abiem ir vienāds. Ejiet uz kopīgajiem treniņiem. Izmantojiet laiku, mēģinot apgūt kaut ko no tā, ko neprotat. Metiet šķēpu. Paviciniet vāles. Iemācieties sasiet pienācīgu mezglu. To, kas jums padodas vislabāk, pietaupiet privātajai skatei. Vai skaidrs? – Heimičs pajautā.

Mēs ar Pītu pamājam.

– Un vēl kas. Es gribu, lai sabiedrībā jūs visu laiku būtu kopā, – Heimičs pavēl. Mēs abi gribam iebilst, bet viņš uzsit ar roku pa galdu. – Visu laiku! Un nekādu diskusiju! Jūs piekritāt darīt, ko likšu! Jūs būsiet kopā un izliksieties draudzīgi. Tagad vācieties! Desmitos pie lifta satiecieties ar Efiju un ejiet trenēties!

Es iekožu lūpā un aizslāju atpakaļ uz savu istabu, aizcirzdama durvis tā, lai Pīta to dzirdētu. Apsēžos uz gultas malas un ienīstu Heimiču, ienīstu Pītu un ienīstu pati sevi, ka esmu pieminējusi to seno, lietaino dienu.

Pilnīgs izsmiekls! Pītam un man jāizliekas, ka esam draugi! Jāslavē vienam otra prasmes un jāuzstāj, lai otrs nekautrējas atzīt savas spējas. Bet patiesībā mums kādā brīdī būs tas jāaizmirst un jāatzīst, ka esam sīvi sāncenši. Ko es būtu gatava darīt kaut tūlīt, ja nebūtu tā stulbā Heimiča norādījuma treniņos turēties kopā. Laikam jau tā bija mana vaina, jo pateicu, ka viņam nav mūs jāapmāca atsevišķi. Bet tas nenozīmēja, ka es gribētu kaut ko kopīgu ar Pītu. Kurš, starp citu, arī acīm redzami negrib ar mani čupoties. Es domās dzirdu Pītas balsi. *Viņai nav ne jausmas, kādu iespaidu viņa var atstāt.* Skaidrs, ka viņš gribēja mani noniecināt. Vai ne? Bet kaut kur prāta dziļumos es iedomājos, ka tas varbūt bija kompliments. Varbūt viņš gribēja teikt, ka es kaut kādā veidā esmu pievilcīga. Jokaini, ka viņš tik daudzreiz ir mani ievērojis. Piemēram, pievērsis uzmanību manām medībām. Un izskatās, ka arī es neesmu viņu pamanījusi tik maz, kā biju iztēlojusies. Milti. Cīkstēšanās. Puiku ar maizi es esmu paturējusi acīs.

Ir gandrīz desmit. Es iztīru zobus un atkal nogludinu matus atpakaļ. Dusmas uz brīdi apspieda manu nervozumu, ka būs jāsatiek pārējie pārstāvji, bet tagad es jūtu, ka mani atkal pārņem nemiers. Pie lifta satikusi Efiju un Pītu, es sevi pieķeru graužam nagus. Uzreiz pārstāju to darīt.

Treniņu telpas ir mūsu ēkas pagrabstāvā. Ar šejienes liftiem turp ir jābrauc mazāk par minūti. Durvis atveras milzīgā vingrošanas zālē, kur atrodas dažādi nodalījumi apmācībai ieroču lietošanā un šķēršļu pārvarēšanā. Kaut arī vēl nav desmit, mēs ierodamies pēdējie. Visi pārstāvji ir sastājušies stīvā aplī. Katram pie krekla ir piesprausts auduma četrstūris ar apgabala numuru. Kamēr man pie muguras piesprauž numuru "12", es žigli novērtēju pārējos. Mēs ar Pītu esam vienīgais līdzīgi ģērbtais pāris.

Tiklīdz mēs pievienojamies aplim, galvenā trenere – gara, atlētiska sieviete, vārdā Etala – panāk uz priekšu un sāk skaidrot treniņu grafiku. Katra amata meistari paliks savos nodalījumos. Mums ir ļauts brīvi staigāt no cita uz citu saskaņā ar mūsu treneru instrukcijām. Dažās nodaļās māca izdzīvošanas paņēmienus, citās – cīņas tehniku. Mums ir aizliegts izpildīt kaujas uzdevumus ar citiem pārstāvjiem. Ja gribam trenēties ar partneri, ir pieejami asistenti.

Kad Etala sāk lasīt nodaļu sarakstu, es nespēju pretoties kārdinājumam pārlaist skatienu pārstāvjiem. Pirmo reizi mēs esam savākušies vienkopus uz līdzenas virsmas un vienkāršās drēbēs. Man dūša saskrien papēžos. Gandrīz visi zēni un vismaz puse meiteņu ir lielākas par mani, kaut arī daudzi pārstāvji vēl nekad nebija dabūjuši kārtīgi paēst. To var redzēt pēc viņu kauliem, ādas un tukšā skatiena acīs. Es varbūt no dabas esmu mazāka, bet mana priekšrocība ir manas ģimenes prasme tikt galā ar grūtībām. Es stāvu taisni, un, kaut arī esmu tieva, esmu arī stipra. Gaļa un augi no meža un fiziskā piepūle to sagādāšanā ir panākuši, ka mans ķermenis ir veselīgāks nekā lielākajai daļai pārstāvju man apkārt.

Izņēmumi ir pusaudži no bagātākajiem apgabaliem – tie, kuri ir dabūjuši gana ēdamā un visu dzīvi ir trenēti šim brīdim. Parasti tie ir pārstāvji no Pirmā, Otrā un Ceturtā apgabala. Trenēt pārstāvjus, pirms viņi nokļūst Kapitolijā, teorētiski ir pret noteikumiem, bet tā ir katru gadu. Divpadsmitajā apgabalā mēs viņus saucam par pārstāvjiem-karjeristiem jeb vienkārši karjeristiem. Un uzvarētājs visdrīzāk būs viens no viņiem.

Sāncenšu klātbūtnē šķiet, ka izgaist vienīgā nelielā priekšrocība, kāda man bija, nonākot Apmācības centrā, – mans ugunīgais uznāciens vakar vakarā. Pārējie pārstāvji mūs apskauda, bet ne jau tāpēc, ka mēs paši būtu satriecoši, bet tāpēc, ka tādi bija mūsu stilisti. Tagad es pārstāvju-karjeristu skatienos neredzu neko citu kā nicinājumu. Katrs no viņiem ir piecdesmit līdz simt mārciņas smagāks par mani. No viņiem dveš iedomība un brutalitāte. Kad Etala mūs atlaiž, šie taisnā ceļā dodas pie nāvējošākā izskata ieročiem visā zālē un sāk ar tiem veikli darboties.

Es pašlaik prātoju: labi gan, ka man ir žiglas kājas. Pīta man piebiksta, un es satrūkstos. Viņš joprojām ir man blakus, kā jau Heimičs lika. Viņa sejas izteiksme ir nopietna. – Kur tu gribētu sākt?

Es palūkojos apkārt – uz pārstāvjiem-karjeristiem, kuri dižojas, skaidri mēģinādami iebiedēt sāncenšus. Un tad uz pārējiem – slikti barotajiem, nemākulīgajiem, kas pirmo reizi mūžā drebelīgi vicina nazi vai cirvi.

– Laikam jāsasien kādi mezgli, – es nosaku.

– Lai notiek, – Pīta piekrīt. Mēs dodamies uz tukšu nodalījumu, kura treneris ir apmierināts, ka uzradušies mācekļi. Var just, ka mezglu siešana nav tā kārotākā prasme, gatavojoties Bada Spēlēm. Kad treneris pamana, ka es šo to zinu par slazdiem, viņš mums parāda vienkāršu, lielisku cilpu, kurā iekāpjot sāncensis paliks karājamies aiz kājas kokā. Mēs pavadām stundu, mācoties šo vienu prasmi, kamēr abi esam to apguvuši. Tad mēs pārejam pie slēpšanās. Tas Pītam ļoti patīk – viņš triepj uz gaišās ādas dubļu, mālu un ogu sulu maisījumu un vij paslēptuves no vīnstīgām un lapām. Treneris slēpņu nodaļā ir stāvā sajūsmā par viņa veikumu.

– Es taisu kūkas, – Pīta man atzīstas.

– Kūkas? – es pārjautāju. Es biju aizņemta, vērojot, kā Otrā apgabala zēns no piecpadsmit jardu attāluma iemet šķēpu manekenam sirdī. – Kādas kūkas?

– Mājās. Tās, ar glazūru – maiznīcai, – viņš paskaidro. Viņš domā tās, kuras izliek skatlogā. Greznas kūkas ar ziediem un skaistiem zīmējumiem glazūrā. Tās domātas dzimšanas dienām un Jaungadam. Kad esam galvenajā laukumā, Prima vienmēr mani aizvelk tās apbrīnot, kaut arī mēs nekad nevarētu tādu atļauties. Tomēr Divpadsmitajā apgabalā ir tik maz skaistā, ka es nespēju viņai to liegt.

Uzmanīgāk aplūkoju zīmējumu uz Pītas rokas. Gaišo un tumšo triepienu mija atgādina, kā saule spīd cauri koku lapām mežā. Es brīnos, kā gan viņš to zina, jo šaubos, vai viņš kādreiz ir bijis aiz žoga. Vai viņš būtu varējis to iemācīties no nīkulīgās, vecās ābeles savā pagalmā? Mani nez kāpēc kaitina pilnīgi viss – viņa prasme, nepieejamās kūkas, slēpņu speciālista uzslavas.

– Cik jauki. Kaut nu būtu iespējams kādu noglazēt līdz nāvei, – es pavīpsnāju.

– Neesi nu tik vīzdegunīga. Nekad nevar zināt, ko mēs atradīsim arēnā. Teiksim, tur varētu būt milzīga kūka... – Pīta iesāk.

– Teiksim, ka jādodas tālāk, – es pātraucu viņu.

Tā nu nākamās trīs dienas mēs ar Pītu klusi virzāmies no nodaļas uz nodaļu. Mēs tiešām apgūstam dažas vērtīgas iemaņas, sākot ar uguns iekuršanu un beidzot ar nažu mešanu un pajumtes uzsliešanu. Par spīti Heimiča norādījumam izlikties viduvējiem, Pīta izceļas tuvcīņā, un es, ne aci nepamirkšķinādama, izeju ēdamo augu pārbaudi. Tomēr mēs turamies pa gabalu no loka šaušanas un svarcelšanas, gribēdami tās pietaupīt privātajām skatēm. Spēļu rīkotāji parādījās agri pirmajā dienā. Kādi divdesmit vīrieši un sievietes piesātināta purpura krāsas tērpos. Viņi sēž uz paaugstinājumiem tribīnēs, kas apjož zāli, dažreiz klīst apkārt un vēro mūs, skricelē piezīmes un citreiz mielojas pie vienmēr klātā dzīru galda, ignorēdami mūs visus. Bet izskatās, ka Divpadsmitā apgabala pārstāvjus viņi patur acīs. Vairākas reizes gadās pacelt galvu un manīt, ka dažs labs uz mani skatās. Mūsu maltīšu laikā viņi konsultējas arī ar treneriem. Atgriežoties mēs redzam viņus stāvam lokā.

Brokastis un vakariņas pasniedz mūsu stāvā, bet pusdienas mēs visi divdesmit četri ieturam ēdamtelpā pie vingrošanas zāles. Ēdiens ir izkārtots uz ratiņiem visapkārt telpai, un katrs apkalpojas pats. Karjeristi parasti trokšņaini sapulcējas ap vienu galdu, it kā lai parādītu savu pārākumu – ka viņiem nav bail citam no cita un ka mūs, pārējos, viņi neuzskata par ievērības cienīgiem. Lielākā daļa pārstāvju sēž pa vienam kā apmaldījušās aitas. Mums neviens nesaka ne vārda. Mēs ar Pītu ēdam kopā un, tā kā Heimičs mums to visu laiku atgādina, maltīšu laikā cenšamies uzturēt draudzīgu sarunu.

Nav viegli atrast tematu. Runāt par mājām ir sāpīgi. Runāt par pašlaik notiekošo ir nepanesami. Kādu dienu Pīta iztukšo mūsu maizes groziņu un parāda, kā kopā ar smalko Kapitolija maizi tajā ir rūpīgi iekļauti dažādi maizes veidi no apgabaliem. Klaips zivs formā un ar aļģu zaļganu nokrāsu – no Ceturtā apgabala. Ar sēklām nokaisīta augoša mēness formas maizīte – no Vienpadsmitā apgabala. Kaut arī tā ir no tādas pašas mīklas, nez kāpēc maizīte izskatās daudz kārdinošāka par neglītajiem sausiņiem, kas ir parastais ēdiens mājās.

– Tā nu tas ir, – nosaka Pīta un sakrauj maizi atpakaļ groziņā.

– Tu tiešām daudz zini, – es saku.

– Tikai par maizi, – viņš attrauc. – Labi, tagad smejies, it kā es būtu pateicis kaut ko jocīgu.

Mēs abi puslīdz pārliecinoši pasmejamies un ignorējam pārējo skatienus.

– Tā, tagad es turpināšu patīkami smaidīt, bet tu runā, – Pīta rīko. Heimiča norādījums būt draudzīgiem nogurdina mūs abus. Jo kopš tās reizes, kad es aizcirtu durvis, starp mums ir iezadzies vēsums. Bet mums ir dota pavēle.

– Vai es esmu tev stāstījusi, kā man reiz dzinās pakaļ lācis? – es pajautāju.

– Nē, bet tas izklausās aizraujoši, – atsaucas Pīta.

Es mēģinu parādīt sejā dedzību, atceroties patieso notikumu, kad muļķīgā kārtā mēģināju apstrīdēt melnā lāča tiesības uz bišu stropu. Pīta smejas un uzdod jautājumus tieši īstajās vietās. Viņam tēlošana padodas daudz labāk nekā man.

Otrajā dienā, kad mēs izmēģinām spēkus šķēpmešanā, viņš man pačukst: – Man šķiet, ka mums ir ēna.

Es izmetu savu šķēpu, kas man patiesībā veicas tīri labi, ja nav jāmet ļoti tālu, un ieraugu, ka mazliet attālāk mūs vēro meitenīte no Vienpadsmitā apgabala. Viņa ir tā pati divpadsmitgadniece, kas man pēc auguma tik ļoti atgādināja Primu. Tuvumā viņa izskatās apmēram desmit gadus veca. Viņai ir spožas, tumšas acis, zīdaini brūna āda, un viņa stāv, viegli pacēlusies pirkstgalos un nedaudz papletusi pie sāniem nolaistās rokas, it kā pie mazākā troksnīša varētu pacelties spārnos. Ir neiespējami nedomāt par putnu.

Kamēr Pīta met, es paņemu vēl vienu šķēpu. – Man šķiet, ka viņu sauc Rū, – viņš klusi saka.

Es iekožu lūpā. Rū ir neliela, dzeltena puķe, kas aug Pļavā. Rū. Prīmula. Neviena no abām nespētu sasniegt septiņdesmit mārciņu atzīmi uz svariem, pat ja būtu izmirkušas līdz ādai.

– Ko lai mēs darām? – es pajautāju skarbāk nekā biju domājusi.

– It neko, – Pīta atsaka. – Es tikai runājos.

Tagad, kad es zinu, ka viņa ir te, meitenīti ir grūti ignorēt. Viņa pieslīd un pievienojas mums dažādās nodarbībās. Tāpat kā es, viņa labi pazīst augus, žigli kāpj kokos un droši mērķē. Ar lingu viņa ikreiz trāpa mērķī. Bet kas gan ir linga pret 220 mārciņas smagu puisi ar zobenu?

Pie brokastīm un vakariņām Divpadsmitā apgabala stāvā Heimičs un Efija mūs izprašņā par visiem sīkumiem. Ko mēs darījām, kas mūs novēroja, kā veicas pārējiem pārstāvjiem. Sinnas un Porcijas nav, tāpēc arī nav nekādas veselā saprāta dzirksts pie galda. Heimičs un Efija gan vairs nestrīdas. Šķiet: tagad viņi ir vienisprātis un ir apņēmušies no mums iztaisīt lietaskokus. Viņi bārsta nebeidzamus norādījumus par to, ko mums vajadzētu vai nevajadzētu darīt treniņos. Pīta ir pacietīgāks, bet man ātri apnīk un es sapīkstu.

Kad mēs otrajā vakarā beidzot tiekam gulēt, Pīta nomurmina: – Kādam vajadzētu sadabūt Heimičam dzeramo.

Man izsprūk kaut kas starp spurdzienu un smiekliem. Tad es savaldos. Man pārāk jauc galvu tas, ka visu laiku ir jāatceras, kad mēs it kā esam draugi un kad neesam. Tiklīdz būsim arēnā, es zināšu, kā ir. – Nevajag. Neizliksimies, kad neviena nav klāt.

– Labi, Katnis, – viņš gurdi piekrīt. Nu mēs sarunājamies tikai citu priekšā.

Trešajā apmācības dienā mūs sāk no pusdienām saukt uz privātajām skatēm pie Spēļu rīkotājiem. Apgabalu pēc apgabala – vispirms puisi, tad meiteni. Divpadsmitais apgabals, kā parasti, ir pēdējais. Mēs kavējamies ēdamtelpā, īsti nezinādami, kur lai citur ejam. No aizgājušajiem neviens vairs neatgriežas. Kad telpa iztukšojas, mums vairs nav tik ļoti jāpiepūlas izlikties draudzīgiem. Kad izsauc Rū, mēs paliekam vieni. Mēs sēžam un klusējam, kamēr izsauc Pītu. Viņš pieceļas.

– Atceries, ko Heimičs teica – ka tev noteikti jāmet svari, – man negribēti izsprūk.

– Paldies. Es atcerēšos, – viņš atsaucas. – Tu... šauj taisni.

Es pamāju. Nezinu, kāpēc vispār kaut ko teicu. Kaut gan, ja man būs jāzaudē, tad man labāk patiktu, ja uzvarētu Pīta, nevis kāds cits. Tas būtu labāk mūsu apgabalam, manai mātei un Primai.

Pēc piecpadsmit minūtēm izsauc manu vārdu. Es saglaužu matus, iztaisnoju plecus un ieeju vingrošanas zālē. Vienā mirklī aptveru, ka nebūs labi. Spēļu rīkotāji te ir jau pārāk ilgi. Viņi ir noskatījušies divdesmit trīs citas demonstrācijas. Lielākā daļa no vieniem ir izdzēruši pārāk daudz vīna. Vairāk par visu viņi vēlas doties mājās. Es neko nevaru padarīt, tikai turēties pie plāna. Es eju uz loka šaušanas nodaļu. Ak, kādi ieroči! Man jau vairākas dienas niez nagi tos paņemt rokās! Loki ir no koka un plastmasas, un metāla, un materiāliem, kam es pat nezinu vārdu. Bultām galā ir nevainojami vienādās formās apcirptas spalvas. Es izvēlos loku, uzvelku stiegru un pārsviežu pār plecu atbilstošo bultu maku. Loka šaušanas nodaļā ir arī mērķi, bet tie nav daudzveidīgi. Tikai parastie apaļie mērķi un cilvēku silueti. Es aizeju vingrošanas zāles vidū un izvēlos pirmo mērķi. Lupatu lelli, ko izmanto treniņiem ar nazi. Jau uzvelkot stiegru, pamanu, ka kaut kas nav, kā vajag. Stiegra ir ciešāka nekā tā, ko lietoju mājās. Bulta ir stīvāka. Es aizšauju pāris collas lellei garām un zaudēju nelielo uzmanību, kādu biju ieguvusi. Mirkli es sajūtu pazemojumu, bet tad dodos atpakaļ pie apaļā mērķa. Es šauju vairākas reizes, kamēr īsti sajūtu jaunos ieročus.

Atgriezusies zāles vidū, ieņemu sākotnējo pozīciju un iešauju bultu lellei tieši sirdī. Tad es pāršķeļu virvi, kurā karājas boksa maiss, un tas nokrīt zemē un pārplīst. Neapstādamās es pār plecu apmetu kūleni, paceļos uz viena ceļa un iešauju vienā no nokarenajām lampām pie vingrošanas zāles griestiem. No vada uzmirgo dzirksteļu šalts.

Es šauju lieliski. Es pagriežos pret Spēļu rīkotājiem. Daži atzinīgi māj, bet vairākums skatās uz cepto sivēnu, kas tikko ir nolikts uz viņu dzīru galda.

Pēkšņi es pārskaišos, ka uz spēles ir likta mana dzīvība, bet viņi pat neizrāda cieņu un nepievērš man uzmanību. Mani aizēno kaut kāda beigta cūka. Man sāk strauji dauzīties sirds, un es jūtu, kā svilst seja. Nedomājot izrauju no maka bultu un izšauju to taisni uz Spēļu rīkotāju galdu. Es dzirdu izbaiļu kliedzienus, un viņi atsprāgst atpakaļ. Bulta ieurbjas ābolā, kas bija iebāzts sivēna mutē, un pienaglo to pie sienas. Visi neticīgi blenž manī.

– Paldies par uzmanību, – es nosaku, tad viegli paklanos un dodos uz izeju, nesagaidīdama atļauju.

8

Soļodama uz liftu, es aizmetu loku uz vienu pusi un bultu maku – uz otru. Pie liftiem stāvošie eivoksi apstulbuši noraugās manī, bet es paspraucos viņiem garām un ar dūri uzsitu pa pogu ar numuru "12". Durvis aizveras, un es šaujos augšup. Man pat izdodas tikt līdz savam stāvam, pirms pār vaigiem sāk līt asaras. Dzirdu, ka pārējie mani sauc no dzīvojamās istabas, bet es metos prom pa gaiteni uz savu istabu, aizbultēju durvis un iekrītu gultā. Tad es sāku pa īstam šņukstēt.

Tagad es esmu to izdarījusi! Tagad es esmu visu sagandējusi! Ja man bija kaut vai visvārgākā cerība, tad tā izgaisa brīdī, kad es izšāvu bultu uz Spēļu rīkotājiem. Ko ar mani izdarīs? Arestēs? Izpildīs man nāvessodu? Nogriezīs mēli un pārvērtīs par eivoksu, lai es apkalpotu nākamos Panemas pārstāvjus? Par ko es domāju, šaudama uz Spēļu rīkotājiem? Protams, ka ne par ko, es šāvu uz ābolu, jo biju pārskaitusies, ka mani ignorē. Es nemēģināju kādu no viņiem nogalināt. Ja tā būtu, tad šis kāds būtu pagalam!

Ak, kāda gan tam nozīme? Es jau vienalga nebūtu uzvarējusi. Kāda starpība, ko ar mani izdarīs? Pa īstam mani biedē tas, ko varētu nodarīt manai mātei un Primai, tas, ka mana ģimene varētu ciest manas nesavaldības dēļ. Vai viņām atņems to mazumiņu, kas pieder? Vai manu māti aizsūtīs uz cietumu un Primu uz bāreņu namu? Vai viņas nogalinās? Viņas nenogalinās, vai ne? Bet kāpēc gan ne? Šiem taču ir vienalga! Man būtu vajadzējis palikt un atvainoties. Vai smieties, it kā tas būtu pārākais joks. Tas varbūt viņos atmodinātu drusku iecietības. Bet es tā vietā izslāju ārā tik necienīgi, cik vien iespējams.

Heimičs un Efija klauvē pie manām durvīm. Es uzkliedzu, lai viņi iet projām, un galu galā viņi arī aizvācas. Paiet vismaz stunda, kamēr es izraudos. Tad es vienkārši guļu saritinājusies, glāstu zīdainos palagus un vēroju saulrietu pār māksloto Kapitoliju karameļu toņos.

Sākumā es gaidu, ka man pakaļ atnāks sardze. Bet, jo vairāk laika paiet, jo mazticamāk tas šķiet. No Divpadsmitā apgabala tomēr vajag pārstāvi, vai ne? Ja Spēļu rīkotāji grib mani sodīt, tad var to izdarīt publiski. Pagaidīt, līdz būšu arēnā, un uzrīdīt man izbadējušos meža zvērus. Varu derēt, ka viņi parūpēsies, lai man nebūtu loka un bultu, ar ko aizstāvēties.

Bet pirms tam man iedos tik maz punktu, ka neviens, kam ir kaut druska veselā saprāta, mani neatbalstīs. Tas notiks šovakar. Tā kā treniņus skatītājiem vērot nav atļauts, Spēļu rīkotāji izziņo katra spēlētāja iegūtos punktus. Tas dod skatītājiem pamatu derību slēgšanai, kas turpināsies visu Spēļu laiku. Punktus var iegūt no viena līdz divpadsmit. Viens ir nelabojami slikts rezultāts, bet divpadsmit – nesasniedzami augsts. Punkti nozīmē to, cik daudzsološs ir katrs pārstāvis. Punktu skaits negarantē, kurš spēlētājs uzvarēs. Tā ir tikai norāde, cik talantīgs treniņos ir izrādījies pārstāvis. Tā kā arēna katru reizi ir citāda, bieži vien pārstāvji ar lielu punktu skaitu iet bojā gandrīz uzreiz. Pirms dažiem gadiem Spēlēs uzvarēja puika, kuram bija tikai trīs punkti. Tomēr punktu skaits var palīdzēt vai kaitēt pārstāvim tādā ziņā, ka ir attiecīgi vairāk vai mazāk atbalstītāju. Es biju cerējusi, ka mana prasme šaut dos man sešus vai septiņus punktus, kaut arī neesmu īpaši spēcīga. Tagad es esmu pārliecināta, ka man būs zemākais punktu skaits no visiem divdesmit četriem pārstāvjiem. Ja neviens mani neatbalstīs, izredzes palikt dzīvai līdzināsies nullei.

Kad Efija pieklauvē pie durvīm, lai sauktu mani vakariņās, es izlemju, ka varu jau arī aiziet. Šovakar televīzijā pārraidīs rezultātus. Es nevaru mūžīgi slēpties no notikušā. Vannasistabā nomazgāju seju, bet tā vienalga ir sarkana un pleķaina.

Visi gaida pie galda, pat Sinna un Porcija. Es vēlos, kaut stilisti kāda iemesla dēļ nebūtu atnākuši, man nepatīk domāt, ka likšu viņiem vilties. It kā es būtu pa roku galam aizsviedusi visu labo darbu, ko viņi paveica atklāšanas ceremonijā. Nepilnām karotēm ēdu zivju zupu un izvairos pacelt acis. Sāļais šķidrums man atgādina asaras.

Pieaugušie sāk pļāpāt par laika prognozi, un es atļaujos palūkoties uz Pītu. Viņš paceļ uzacis. Jautājums. *Kas notika?* Es tikai viegli papurinu galvu. Kad pasniedz otro ēdienu, es dzirdu ierunājamies Heimiču:

– Tā, pietiks gvelzt niekus. Cik slikti jums šodien gāja?

Pīta pasteidzas pirmais.

– Nezinu, vai tam visam bija kāda nozīme. Kad es ienācu, neviens pat nepapūlējās uz mani paskatīties. Man šķiet, viņi dziedāja kaut kādu dzērājdziesmu. Tad nu es mētāju smagumus, līdz man pateica, ka varu iet.

Es sajūtos nedaudz labāk. Pīta gluži neuzbruka Spēļu rīkotājiem, bet vismaz arī viņu provocēja.

– Un tu, sirsniņ? – Heimičs uzrunā mani.

Nez kādēļ tas, ka Heimičs mani nosauc par sirsniņu, sakaitina pietiekami, lai es vismaz varētu parunāt. – Es izšāvu bultu uz Spēļu rīkotājiem.

Visi pārtrauc ēst. – Ko tu izdarīji? – Šausmas Efijas balsī apstiprina manas ļaunākās aizdomas.

– Es uz viņiem izšāvu bultu. Ne gluži uz viņiem. Viņu virzienā. Bija tā, kā Pīta teica: es šāvu, un viņi mani ignorēja, un es vienkārši... es vienkārši zaudēju galvu un tāpēc izšāvu ābolu no viņu stulbā sivēna mutes! – izaicinoši atcērtu.

– Un ko viņi teica? – Sinna piesardzīgi pajautā.

– Neko. Vismaz es nezinu. Es pēc tam aizgāju.

– Bez atļaujas? – Efija izdveš.

– Es pati sev atļāvu, – es attraucu. Atceros, kā apsolīju Primai, ka no sirds mēģināšu uzvarēt, un man ir tāda sajūta, it kā man būtu uzgāzusies tonna ogļu.

– Nu ko, tas arī viss, – ierunājas Heimičs un apsmērē maizīti ar sviestu.

– Vai tu domā, ka mani arestēs? – pajautāju.

– Šaubos. Būtu grūti tevi tagad aizvietot, – Heimičs atbild.

– Un kā ar manu ģimeni? – es taujāju. – Vai viņus sodīs?

– Nedomāju vis. Tas nebūtu īpaši loģiski. Redzi, lai tas uz tautu atstātu kaut cik vērtīgu iespaidu, būtu jāatklāj, kas Apmācības centrā notika. Tautai būtu jāzina, ko tu izdarīji. Bet to viņi nedrīkst, jo tas ir noslēpums, tā ka tas nebūtu pūliņu vērts, – Heimičs stāsta. – Drīzāk viņi padarīs tavu dzīvi arēnā par elli.

– Nu to viņi mums jau tāpat ir apsolījuši, – iejaucas Pīta.

– Kas tiesa, tas tiesa, – Heimičs piekrīt. Un es atskāršu, ka ir noticis neiespējamais. Viņiem ir izdevies mani uzmundrināt. Heimičs paņem pirkstos cūkas karbonādi un iemērc to vīnā, tad nokož gabalu un sāk ķiķināt. – Kādus ģīmjus šie rādīja?

Es jūtu, ka mutes kaktiņi paceļas. – Šokētus. Izbiedētus. Ēe... daži – smieklīgus. – Man prātā ataust kāda aina. – Viens atmuguriski iegāzās punša bļodā.

Heimičs smieklos ierēcas, un mēs visi sākam smieties, izņemot Efiju, kaut gan pat viņa pūlas apspiest smaidu. – Nu ko, tā viņiem ir laba mācība. Viņu darbs ir pievērst tev uzmanību. Un tas vien, ka tu esi no Divpadsmitā apgabala, nav attaisnojums, lai tevi ignorētu. – Viņa pārlaiž žiglu skatienu telpai, it kā būtu pateikusi kaut ko pilnīgi šokējošu. – Piedodiet, bet tā nu es domāju, – viņa piebilst, neuzrunādama nevienu īpaši.

– Es dabūšu ļoti maz punktu, – es saku.

– Punktiem ir nozīme tikai tad, ja to ir daudz, mazam vai vidējam punktu skaitam neviens nepievērš lielu uzmanību. Viņi jau nezinās, ka tu sliktu rezultātu nedabūji ar nolūku, lai noslēptu savas spējas. Tādu stratēģiju mēdz izmantot, – saka Porcija. 113

– Cerams, ka tā izskaidros manu četrinieku, – ierunājas Pīta. – Ja es vispār dabūšu četrinieku. Vai ir iespējams kaut kas vēl garlaicīgāks par puisi, kas paceļ smagu bumbu un aizmet to pāris jardus? Viena gandrīz uzkrita man uz kājas.

Es viņam uzsmaidu un apjaušu, ka esmu izbadējusies. Nogriežu gabalu cūkgaļas, uzlieku to uz kartupeļu biezeņa un sāku ēst. Viss ir labi. Mana ģimene ir drošībā. Un, ja viņas ir drošībā, tad nekas briesmīgs nav noticis.

Pēc vakariņām mēs visi dodamies uz dzīvojamo istabu, lai televīzijā noskatītos punktu sadali. Sākumā redzama pārstāvja fotogrāfija, un tad zem tās parādās punkti. Pārstāvjiem-karjeristiem, protams, ir starp astoņiem un desmit punktiem. Lielākajai daļai pārējo vidēji ir pieci punkti. Mazajai Rū pārsteidzošā kārtā iedod septiņus. Nezinu, ko viņa tiesnešiem parādīja, bet, tā kā viņa ir tik sīciņa, tas noteikti bija iespaidīgi.

Divpadsmitais apgabals, kā parasti, ir pēdējais. Pīta dabū astoņus punktus, tā ka laikam vismaz pāris Spēļu rīkotāju uz viņu ir skatījušies. Kad parādās mana seja, es iecērtu nagus plaukstās, gaidīdama ļaunāko. Un tad uz ekrāna uzmirgo vienpadsmit.

Vienpadsmit!

Efija Trinketa iespiedzas, un visi klapē man pa muguru un gavilē, un apsveic mani. Bet ir sajūta, ka tas nenotiek pa īstam.

– Tā noteikti ir kļūda. Kā... kā tas varēja notikt? – es jautāju Heimičam.

– Laikam jau šiem patika tavs temperaments. Viņiem ir jārīko izrāde. Vajadzīgi daži spēlētāji ar karstām asinīm.

– Katnisa – meitene ugunī. – Sinna apskauj mani.

– O, pagaidi, kad ieraudzīsi savu intervijas kleitu.

– Vai atkal būs liesmas? – es pajautāju.

– Uz to pusi, – viņš viltīgi atsaka.

Mēs ar Pītu apsveicam viens otru. Tas ir vēl viens neveikls mirklis. Mums abiem ir veicies labi, bet ko tas nozīmē otram? Es aizmūku uz savu istabu, cik vien ātri varu, un ienirstu zem segām. Satraukumu pilnā diena un jo īpaši raudāšana ir mani nogurdinājusi. Es ieslīgstu miegā atbrīvojusies un atvieglota, un man aiz plakstiem joprojām mirgo skaitlis "vienpadsmit".

Rītausmā es kādu laiku guļu gultā un vēroju, kā saule izgaismo skaistu rītu. Ir svētdiena. Mājās tā ir brīvdiena. Es prātoju, vai Geils jau ir mežā. Parasti mēs izmantojam visu svētdienu, lai savāktu krājumus nedēļai. Mēs ceļamies agri, medījam un vācam, un tad tirgojamies Centrā. Es domāju, kā Geils jūtas bez manis. Mēs abi protam medīt vieni paši, bet pārī mums veicas labāk. Sevišķi, ja mēģinām nomedīt kaut ko lielāku. Bet arī sīkumos pārinieks smago pienākumu apgādāt manu ģimeni atvieglo un spēj padarīt patīkamu.

Apmēram sešus mēnešus es rāvos viena, līdz pirmo reizi mežā satiku Geilu. Bija oktobra svētdiena, gaiss bija vēss, un tajā vēdīja trūdu smārds. Es visu rītu biju sacentusies ar vāverēm riekstu lasīšanā un mazliet siltākajā pēcpusdienā bradāju seklajos dīķos un vācu katnisas. Gaļai es biju nošāvusi tikai vāveri, kas gandrīz pārskrēja pāri maniem kāju purngaliem, meklējot zīles, bet dzīvnieki jau aizvien varēs darboties arī tad, kad manus pārtikas avotus pārklās sniegs. Es biju aizklīdusi tālāk nekā parasti, tāpēc steidzos mājup, stiepdama savas maisaudekla somas, kad uzgāju beigtu trusi. Tas aiz kakla karājās tievā stieplē virs manas galvas. Apmēram piecpadsmit jardus uz priekšu bija vēl viens. Es atpazinu slazdus, jo tādus izmantoja mans tēvs. Tāds slazds, kad cilpā iekrīt medījums, uzrauj to gaisā, kur to nevar aizsniegt citi izsalkuši dzīvnieki. Es visu vasaru bez panākumiem biju mēģinājusi likt cilpas, tāpēc tagad nespēju nenomest maisus un neapskatīt šo. Es tikko biju uzlikusi pirkstus uz stieples virs truša, kad atskanēja kāda balss: – Tas ir bīstami.

Es atsprāgu vairākus jardus atpakaļ, un tad aiz kāda koka parādījās Geils. Viņš mani noteikti bija vērojis visu laiku. Viņam bija tikai četrpadsmit gadu, bet viņš bija sešas pēdas garš un manās acīs gandrīz pieaudzis. Es biju viņu manījusi Vīlē un skolā. Un vēl vienu reizi. Viņš bija zaudējis tēvu tajā pašā eksplozijā, kurā es zaudēju savējo. Janvārī es noraudzījos, kā Tiesas ēkā viņš saņem medaļu par drosmi – viņš arī ir vecākais bērns ģimenē, kam nav tēva. Es atcerējos, kā viņa abi mazākie brāļi pieķērās mātei – sievietei, kuras piebriedušais vēders rādīja, ka līdz radībām ir tikai dažas dienas.

– Kā tevi sauc? – viņš jautāja, pienākdams klāt un izņemdams trusi no cilpas. Pie viņa jostas karājās vēl trīs.

– Katnisa, – es tikko dzirdami atbildēju.

– Nu ko, Kaķumētra, vai nebiji dzirdējusi, ka par zagšanu pienākas nāvessods? – viņš prasīja.

– Katnisa, – es atkārtoju skaļāk. – Un es nezagu. Es tikai gribēju paskatīties tavu cilpu. Manējās nekad nekā nav.

Viņš palūrēja uz mani caur pieri, nebūdams pārliecināts. – Kur tad tu dabūji vāveri?

– Es to nošāvu. – Noņēmu no pleca loku. Tad es vēl lietoju mazāko, ko man bija uztaisījis tēvs, bet, kad varēju, vingrinājos ar lielo loku. Es cerēju, ka pavasarī spēšu nomedīt ko lielāku.

Geila acis palika kā piekaltas lokam. – Vai varu apskatīt?

Es pasniedzu loku viņam. – Tikai atceries, ka par zagšanu pienākas nāvessods.

Tobrīd es pirmo reizi redzēju viņu smaidām. Viņš vairs neizskatījās draudošs, bet tāds, ko gribētos iepazīt tuvāk. Bet pagāja vairāki mēneši, līdz es atbildēju viņa smaidam.

Mēs runājām par medībām. Es sacīju, ka varbūt varētu viņam dabūt loku, ja viņam būtu, ko dot pretī. Ne jau pārtiku. Es gribēju zināšanas. Gribēju prast izlikt pati savas cilpas, tādas, kas vienā dienā pagādātu pilnu jostu treknu zaķu. Viņš piekrita, ka varētu kaut ko sarunāt. Mijās gadalaiki, un mēs negribīgi sākām dalīties ar savām zināšanām, ieročiem, slepenajām vietām, kur dāsni ienācās plūmes vai pulcējās savvaļas tītari. Viņš man iemācīja izlikt cilpas un makšķerēt. Es parādīju viņam, kādus augus var ēst un beidzot iedevu vienu no mūsu dārgajiem lokiem. Un tad kādu dienu mēs kļuvām par partneriem, kaut arī neviens to nebija pateicis skaļi. Mēs dalījām darbu un guvumu. Mēs gādājām, lai abām ģimenēm būtu ēdamais.

Geils sniedza man drošības sajūtu, kuras man pietrūka kopš tēva nāves. Garās, vientuļīgās stundas mežā aizvietoja viņa sabiedrība. Tagad, kad nebija visu laiku jāskatās pār plecu, kad kāds sargāja manu muguru, es kļuvu par daudz labāku mednieci. Bet Geils nebija vairs tikai medību pārinieks. Viņš kļuva par manu uzticības personu, cilvēku, ar kuru es varēju dalīties domās, kuras nekad neizteiktu skaļi žoga iekšpusē. Un viņš uzticēja savas domas man. Esot mežā kopā ar Geilu... dažreiz es pat jutos laimīga.

Es viņu saucu par draugu, bet pēdējā gadā šķita, ka šis vārds ir pārāk ikdienišķs, lai apzīmētu to, ko Geils man nozīmē. Man krūtīs sažņaudzas ilgas. Ja vien viņš tagad būtu kopā ar mani! Bet, protams, ka es to nevēlos. Es negribu, ka viņš būtu arēnā, kur pēc dažām dienām mirtu. Es tikai... man tikai viņa pietrūkst. Un man riebjas būt tik vientuļai. Vai viņam pietrūkst manis? Noteikti.

Es domāju par skaitli "vienpadsmit", kas vakar ekrānā parādījās zem mana vārda. Es skaidri zinu, ko viņš man sacītu. "Nu ko, te vēl ir iespējami uzlabojumi." Un tad viņš man uzsmaidītu, un es nevilcinoties atbildētu smaidam.

Es nespēju nesalīdzināt, kas ir starp mani un Geilu, ar to, ko es tēloju Pītam. Es nekad neapšaubu Geila nodomus, bet Pītu turu aizdomās visu laiku. Tas nav īsti godīgs salīdzinājums. Geilu un mani vienoja abpusēja vajadzība izdzīvot. Pīta un es zinām, ka otra izdzīvošana nozīmē paša nāvi. Kā lai to aizmirst?

Efija klauvē pie durvīm un atgādina, ka priekšā atkal ir "liela, liela, liela diena!". Rītvakar notiks mūsu intervijas televīzijā. Laikam visai komandai būs darba pilnas

rokas, mūs tām gatavojot.

Pieceļos un žigli ieeju dušā, šoreiz vairāk uzmanīdamās ar pogām, un tad dodos lejā uz ēdamistabu. Pīta, Efija un Heimičs ir sapulcējušies ap galdu un klusi apspriežas. Tas liekas savādi, bet izsalkums pārmāc manu ziņkārību, un es piekrauju brokastu šķīvi, pirms viņiem pievienoties.

Šodien ir sautējums no maigiem jērgaļas gabaliņiem ar žāvētām plūmēm. Kopā ar savvaļas rīsiem – garšo lieliski. Es esmu aprijusi kādu pusi no sava ēdamā kalna, kad pamanu, ka neviens nerunā. Es iedzeru lielu malku apelsīnu sulas un noslauku muti. – Kas notiek? Šodien jūs mūs apmācīsiet intervijām, vai ne?

– Tā gan, – Heimičs atbild.

– Jums nav jāgaida, kamēr es pabeigšu. Es varu klausīties un ēst vienlaikus, – es mudinu.

– Vispār – plāni ir mainījušies. Attiecībā uz mūsu stratēģiju, – Heimičs paskaidro.

– Un kā tieši? – pajautāju. Īsti nezinu, kāda ir pašreizējā stratēģija. Atceros, ka pārējo pārstāvju priekšā ir jāizliekas viduvējiem.

Heimičs parausta plecus. – Pīta palūdza, lai viņu apmāca atsevišķi.

9

Nodevība. Tā ir mana pirmā doma, bet tas ir smieklīgi. Lai varētu kaut ko nodot, ir jābūt uzticībai. Manis un Pītas starpā. Un par uzticību nav ne runas. Mēs esam pārstāvji. Bet puika, kurš riskēja ar kāvienu, lai iedotu man maizi, kurš palīdzēja man noturēt līdzsvaru ratos, kurš mani piesedza starpgadījumā ar sarkanmataino eivoksu meiteni, kurš uzstāja, ka Heimičam jāzina par manu medību prasmi... Vai es sirds dziļumos tomēr spēju viņam neuzticēties?

Taču es jūtos atvieglota, ka varam beigt izlikties par draugiem. Skaidrs, ka trauslā saikne, kādu mēs muļķīgā kārtā bijām nodibinājuši, ir pārcirsta. Un ir jau arī pēdējais laiks. Pēc divām dienām sākas Spēles, un uzticība būtu tikai vājā vieta. Lai arī kas bija licis Pītam pieņemt lēmumu – un man ir aizdomas, ka tam ir sakars ar manu augstāko punktu skaitu treniņos –, man nevajadzētu just neko citu kā vien pateicību. Varbūt viņš beidzot ir samierinājies ar to, ka, jo ātrāk mēs otru atzīsim par ienaidniekiem, jo labāk.

– Labi, – es saku. – Kāds tad ir grafiks?

– Efija katru no jums četras stundas apmācīs, kā sevi izrādīt, un es četras stundas – interviju stratēģiju, – Heimičs atbild. – Tu sāksi ar Efiju, Katnis.

Es nespēju iztēloties, ko gan Efija man varētu mācīt veselas četras stundas, bet viņa mani nostrādina līdz pēdējai minūtei. Mēs aizejam uz manu istabu, un viņa man liek uzvilkt garu vakarkleitu un augstpapēžu kurpes, taču nevis tās, kas man būs kājās intervijā, un māca mani staigāt. Kurpes ir visļaunākais. Es nekad mūžā neesmu valkājusi apavus ar augstiem papēžiem un nevaru pierast pie tā, ka jāļogās uz pirkstgaliem. Bet Efija augstpapēžu apavos skraida apkārt visu laiku, un es apņemos: ja jau viņa to var, tad varu arī es. Kleita arī sagādā nepatikšanas. Tā visu laiku pinas ap kurpēm, tāpēc es, protams, sapiņķerējos, un tad Efija metas man virsū kā vanags, sit pa rokām un brēc: – Ne jau virs potītēm! – Kad beidzot izdodas iemācīties gaitu, vēl ir sēdēšana, stāja (man acīmredzot piemīt niķis nokārt galvu), acu kontakts, žesti un smaidi. Smaidīšanas pamatlikums ir smaidīt vēl vairāk. Efija liek man pateikt kādas simt banālas frāzes, kuras jāuzsāk ar smaidu, kuras jāizsaka smaidot vai kuras jānobeidz ar smaidu. Pusdienlaikā mani vaigu muskuļi jau raustās no pārliecīgas piepūles.

– Nu ko, neko vairāk es nevaru izdarīt, – Efija ar nopūtu konstatē. – Tikai atceries, Katnis, ka tu gribi skatītājiem patikt.

– Un tev šķiet, ka tā nebūs? – es pajautāju.

– Nepavisam, ja tu visu laiku uz viņiem glūnēsi. Varbūt pietaupi to arēnai? Pagaidām iedomājies, ka esi starp draugiem, – Efija māca.

– Viņi slēdz derības par to, cik ilgi es dzīvošu! – man izsprūk. – Viņi nav mani draugi!

– Nu tad mēģini izlikties! – Efija atcērt. Tad viņa savaldās un starojoši uzsmaida. – Redzi, tā. Es smaidu, kaut arī tu mani sadusmo.

– Jā, izskatās ļoti ticami, – es novelku. – Es iešu ēst. – Nokratu augstpapēžu kurpes un slāju uz ēdamistabu, pa ceļam uzraudama kleitu līdz augšstilbiem.

Pīta un Heimičs ir labā omā, tāpēc es iedomājos, ka stratēģijas treniņš būs labāks salīdzinājumā ar apmācību no rīta. Kāda kļūda. Pēc pusdienām Heimičs mani aizved uz dzīvojamo istabu, liek apsēsties uz dīvāna un kādu laiku vienkārši skatās manī ar sarauktu pieri.

– Kas ir? – es beidzot gribu zināt.

– Es mēģinu izdomāt, ko lai ar tevi dara, – viņš atbild. – Kā mēs tevi pasniegsim. Vai tu būsi šarmanta? Atturīga? Skarba? Līdz šim tu esi bijusi īsta zvaigzne. Tu brīvprātīgi pieteicies Spēlēm, lai glābtu māsu. Sinna tev uzmeistaroja neaizmirstamu tēlu. Tev ir augstākais punktu skaits treniņos. Cilvēki ir ieintriģēti, bet neviens nezina, kas tu esi. Tas iespaids, kādu tu rīt radīsi, noteiks, ko es tev varēšu dabūt no atbalstītājiem, – Heimičs skaidro.

Tā kā es visu mūžu esmu skatījusies pārstāvju intervijas, es zinu, ka viņa teiktais ir patiesība. Ja kāds iepatīkas pūlim vai nu ar viņam piemītošo humoru, vai ar brutālu spēku, vai ar ekscentrisku izturēšanos, tad tas nāk par labu.

– Kāda ir Pītas pieeja? Vai arī to man nav ļauts jautāt? – es painteresējos.

– Viņš būs patīkams. Viņam no dabas piemīt pieticība un humora izjūta, – Heimičs atsaka. – Turpretī, kad muti atver tu, tad izklausies sapīkusi un nedraudzīga.

– Tā nav! – es izsaucos.

– Nu izbeidz. Es nezinu, no kurienes tu izgrābi to līksmo meiteni ratos, kas visiem māja ar roku, bet es viņu nebiju redzējis agrāk un neesmu ieraudzījis pēc tam, – Heimičs iebilst.

– Tu nu gan man esi devis daudz pamata līksmībai, – es pretojos.

– Bet man jau nav jāiepatīkas tev. Es tevi neatbalstīšu. Tāpēc izliecies, ka es esmu skatītāji, – Heimičs rīko. – Iepriecini mani.

– Nu labi, – noņurdu. Heimičs izliekas par intervētāju, un es mēģinu atbildēt uz viņa jautājumiem šarmanti. Bet es to nespēju. Es esmu pārāk noskaitusies uz Heimiču par to, ko viņš pateica, un par to, ka man vispār ir jāatbild uz viņa jautājumiem. Es spēju domāt tikai par to, cik Bada Spēles ir netaisnas. Kāpēc es te lēkāju kā dresēts šunelis, pūlēdamās patikt cilvēkiem, kurus ienīstu? Jo ilgāk intervija ievelkas, jo vairāk manas dusmas laužas ārā, un beigās es jau atbildes gandrīz izspļauju.

– Labi, pietiks, – Heimičs pārtrauc. – Mums ir jāatrod cits piegājiens. Tu ne tikai esi nedraudzīga, es par tevi arī neko vēl nezinu. Es tev uzdevu piecdesmit jautājumus, tomēr man joprojām nav ne jausmas ne par tavu dzīvi, ne tavu ģimeni, ne to, kas tev ir svarīgs. Cilvēki gribēs tevi iepazīt, Katnis.

– Bet es negribu, ka viņi mani iepazīst! Viņi jau atņem man nākotni! Viņiem nepienākas tas, kas man bija svarīgs pagātnē! – Es esmu sašutusi.

– Tad melo! Izdomā kaut ko! – Heimičs dod pretī.

– Man melošana nepadodas.

– Nu tad žigli iemācies. Tu esi apmēram tikpat šarmanta kā sprādzis gliemezis, – Heimičs iedzeļ. Au! Tas bija sāpīgi! Pat Heimičs laikam nojauš, ka ir izteicies pārāk skarbi, jo viņa balss atmaigst. – Man ir doma. Mēģini izlikties pazemīga.

– Pazemīga, – es atbalsoju.

– It kā tu nespētu noticēt, ka mazai meitenei no Divpadsmitā apgabala ir tā veicies. Kaut kas tāds tev nav ne sapņos rādījies. Runā par Sinnas drēbēm. Cik jauki ir cilvēki. Kā tu apbrīno pilsētu. Ja negribi runāt par sevi, vismaz paglaimo skatītājiem. Vienkārši visu laiku pie tā atgriezies. Jūsmo.

Nākamās stundas ir īstas mocības. Uzreiz kļūst skaidrs, ka es nespēju jūsmot. Mēs mēģinām izspēlēt bravūru, bet man nepietiek iedomības. Ir skaidrs, ka es esmu pārāk "trausla", lai izliktos asinskāra. Es neesmu asprātīga. Amizanta. Seksīga. Vai noslēpumaina.

Nodarbības beigās es neesmu vispār nekas. Apmēram tad, kad Heimičs centās mani pataisīt par asprāti, viņš sāka dzert, un nu viņa balsī ir iezagusies nelādzīga nots. – Es padodos, sirsniņ. Vienkārši atbildi uz jautājumiem un mēģini neļaut skatītājiem ieraudzīt, cik atklāti tu viņus ienīsti.

Tovakar es ēdu vakariņas savā istabā: pasūtu milzīgu daudzumu gardumu, pieēdos līdz nelabumam un tad sāku šķaidīt šķīvjus, izgāzdama dusmas uz Heimiču, uz Bada Spēlēm un ikvienu dzīvo radību Kapitolijā. Kad

ienāk sarkanmatainā meitene, lai uzklātu manu gultu,

viņa iepleš acis, ieraudzījusi haosu. – Neaiztiec! – es viņai uzkliedzu. – Neskaries klāt!

Es ienīstu arī viņu – meiteni ar zinošajām acīm, kas ik pa laikam mani apsūdz par gļēvuli, briesmoni un Kapitolija klēpja šuneli. Viņa noteikti domā, ka beidzot uzvar taisnība. Vismaz mana nāve palīdzēs samaksāt par zēna nāvi mežā.

Bet meitene nebēg prom, viņa aizver aiz sevis istabas durvis un iet uz vannasistabu. Viņa atgriežas ar mitru lupatu, maigi noslauka man seju un notīra asinis no manām rokām. Tās bija savainojusi saplīsuša šķīvja lauska. Kāpēc viņa tā dara? Kāpēc es ļaujos?

– Man būtu vajadzējis mēģināt tevi izglābt, – es čukstu.

Viņa papurina galvu. Vai tas nozīmē, ka mēs darījām pareizi noskatoties vien? Vai viņa ir man piedevusi?

– Nē, es rīkojos nepareizi, – es nepiekrītu.

Viņa ar pirkstiem pieskaras lūpām un tad norāda uz manām krūtīm. Man šķiet: viņa grib teikt, ka tad es arī būtu kļuvusi par eivoksu. Droši vien. Es būtu eivoksa vai arī mirusi.

Nākamo stundu es palīdzu sarkanmatainajai meitenei sakopt istabu. Kad visi atkritumi ir samesti lūkā un ēdiens satīrīts, viņa uzklāj man gultu. Es ielienu starp palagiem kā piecgadniece un ļauju viņai ievīstīt sevi segā. Tad viņa aiziet. Man gribas, lai viņa paliek, līdz es iemiegu. Kaut viņa būtu te, kad pamodīšos. Es vēlos, kaut meitene mani sargātu, lai gan es nebiju sargājusi viņu.

No rīta mani uzmodina nevis meitene, bet mana sagatavošanas komanda. Manas nodarbības ar Efiju un

Heimiču ir beigušās. Šodiena pieder Sinnam. Viņš ir mana pēdējā cerība. Varbūt viņš var mani padarīt tik brīnišķīgu, ka visiem būs vienalga, kas nāk pār manām lūpām.

Komanda mani apstrādā līdz vēlai pēcpusdienai. Viņi pulē manu ādu, līdz tā kļūst kā sārts atlass, izkrāso rakstus uz manām rokām, izveido liesmu ornamentu uz maniem divdesmit nevainojamajiem nagiem. Tad Vīnija ķeras pie maniem matiem un ievij tajos sarkanas šķipsnas rakstā, kas sākas pie manas kreisās auss, apvijas ap galvu un vienā bizē nokrīt pār labo plecu. Viņi izdzēš manu seju ar slāni gaiša grima un iezīmē atpakaļ vaibstus. Milzīgas, tumšas acis; pilnīgas, sarkanas lūpas; skropstas, kas met dzirkstis, kad samirkšķinu acis. Visbeidzot visu manu ķermeni pārklāj ar pūderi, kas liek man atmirdzēt zelta putekļos.

Tad ienāk Sinna, un viņam rokās laikam ir mana kleita, bet to nevar redzēt, jo tā ir apsegta. – Aizver acis, – viņš saka.

Es jūtu zīdaino oderi, kad kleitu pārvelk pār manu kailo ķermeni. Un tad es sajūtu svaru. Kleita noteikti sver kādas četrdesmit mārciņas. Es pieķeros pie Oktāvijas rokas un, akli uztaustījusi kurpes, nopriecājos, ka papēži ir vismaz divas collas zemāki par tiem, ar kādiem Efija man lika trenēties. Brīdi komanda šo to piekārto un ķimerējas. Tad iestājas klusums.

– Vai varu atvērt acis? – es jautāju.

– Jā, – Sinna atbild. – Ver vaļā.

Radība, kas stāv lielā spoguļa priekšā, ir no citas pasaules. No pasaules, kur āda mirdz un acis met zibšņus, un drēbes laikam gan taisa no dārgakmeņiem. Jo mana kleita, ak, mana kleita ir no vienas vietas klāta ar dzirkstošiem dārgakmeņiem, sarkaniem un dzelteniem, un baltiem, un ar nedaudziem ziliem ielaidumiem, kas uzsver liesmu raksta galus. Visvieglākā kustība uzreiz rada iespaidu, ka mani ieskauj liesmu mēles. Es neesmu glīta. Es neesmu skaista. Es esmu žilbinoša kā pati saule.

Kādu laiku mēs visi tikai nolūkojamies manī. – Ak, Sinna, – es beidzot nočukstu. – Paldies.

– Pagriezies, – viņš saka. Es paplešu rokas un apmetu pirueti. Sagatavošanas komanda apbrīnā iespiedzas.

Sinna aizsūta palīgus prom un liek man kustēties kleitā un kurpēs, kurās ir nesalīdzināmi vieglāk staigāt nekā Efijas dotajās. Kleita krīt tā, ka man ejot nav jāpaceļ svārki un tādējādi satraukumu ir vēl par vienu mazāk.

– Nu ko, vai esi gatava intervijai? – Sinna pajautā. Pēc stilista sejas izteiksmes es redzu, ka viņš ir runājis ar Heimiču. Ka viņš zina, cik es esmu drausmīga.

– Es esmu šausmone. Heimičs mani nosauca par sprāgušu gliemi. Lai ko es mēģinātu, es neko nevarēju. Es vienkārši nespēju būt tāda, kā viņš grib, – es sūdzos.

Sinna brīdi apdomājas. – Kāpēc tu nevarētu vienkārši būt tu pati?

– Es pati? Arī tas nav labi. Heimičs saka: es esot sapīkusi un nedraudzīga, – es iebilstu.

– Tu arī esi tāda... kopā ar Heimiču, – Sinna pasmaida. – Man tu tāda neliecies. Tu esi sagatavošanas komandas mīlule. Tev izdevās iekarot pat Spēļu rīkotājus. Un kas attiecas uz kapitoliešiem... Viņi par tevi vien runā. Neviens nespēj neapbrīnot tavu sparu.

Manu sparu. Tā ir jauna ideja. Es neesmu pārliecināta, ko tieši tas nozīmē, bet liek domāt, ka es esmu cīnītāja. It kā drosmīga. Nav jau tā, ka es nekad neesmu draudzīga. Nu labi, varbūt es uzreiz nesamīlos katrā, ko satieku, varbūt manu smaidu ir grūti izvilināt, bet daži cilvēki man ir svarīgi.

Sinna saņem manas ledainās plaukstas savās siltajās rokās. – Teiksim tā: atbildot uz jautājumiem, tu iedomāsies, ka sarunājies ar kādu draugu no mājām. Kas ir tavs labākais draugs? – viņš jautā.

– Geils, – es uzreiz atbildu. – Bet tas būtu neloģiski, Sinna. Geilam es nekad neko tādu nestāstītu. Viņš to jau zina.

– Un kā ar mani? Vai tu varētu mani uzskatīt par draugu? – Sinna neatstājas.

No visiem, ko esmu satikusi, kopš pametu mājas, Sinna pilnīgi noteikti ir man vistuvākais cilvēks. Man viņš iepatikās uzreiz, un līdz šim viņš nav licis man vilties. – Laikam jau, bet...

– Es sēdēšu uz galvenā paaugstinājuma kopā ar citiem stilistiem. Tu varēsi skatīties tieši uz mani. Kad tev uzdod jautājumu, atrodi mani un atbildi, cik vien godīgi iespējams, – viņš iesaka.

– Pat tad, ja man jautājums liekas šausmīgs? – es jautāju. Jo tā tiešām varētu būt.

– It īpaši tad, ja tev tas liekas šausmīgs, – Sinna atbild. – Vai mēģināsi?

Es pamāju. Tas ir plāns. Vai vismaz salmiņš, pie kā pieķerties.

Drīz ir laiks doties. Intervijas notiks uz skatuves, kas ir uzbūvēta pie Apmācības centra. Izgājusi no savas istabas, es jau pēc dažām minūtēm būšu pūļa, kameru, visas Panemas priekšā.

Kad Sinna pagriež rokturi, es apstādinu viņa roku.

– Sinna... – Mani pilnībā sagrābj lampu drudzis.

– Atceries, ka viņi tevi jau tagad dievina, – viņš klusi mierina. – Vienkārši esi tu pati.

Pārējos no Divpadsmitā apgabala mēs satiekam pie lifta. Porcija ar savu komandu ir krietni pastrādājuši. Pīta melnā uzvalkā ar liesmu akcentiem izskatās satriecoši. Kaut arī mēs abi kopā izskatāmies labi, es jūtos atvieglota, ka neesam ģērbušies vienādi. Heimičs un Efija ir pamatīgi uzcirtušies. Es izvairos no Heimiča, bet pieņemu Efijas komplimentus. Efija var būt apnicīga un stulba, bet viņa nav destruktīva kā Heimičs.

Kad lifts atveras, pārējos pārstāvjus jau nostāda rindā, lai dotos uz skatuvi. Mēs visi interviju laikā sēžam lokā ap skatuvi. Es būšu pēdējā, nē, priekšpēdējā, jo no katra apgabala vispirms intervē meiteni. Kā es vēlos, kaut varētu būt pirmā un viss uzreiz būtu aiz muguras! Tagad man pirms sava uznāciena būs jānoklausās, cik asprātīgi, amizanti, pazemīgi, asinskāri, apburoši ir visi citi. Turklāt skatītāji sāks garlaikoties – tāpat kā Spēļu rīkotāji. Un es nevaru pievērst pūļa uzmanību, izšaujot uz viņiem bultu.

Pirms mēs kāpjam uz skatuves, aiz manis un Pītas uzrodas Heimičs un uzrūc: – Atcerieties, ka jūs joprojām esat laimīgs pāris. Tā arī izturieties.

Ko? Man likās, ka mēs to atmetām, kad Pīta palūdza atsevišķu apmācību. Bet tas laikam bija privāti, nevis sabiedrībā. Nu tagad vienalga nav īpašu iespēju draudzēties.

Mēs vienā rindā dodamies uz savām vietām un apsēžamies.

Jau tikai uzkāpusi uz skatuves, es sāku elpot strauji un sekli. Es jūtu, kā deniņos pulsē asinis. Kad tieku līdz krēslam, jūtos vieglāk, jo man ir bail, ka savās augstpapēžu kurpēs un ar ļodzīgiem ceļiem varētu paklupt. Kaut arī jau satumst vakars, Pilsētas Galvenajā laukumā ir gaišāk nekā vasaras dienā. Prestižiem viesiem ir izveidots paaugstinājums ar sēdekļiem, un priekšējā rindā sēž stilisti. Kad publika reaģēs uz viņu veikumu, kameras pavērsīsies pret viņu sejām. Plašs balkons ēkas labajā pusē ir rezervēts Spēļu rīkotājiem. Lielāko daļu pārējo balkonu ir ieņēmušas televīzijas komandas. Bet Pilsētas Galvenais laukums un avēnijas, kas tajā izbeidzas, ir pārpildītas ar cilvēkiem. Mājās un kopienu centros visā valstī ir ieslēgti televizori. Skatās visi Panemas iedzīvotāji. Šovakar nebūs pārtraukumu strāvas padevē.

Uz skatuves uzlec Cēzars Flikermans, vīrs, kurš jau vairāk nekā četrdesmit gadus vada intervijas. Ir drusku baisi, jo viņa izskats visu šo gadu laikā praktiski nav mainījies. Tā pati seja zem pilnīgi balta grima kārtas. Tā pati frizūra, ko viņš uz katrām Bada Spēlēm nokrāso citā tonī. Tas pats ceremoniju uzvalks – pusnakts zilums ar tūkstošiem spuldzīšu, kas mirgo kā zvaigznes. Kapitolijā izmanto ķirurģiju, lai cilvēki izskatītos jaunāki un tievāki. Divpadsmitajā apgabalā izskatīties vecam ir zināms sasniegums, jo daudzi mirst agri. Ja redzi vecāku cilvēku, tad gribas viņu apsveikt ar ilgo mūžu un paprasīt viņa izdzīvošanas noslēpumu. Tuklos apskauž, jo viņiem nav tā jāknapinās kā pārējiem. Bet te viss ir citādi. Grumbas nav vēlamas. Apaļš vēders nav panākumu zīme.

Šogad Cēzara mati ir veļas ziluma tonī un tādā pašā krāsā ir arī viņa plakstiņi un lūpas. Viņš izskatās kroplīgi, bet ne tik biedējoši kā pagājušajā gadā, kad viņa krāsa bija tumši sarkana un likās, it kā viņš asiņotu. Cēzars izmet dažus jokus, lai iesildītu skatītājus, un tad ķeras pie lietas.

Tērpusies provokatīvā, caurspīdīgi zeltainā kleitā, skatuves centrā iziet meitene no Pirmā apgabala un pievienojas Cēzaram. Var redzēt, ka viņas padomdevējam nebija nekādu problēmu izdomāt pieeju. Blondu matu ūdenskritums, smaragdzaļas acis, slaiks, krāšņs augums... viņa ir seksīgāka par seksīgu.

Katra intervija ilgst tikai trīs minūtes. Tad atskan zvans un ir nākamā pārstāvja kārta. Viens man jāatzīst – Cēzars tiešām dara, ko var, lai pārstāvjus izceltu. Viņš ir draudzīgs, mēģina nomierināt nervozos, smejas par neveikliem jokiem un ar savu reakciju spēj vārgu atbildi padarīt par atmiņā paliekošu.

Apgabali seko cits citam, un es sēžu kā dāma – tā, kā man parādīja Efija. Otrais, Trešais, Ceturtais. Katrs izspēlē kādu citu pieeju. Monstrozais puisis no Otrā apgabala ir nežēlīgs slepkava. Meitene ar lapsas seju no Piektā apgabala ir viltīga un izvairīga. Es pamanu Sinnu, tiklīdz viņš ieņem savu vietu, bet pat viņa klātbūtne nespēj mani nomierināt. Astotais, Devītais, Desmitais. Kroplais puika no Desmitā apgabala ir ļoti kluss. Man briesmīgi svīst plaukstas, bet ar dārgakmeņiem izšūtā kleita mitrumu neuzsūc, plaukstas tikai noslīd, ja mēģinu tās noslaucīt. Vienpadsmitais...

Tērpusies viegla auduma kleitā ar spārniem, pie Cēzara it kā dejas solī dodas Rū. Pūlis pieklust, ieraugot pārstāvi, kas līdzinās burvju malduguntiņai. Cēzars pret viņu izturas ļoti mīļi, uzslavē viņas septiņus punktus treniņā – izcilu rezultātu tik mazai meitenei. Kad viņš pajautā, kāda būs Rū lielākā priekšrocība arēnā, viņa nevilcinās. – Mani ir ļoti grūti noķert, – viņa bikli saka. – Un, ja mani nevar noķert, tad nevar arī nogalināt. Tāpēc nedomājiet, ka man nav nekādu izredžu.

– Es nemūžam tā nedomātu, – Cēzars uzmundrinoši izsaucas.

Trešam, puisim no Vienpadsmitā apgabala, ir tikpat tumša āda kā Rū, bet tā arī ir vienīgā līdzība. Viņš ir viens no masīvākajiem pārstāvjiem, kādas sešas ar pusi pēdas garš un ar vērša cienīgu miesasbūvi, bet es ievēroju, ka viņš noraidīja pārstāvju-karjeristu piedāvājumus pievienoties viņiem. Viņš turējās savrup, ne ar vienu nesarunājās un maz interesējās par treniņiem. Un tomēr viņš dabūja desmit punktus, un nav grūti iztēloties, ka viņš atstāja iespaidu uz Spēļu rīkotājiem. Viņš ignorē Cēzara mēģinājumus pļāpāt un atbild "jā" vai "nē" vai arī vienkārši klusē.

Ja vien es būtu tik varena kā viņš, tad varētu būt sapīkusi un nedraudzīga, un viss būtu kārtībā. Varu derēt, ka puse no sponsoriem vismaz apsver iespēju viņu atbalstīt. Ja man būtu nauda, es pati liktu uz viņu.

Un tad izsauc Katnisu Everdīnu, un es kā sapnī jūtu, ka pieceļos un dodos uz skatuves vidu. Es paspiežu Cēzara izstiepto roku, un viņam ir gana labas manieres, lai pēc tam uzreiz nenoslaucītu to uzvalkā.

– Nu ko, Katnis, Kapitolijs noteikti ir pamatīga pārmaiņa pēc Divpadsmitā apgabala. Kas uz tevi kopš ierašanās ir atstājis vislielāko iespaidu? – Cēzars jautā.

Ko? Ko viņš teica? It kā vārdiem nebūtu nekādas jēgas.

Mana mute ir izkaltusi kā zāģu skaidas. Es izmisīgi uzmeklēju pūlī Sinnu un ar acīm iezīžos viņa skatienā. Es iztēlojos, ka jautājums nāk pār viņa lūpām. "Kas uz tevi kopš ierašanās ir atstājis vislielāko iespaidu?" Es rakņājos smadzenēs, meklēdama kaut ko, kas mani šeit ir darījis laimīgu. *Esi atklāta,* es domāju. *Esi atklāta.*

– Jēra sautējums, – es izmoku.

Cēzars smejas, un es miglaini apjaušu, ka daļa skatītāju pievienojas.

– Tas – ar žāvētajām plūmēm? – Cēzars jautā. Es pamāju. – O, to es ēdu spaiņiem! – Viņš šausmās pagriežas pret skatītājiem ar sānu, pieķēris roku vēderam. – To taču nevar redzēt, ko? – Viņi izkliedz uzmundrinājumus un aplaudē. Tieši tāds Cēzars ir. Viņš mēģina palīdzēt.

– Klau, Katnis, – viņš sazvērnieciskā tonī uzrunā, – kad tu parādījies atklāšanas ceremonijā, mana sirds burtiski apstājās. Kā tev patika tērps?

Sinna paceļ vienu uzaci. *Esi atklāta.* – Tas ir, pēc tam kad biju pārvarējusi bailes, ka sadegšu dzīva? – es pajautāju.

Smiekli. Pa īstam, no skatītāju puses.

– Jā. Sāc ar to brīdi, – Cēzars mudina.

Manam draugam Sinnam man to vienalga vajadzētu pateikt. – Man likās, ka Sinna ir ģeniāls un ka tas ir skaistākais tērps, kādu es jebkad esmu redzējusi, un es nespēju noticēt, ka tas ir man mugurā. Es arī nespēju noticēt, ka man mugurā ir šis. – Es paceļu svārkus un tos izklāju. – Palūkojieties vien!

Skatītāji jūsmo un sten, un es redzu, ka Sinna pavisam vieglītēm ar pirkstu uzzīmē gaisā apli. Bet es zinu, ko viņš grib teikt. *Pagriezies.*

Es apmetu pirueti, un reakcija nav ilgi jāgaida.

– O, izdari tā vēlreiz! – izsaucas Cēzars, un tā nu es paceļu rokas un griežos, un griežos, ļaudama svārkiem izplesties, ļaudama kleitai ietīt mani liesmu mēlēs. Skatītāji sāk gavilēt. Apstājusies es saķeru Cēzara roku.

– Nepārtrauc!

– Es nevaru, man reibst galva! – Es ķiķinu, ko, man šķiet, nekad savā mūžā neesmu darījusi. Bet nervozitāte un griešanās dara savu.

Cēzars sargājoši apliek man roku. – Neuztraucies, es tevi turu. Nevar taču pieļaut, ka tu seko sava padomdevēja pēdās.

Visi kliedz un brēc, un kameras uzmeklē Heimiču, kurš nu jau ir kļuvis slavens ar savu ieniršanu pūlī izlozes dienā, un viņš labsirdīgi pamāj un rāda atpakaļ uz mani.

– Viss kārtībā, – Cēzars mierina pūli. – Ar mani viņa ir drošībā. Tagad par punktiem. Vien-pa-dsmit. Dod mums kādu mājienu, kas notika.

Es pametu skatu uz Spēļu rīkotājiem balkonā un iekožu lūpā. – Ēe... es varu tikai sacīt, ka man šķiet – kaut kas tāds vēl nebija redzēts.

Kameras rāda Spēļu rīkotājus, kuri smejas un māj ar galvām.

– Tu mūs nobeigsi, – Cēzars kunkst, it kā viņam tiešām sāpētu. – Detaļas, detaļas!

Es uzrunāju balkonu. – Es nedrīkstu par to runāt, vai ne?

Tas Spēļu rīkotājs, kas iekrita punša bļodā, izsaucas: – Viņa to nedrīkst!

– Paldies, – es saku. – Piedodiet. Manas lūpas ir mēmas.

– Tad atgriezīsimies pie brīža, kad izlozē izsauca tavas māsas vārdu, – Cēzars maina tematu. Tagad viņš runā klusāk. – Un tu pieteicies brīvprātīgi. Vai vari mums par viņu pastāstīt?

Nē. Ne jau jums visiem. Bet varbūt Sinnam. Nedomāju, ka es būtu iztēlojusies skumjas viņa sejā. – Viņu sauc Prima. Viņai ir tikai divpadsmit gadu. Un es viņu mīlu vairāk par visu.

Tagad Pilsētas Galvenajā laukumā varētu dzirdēt nokrītam adatu.

– Ko viņa tev teica? Pēc izlozes? – Cēzars jautā.

Esi atklāta. Esi atklāta. Es noriju siekalas. – Viņa man no sirds lūdza: mēģini uzvarēt. – Skatītāji ir sastinguši un alkaini gaida katru vārdu.

– Un ko tu atbildēji? – Cēzars klusi skubina.

Bet siltuma vietā es jūtu, kā ķermeni pārņem ledains aukstums. Mani muskuļi saspringst kā pirms medījuma nogalināšanas. Ierunājoties mana balss ir par oktāvu zemāka. – Es zvērēju, ka tā darīšu.

– Varu derēt, – Cēzars piekrīt un paspiež man roku. Atskan zvans. – Piedodiet, mums vairs nav laika. Veiksmi, Katnisa Everdīna, Divpadsmitā apgabala pārstāve!

Aplausi turpinās vēl ilgi pēc tam, kad esmu apsēdusies. Es palūkojos uz Sinnu, meklēdama mierinājumu. Viņš man nemanāmi parāda izslietus īkšķus.

Pītas intervijas pirmajā daļā es joprojām esmu apdullusi. Bet viņam uzreiz izdodas aizraut skatītājus. Es

135

dzirdu, kā viņi smejas un izsaucas. Viņš izspēlē savu maiznieka dēla tēlu, salīdzinādams pārstāvjus ar viņu apgabalu maizēm. Tad viņam vēl ir smieklīgs stāstiņš par briesmām Kapitolija dušā.

– Teic, vai es joprojām smaržoju pēc rozēm? – viņš prasa Cēzaram, un tad viņi abi ilgi pēc kārtas viens otru apošņā, un skatītāji ir pilnīgā sajūsmā. Es attopos, kad Cēzars pajautā, vai Pītam mājās ir draudzene.

Pīta vilcinās un tad nepārliecinoši papurina galvu.

– Tik izskatīgam puisim kā tev. Noteikti ir kāda īpaša meitene. Nu taču, kā viņu sauc? – Cēzars prašņā.

Pīta nopūšas. – Nujā, viena meitene ir. Es viņu mīlu jau tik ilgi, cik vien spēju atcerēties. Tikai līdz izlozei viņa pat nezināja, ka es vispār eksistēju, – esmu par to gandrīz pilnīgi pārliecināts.

Pūlī ir dzirdami līdzjūtīgi dvesieni. Neatbildēta mīlestība ir kaut kas tāds, ko viņi spēj saprast.

– Vai viņai ir cits? – Cēzars turpina tincināt.

– Nezinu, bet viņa patīk daudziem, – Pīta atbild.

– Klausies, ko es tev teikšu. Uzvari spēlēs un atgriezies. Tad taču viņa nevarēs tev atteikt, ko? – Cēzars iedrošina.

– Nedomāju, ka tas būs iespējams. Uzvara... manā gadījumā tas nepalīdz, – Pīta saka.

– Un kāpēc tad ne? – Cēzars nesaprot.

Pīta tumši piesarkst un izmoka: – Jo... jo... viņa ir te kopā ar mani.

OTRĀ DAĻA

SPĒLES

10

Mirkli kameras apstājas pie Pītas nolaistajām acīm, līdz visi saprot, ko viņš ir pateicis. Tad es visos ekrānos palielinājumā ieraugu savu seju ar pa pusei pārsteigumā, pa pusei protestā pavērtu muti. Un es aptveru: *Es! Viņš domā mani!* Es sakniebju lūpas un blenžu grīdā, cerēdama, ka tas apslēps manī mutuļojošās izjūtas.

– Vai, tas gan ir nelāgi, – ierunājas Cēzars, un viņa balsī jaušas īstas sāpes. Pūlis piekrītoši murd, un dažiem pat izlaužas mokpilni kliedzieni.

– Labi tas nav, – Pīta piekrīt.

– Nu ko, es nedomāju, ka mēs spētu tevi vainot. Būtu grūti neiemīlēties tajā jaunajā dāmā, – Cēzars saka. – Viņa to nezināja?

Pīta papurina galvu. – Līdz šim ne.

Es atļaujos uzmest žiglu skatienu ekrānam, un ar to pietiek, lai redzētu, ka manos vaigos nepārprotami karst tvīkums.

– Vai nebūtu jauki, ja varētu uzvest viņu šeit vēl reizi, lai dzirdētu atbildi? – Cēzars jautā skatītājiem. Pūlis piekrītot ieaurējas. – Diemžēl noteikumi paliek noteikumi, un Katnisas Everdīnas laiks ir beidzies. Nu ko, labu veiksmi tev, Pīta Melārk, un man šķiet, ka es runāšu visas Panemas vārdā, sakot, ka mūsu sirdis būs ar jums.

Pūļa rēkoņa ir apdullinoša. Ar atzīšanos mīlestībā pret mani Pīta pārējos ir pilnībā izdzēsis no viņu atmiņas. Kad skatītāji beidzot nomierinās, viņš klusi izmoka: – Paldies, – un atgriežas savā vietā. Mēs pieceļamies kājās, lai noklausītos himnu. Lai izrādītu cieņu, man ir jāpaceļ galva, un es nevaru neredzēt, ka visos ekrānos tagad dominējam mēs ar Pītu. Starp mums ir dažas pēdas, bet skatītāju acīs tās ir nepārvaramas. Nabaga traģiskie varoņi. Bet es zinu patiesību.

Pēc himnas pārstāvji sabirst atpakaļ Apmācības centra priekštelpā un sakāpj liftos. Es veikli ieslīdu kabīnē, kurā nav Pītas. Pūlis kavē mūsu svītas – stilistus un padomdevējus, un pavadoņus –, tāpēc mēs esam paši vien. Neviens neko nesaka. Mans lifts apstājas, lai izlaistu četrus pārstāvjus, tad es palieku viena, un drīz durvis atveras divpadsmitajā stāvā. Pīta tajā brīdī izkāpj no sava lifta, un es triecu plaukstas viņam krūtīs. Viņš zaudē līdzsvaru un iegāžas neglītā vāzē ar mākslīgiem ziediem. Vāze sašķobās un krīt, sašķīstot simtiem sīkos gabaliņos. Pīta piezemējas lauskās, un viņa rokas uzreiz sāk asiņot.

– Par ko tad tas? – Viņš ir apstulbis.

– Tev nebija tiesību! Nekādu tiesību par mani kaut ko tādu teikt! – es brēcu.

Atveras liftu durvis, un klāt ir visa komanda: Efija, Heimičs, Sinna un Porcija.

– Kas te notiek? – viegli histēriskā balsī noprasa Efija. – Vai tu pakriti?

– Viņa mani pagrūda, – Pīta atbild, kad Efija un Sinna palīdz viņam piecelties.

Heimičs pagriežas pret mani. – Tu viņu pagrūdi?

– Tā bija tava ideja, vai ne? Pataisīt mani par muļķi visas valsts priekšā? – es kliedzu.

– Tā bija mana ideja, – iejaucas Pīta un saviebjas, vilkdams no plaukstas keramikas šķēpelītes. – Heimičs man tikai palīdzēja.

– Jā, Heimičs ir varen izpalīdzīgs. Tev! – es nerimstos.

– Tu *esi* muļķe, – Heimičs nepatikā nosaka. – Domā, viņš tev kaut kā ir kaitējis? Tas puika tev tikko deva kaut ko tādu, ko tu pati nemūžam nevarētu sasniegt!

– Viņš lika man izskatīties vājai! – es nepiekrītu.

– Viņš lika tev izskatīties iekārojamai! Un, atklāti runājot, šajā ziņā tev der jebkāda palīdzība. Tu nebiji neko romantiskāka par dubļiem, kamēr viņš nepateica, ka tevi grib. Tagad tevi grib visi. Šie par jums vien runā. Par nelaimīgajiem mīlētājiem no Divpadsmitā apgabala! – Heimičs stāsta.

– Bet mēs neesam nelaimīgi mīlētāji! – es neliekos mierā.

Heimičs sagrābj mani aiz pleciem un piespiež pie sienas. – Nu un tad? Tā ir viena liela izrāde. Galvenais ir tas, kā tevi uztver pūlis. Labākais, ko es par tevi varēju teikt pēc intervijas: tev nav ne vainas, kaut gan, jāteic, tas jau bija neliels brīnums. Tagad es saku, ka tu esi siržu lauzēja. Ak, ak, ak, kā puiši mājās ilgās ļimst pie tavām kājām! Kā tu domā, kurš tev dabūs visvairāk atbalstītāju?

Man metas nelabi no vīna dvakas viņa elpā. Es atgrūžu viņa rokas no pleciem un paeju nost, mēģinādama saprast pati sevi.

Sinna pienāk pie manis un apliek man roku. – Viņam ir taisnība, Katnis.

Es nezinu, ko domāt. – Jums vajadzēja man pateikt iepriekš, lai es neizturētos tik stulbi.

– Nē, tava reakcija bija perfekta. Ja tu būtu zinājusi, tad tā nebūtu tik patiesa, – iejaucas Porcija.

– Viņa vienkārši uztraucas par savu puisi, – pikti saka Pīta, aizmezdams asiņainu vāzes gabaliņu.

Iedomājoties par Geilu, man atkal notvīkst vaigi.

– Man nav puiša.

– Nu vienalga, – Pīta attrauc. – Bet es varu derēt, ka viņš ir gana gudrs, lai redzētu, kad kāds blefo. Turklāt *tu* jau neteici, ka mīli *mani*. Tad kāda tam nozīme?

Es saprotu, ko viņš saka. Manas dusmas izplēnē. Tagad es cīnos starp izjūtu, ka esmu izmantota, un domu, ka man ir radusies priekšrocība. Heimičam ir taisnība. Es pārdzīvoju interviju, bet kas gan es tajā biju? Dumjš skuķis spīguļojošā kleitā, kas met piruetes. Un ķiķina. Vienīgais kaut cik būtiskais mirklis bija tad, kad es runāju par Primu. Ja to salīdzina ar Trešu un viņa mēmo, nāvējošo spēku, tad es nepaliku nevienam prātā. Es biju dumja, vizuļojoša un viegli aizmirstama. Nē, ne pilnīgi aizmirstama. Man ir mani vienpadsmit punkti.

Bet nu Pīta ir mani padarījis par mīlestības objektu ne tikai viņam. Pēc Pītas teiktā, man ir daudz apbrīnotāju. Un, ja skatītāji tiešām domā, ka mēs esam iemīlējušies... Es atceros, cik spēcīga bija reakcija pēc viņa atzīšanās. Nelaimīgi mīlētāji. Heimičam taisnība: kapitolieši uz tādām lietām ir kā traki. Pēkšņi es satraucos, ka neuzvedos, kā pienākas.

– Pēc tam kad viņš pateica, ka mani mīl, – vai jums likās, ka arī es varbūt mīlu viņu? – es jautāju.

– Man tā likās, – atsaucas Porcija. – Pēc tā, kā tu izvairījies ieskatīties kamerās un nosarki.

Pārējie piekrītoši pievienojas.

– Tu esi īsts zelts, sirsniņ. Atbalstītāji pēc tevis stāvēs rindā, – Heimičs sola.

Es nokaunos par savu reakciju un piespiežos uzrunāt Pītu: – Piedod, ka tevi pagrūdu.

– Tas nekas. – Viņš parausta plecus. – Kaut arī teorētiski tas ir pretlikumīgi.

– Vai ar tavām rokām viss ir kārtībā? – es jautāju.

– Būs jau labi, – viņš attrauc.

Iestājas klusums. No ēdamistabas šurp plūst gardas vakariņu smaržas. – Nāciet, ejam ēst, – aicina Heimičs. Mēs sekojam viņam un pie galda ieņemam savas vietas. Bet tad Pītas rokas sāk pārāk stipri asiņot, un Porcija viņu aizved pie ārsta. Mēs bez viņiem sākam ēst krēmzupu ar rožu ziedlapiņām. Kad mēs to pabeidzam, viņi atgriežas. Pītas rokas ir savīstītas apsējos. Es nespēju nejusties vainīga. Rīt mēs būsim arēnā. Viņš man ir izdarījis pakalpojumu, un es to esmu atmaksājusi, savainojot viņu. Vai es reiz beigšu būt viņa parādniece?

Pēc pusdienām mēs dzīvojamā istabā skatāmies interviju atkārtojumu. Es griežos un ķiķinu savā kleitā un izskatos grezna, bet dumja, kaut gan pārējie apgalvo, ka es esot apburoša. Pīta gan ir apburošs pa īstam un visus aizrauj ar savu mīlētāja tēlu. Un tad rāda mani – piesarkušu un samulsušu, Sinnas rokas ir darījušas mani skaistu, Pītas atzīšanās – iekārojamu, bet sagadīšanās – traģisku, un es visādā ziņā esmu neaizmirstama.

Kad beidzas himna un ekrāns satumst, istabā iestājas klusums. Rīt, kolīdz ausīs gaisma, mūs modinās un gatavos arēnai. Pašas Spēles sāksies tikai desmitos, jo daudzi kapitolieši ceļas vēlu. Bet mums ar Pītu ir jāceļas agri. Neviens nezina, cik tāls ceļš būs jāmēro līdz šāgada Spēlēm sagatavotajai arēnai.

Es zinu, ka Heimičs un Efija nebrauks mums līdzi. Viņi no šejienes ies taisnā ceļā uz Spēļu vadības centru, kur, cerams, kā traki parakstīs līgumus ar mūsu atbalstītājiem un izstrādās stratēģiju, kad un kā nogādāt mums veltes. Sinna un Porcija brauks ar mums kopā līdz vietai, no kuras mūs izlaidīs arēnā. Pēdējās atvadas būs jāsaka tur.

Efija saņem mūsu rokas un ar īstām asarām acīs vēl visu labu. Paldies, ka esam labākie pārstāvji, kādus viņai jebkad ir bijis tas gods pavadīt. Un tad, tāpēc ka viņa ir Efija un acīmredzot viņai obligāti ir jāpasaka kaut kas briesmīgs, viņa piemetina: – Es nemaz nebūtu pārsteigta, ja nākamgad mani paaugstinātu uz kādu pienācīgu apgabalu.

Tad viņa nobučo mūs uz vaiga un steidzas prom, vai nu emocionālo atvadu, vai iespējamās veiksmes saviļņota.

Heimičs sakrusto rokas un noskata mūs abus.

– Vai tev ir kāds pēdējais padoms? – jautā Pīta.

– Kad noskanēs gongs, tūlīt pat vācieties prom. Neviens no jums nav gatavs asinspirtij pie Pārpilnības Raga. Vienkārši tinieties, pazūdiet pēc iespējas tālāk no pārējiem un atrodiet ūdens avotu, – viņš pamāca. – Sapratāt?

– Un pēc tam? – iejautājos es.

– Palieciet dzīvi, – Heimičs attrauc. Tādu pašu padomu viņš mums deva vilcienā, bet šoreiz viņš nav piedzēries un nesmejas. Un mēs klusēdami pamājam. Kas te būtu ko piebilst?

Kad es dodos uz savu istabu, Pīta paliek aprunāties ar Porciju. Es priecājos. Lai kā mēs izteiktu savas neveiklās atvadas, tās var pagaidīt līdz rītdienai. Mana gulta ir atsegta, bet no sarkanmatainās eivoksu meitenes nav ne miņas. Kaut es zinātu viņas vārdu! Vajadzēja pajautāt. Varbūt viņa varēja to uzrakstīt. Vai izspēlēt. Bet, iespējams, tad viņu sodītu.

Es ieeju dušā un noberžu zelta krāsu, grimu un skaistuma aromātu. Viss, kas paliek pāri no dizaineru komandas pūliņiem, ir uz nagiem uzgleznotās liesmas. Es nolemju tās paturēt kā atgādinājumu skatītājiem par to, kas es esmu. Katnisa – meitene ugunī. Varbūt nākamajās dienās tas sniegs mierinājumu.

Es uzvelku biezu plīša naktskreklu un ierāpjos gultā. Bet pēc kādām piecām sekundēm es atskāršu, ka neiemigšu. Taču man ļoti vajadzētu izgulēties, jo arēnā kaut mirkli padoties nogurumam nozīmēs izaicināt nāvi.

Nav labi. Paiet stunda, divas, trīs, tomēr mani plaksti nekļūst smagi. Visu laiku iztēlojos, kādā vietā mani izmetīs. Tuksnesī? Purvā? Aukstā tukšainē? Vairāk par visu es ceru, ka būs koki, kas mani nedaudz apslēptu, sniegtu ēdienu un pajumti. Koki arēnās mēdz būt bieži, jo kaila ainava ir garlaicīga un Spēles pārāk ātri atrisinās. Bet kāds būs klimats? Kādus slazdus Spēļu rīkotāji būs iekārtojuši klusāku brīžu atdzīvināšanai? Un vēl tur būs pārējie pārstāvji...

Jo izmisīgāk es vēlos gulēt, jo mundrāka jūtos. Beidzot es pat esmu kļuvusi pārāk nemierīga, lai paliktu gultā. Es soļoju uz riņķi, mana sirds dauzās pārāk ātri, un elpa atkal ir pārāk sekla. Mana istaba šķiet kā cietuma kamera. Ja es drīz netikšu ārā, tad atkal sākšu kaut ko postīt. Es aizskrienu pa gaiteni pie durvīm uz jumtu. Tās ne tikai nav aizslēgtas, bet stāv līdz kājai vaļā. Varbūt kāds ir piemirsis tās aizvērt, bet tas nav svarīgi. Jumtu iekļauj enerģijas lauks, kas nepieļauj nekādus izmisuma vadītus glābšanās mēģinājumus. Un es negribu bēgt, tikai ieelpot svaigu gaisu. Es gribu redzēt debesis un mēnesi pēdējā naktī, kad mani neviens nemedī.

Naktī jumts nav apgaismots, bet, tiklīdz manas kailās pēdas skar flīzes, es pamanu viņa siluetu – pret Kapitolijā nebeidzami mirdzošajām gaismām tas jaušas melns. Lejā, ielās, ir diezgan liela kņada, var dzirdēt mūziku, dziesmas un mašīnu signāltaures, ko es nebiju saklausījusi caur savas istabas biezajiem logu stikliem. Es varētu aizslīdēt, un viņš mani nepamanītu. Tādā troksnī viņš mani nedzirdētu. Bet nakts gaiss ir tik maigs, ka es nespēju atgriezties piesmakušajā būrī – istabā. Un kāda starpība? Vai mēs runājam vai ne?

Es nedzirdami lieku soļus uz flīzēm. Tikai jarda attālumā no viņa es ierunājos: – Tev vajadzētu pagulēt.

Viņš iztrūkstas, bet nepagriežas. Es redzu, ka viņš viegli papurina galvu. – Negribēju palaist garām ballīti. Tā galu galā ir par godu mums.

Es pienāku puisim blakus un pārliecos pāri margām. Platajās ielās visur dejo cilvēki. Es samiedzu acis, lai saskatītu labāk. – Vai viņiem mugurā ir kostīmi?

– Kas to lai zina? – Pīta atsaka. – Šeit jau vienmēr valkā jokainas drēbes. Vai arī tu nevarēji aizmigt?

– Nevarēju atslēgt prātu.

– Vai tu domā par ģimeni? – viņš jautā.

– Nē, – es mazliet vainīgi atzīstos. – Es spēju domāt tikai par rītdienu. Kas, protams, ir bezjēdzīgi. – No lejas nākošajā gaismā es redzu Pītas seju un to, cik neveikli viņš tur apsaitētās rokas. – Man tiešām žēl tavu roku.

– Tas nekas, Katnis. Es tāpat neesmu nopietni ņemams sāncensis Spēlēs.

– Tā nedrīkst domāt, – es viņu sarāju.

– Kāpēc ne? Tas ir tiesa. Labākais, uz ko es varu cerēt, ir sevi neapkaunot un... – Viņš vilcinās.

– Un – ko?

– Es nezinu, kā lai to pasaka. Tikai... es gribu nomirt kā es pats. Vai tas izklausās saprotami? – viņš iejautājas. Es papurinu galvu. Kā gan viņš varētu mirt kā kaut kas cits, nevis pats? – Negribu, ka arēnā es viņu dēļ mainītos. Ka mani pārvērš par briesmoni, kāds es neesmu.

Es iekožu lūpā, sajuzdamās niecīga. Kamēr es apcerēju, vai arēnā būs koki, Pītu nomocīja doma par identitātes saglabāšanu. Par personības nezaudēšanu. – Vai tu gribi teikt, ka nevienu nenogalināsi? – es prasu.

– Nē, es esmu pārliecināts, ka tad, kad pienāks laiks, es nogalināšu tāpat kā visi citi. Es nevaru padoties bez cīņas. Tikai es visu laiku vēlos, kaut varētu izdomāt veidu, kā... kā parādīt Kapitolijam, ka es viņiem nepiederu. Ka es esmu kas vairāk nekā tikai skrūvīte viņu Spēlēs, – Pīta skaidro.

– Bet tu neesi, – es iebilstu. – Neviens no mums nav. Tādas ir Spēles.

– Nu labi, bet tajās joprojām esi tu un esmu es, – viņš neatstājas. – Vai tad tu nesaproti?

– Mazliet. Tikai... neapvainojies, Pīta, bet... vai nav vienalga?

– Man nav. Kas gan cits man šobrīd varētu nebūt vienaldzīgs? – viņš dusmīgi noprasa. Un viņš ar savām zilajām acīm urbjas manējās, pieprasīdams atbildi.

Es pasperu soli atpakaļ. – Tev varētu nebūt vienaldzīgs tas, ko teica Heimičs. Ka jāpaliek dzīvam.

Pīta man skumji un zobgalīgi uzsmaida. – Nu labi. Paldies par padomu, sirsniņ.

Vārdi ir kā pļauka sejā. Tas, ka viņš lieto Heimiča aizbildniecisko mīļvārdiņu.

– Klau, ja tu savas dzīves pēdējās stundas gribi pavadīt, plānojot cēlu nāvi arēnā, tad tā ir tava darīšana. Es savējās gribu pavadīt Divpadsmitajā apgabalā.

– Es nebūšu pārsteigts, ja tā arī notiks, – Pīta nosaka. – Nodod manai mātei sveicienus, kad būsi atpakaļ, labi?

– Uz to tu vari paļauties, – es atcērtu. Tad es pagriežos un eju prom.

Atlikušo nakti es te iesnaužos, te atkal uztrūkstos, iztēlodamās kodīgās piezīmes, kādas rīt izmetīšu Pītam Melārkam. Pīta Melārks. Redzēsim, cik liels un varens viņš būs, kad nokļūs aci pret aci ar dzīvību un nāvi. Droši vien viņš būs viens no tiem trakajiem, mežonīgajiem pārstāvjiem, kas pēc nogalināšanas mēģina apēst upura sirdi. Pirms dažiem gadiem viens tāds tips bija – puisis no Sestā apgabala, vārdā Titus. Viņš kļuva par pilnīgu mežoni, un Spēļu rīkotājiem nācās likt lietā elektrošoku, lai savāktu viņa nogalināto spēlētāju līķus, pirms viņš tos apēd. Arēnā nekādu likumu nav, bet kanibālisms Kapitolija skatītājiem neiet pie sirds, tāpēc to mēģināja noslēpt. Klīda runas, ka lavīna, kurā Titus beigās gāja bojā, esot bijusi speciāli inscenēta, lai nodrošinātu, ka uzvarētājs nav plānprātīgs.

No rīta es Pītu nesatieku. Pirms ausmas pie manis atnāk Sinna, iedod man vienkāršas drēbes un pavada uz jumtu. Galīgā sagatavošana un apģērbšana notiks katakombās zem arēnas. Kā no zila gaisa uzrodas helikopters – tieši tāpat kā tajā dienā mežā, kad es redzēju, kā sagūsta sarkanmataino eivoksu meiteni, – un nolaižas kāpnes. Es uzlieku rokas un kājas uz zemākajiem pakāpieniem un uzreiz sajūtos tā, it kā būtu sasalusi. Kaut kāda strāva mani tur kā pielīmētu kāpnēm, kamēr mani droši ieceļ helikopterā.

Es domāju, ka mani atlaidīs, bet joprojām esmu piesaldēta, kad pienāk baltā halātā tērpusies sieviete ar šļirci rokā. – Tas ir tikai raidītājs, Katnis. Jo mierīgāka tu būsi, jo labāk es varēšu to ielikt, – viņa saka.

Mierīgāka? Es esmu stinga kā statuja. Bet vienalga sajūtu asas sāpes, kad viņa ar adatu ievada raidītāju dziļi zem ādas uz mana apakšdelma. Tagad Spēļu rīkotāji mani arēnā vienmēr varēs atrast. Nebūtu taču labi kādu pārstāvi pazaudēt.

Tiklīdz raidītājs ir vietā, kāpnes mani atlaiž. Sieviete nozūd, un no jumta paceļ Sinnu. Ienāk eivoksu puika un pavada mūs uz telpu, kur ir uzklāts brokastu galds. 149

Par spīti žņaudzošajai sajūtai vēderā, es pieēdos, cik varu, kaut arī nekas no gardumiem nespēj man īsti sniegt sātu. Es esmu tik nervoza, ka tikpat labi varētu ēst ogļu putekļus. Vienīgais, kas novērš manu uzmanību, ir skats pa logu, kad mēs slīdam pāri pilsētai un neapdzīvotajiem apgabaliem aiz tās. To redz putni. Tikai viņi ir brīvi un drošībā. Pilnīgi pretēji man.

Ceļš ilgst apmēram pusstundu, un tad aiz logiem satumst, vēstot, ka tuvojamies arēnai. Helikopters piezemējas, un mēs ar Sinnu atkal ejam uz kāpnēm, tikai šoreiz tās ved lejup pazemē, katakombās zem arēnas. Mēs sekojam norādēm uz galamērķi – telpu manai sagatavošanai. Kapitolijā to sauc par Starta istabu. Apgabalos to dēvē par Lopkautuvi. Vietu, kur dzīvnieki nokļūst pirms nāves.

Viss te ir gluži jauns. Es būšu pirmā un vienīgā pārstāve, kas izmantos šo Starta istabu. Arēnas ir vēstures pieminekļi, ko pēc Spēlēm saglabā. Kapitolieši labprāt dodas uz arēnām ekskursijās un pavada tur brīvdienas. Var atbraukt uz mēnesi, noskatīties Spēļu atkārtojumu, apmeklēt vietas, kur pārstāvji mira. Var pat piedalīties inscenējumos.

Runā, ka tur dodot lielisku ēdienu.

Dušodamās un tīrīdama zobus, es cenšos neizvemt brokastis. Sinna sapin manus matus vienkāršajā, man raksturīgajā bizē pār muguru. Tad atnes drēbes – tās ir vienādas visiem pārstāvjiem. Sinnam nav bijusi nekāda teikšana par manu apģērbu, viņš pat nezina, kas sainī ir iekšā, bet viņš palīdz man uzvilkt apakšveļu, vienkāršas, brūnganas bikses, gaiši zaļu blūzi, izturīgu brūnu jostu un plānu jaku ar kapuci, kas sniedzas man līdz augšstilbiem. – Jaka ir no materiāla, kas atstaro ķermeņa siltumu. Esi gatava aukstām naktīm, – Sinna brīdina.

Zābaki pār pieguļošajām zeķēm ir labāki, nekā es varēju cerēt. Tie ir no mīkstas ādas un līdzīgi tiem, kādus valkāju mājās. Bet šiem ir plāna, elastīga gumijas zole ar radzēm. Tie labi der skriešanai.

Man jau liekas, ka esmu saģērbusies, bet tad Sinna no kabatas izvelk zelta piespraudi ar zobgaļsīli. Par to es biju pilnīgi aizmirsusi.

– Kur tu to dabūji? – es prasu.

– No zaļajām drēbēm, kas tev bija mugurā vilcienā, – viņš atteic. Tagad es atceros, ka noņēmu to no mātes kleitas un piespraudu kreklam. – Tā ir piemiņa no tava apgabala, vai ne? – Es pamāju, un stilists ieāķē piespraudi man kreklā. – Tā tik tikko tika cauri pārbaudes komisijai. Daži domāja, ka to varētu izmantot kā ieroci, kas tev dotu negodīgas priekšrocības. Bet beigās viņi atļāva, – Sinna stāsta. – Toties Pirmā apgabala meitenei viņi atņēma gredzenu. Ja tam pagrieza dārgakmeni, atklājās durklis. Saindēts. Viņa apgalvoja, ka viņai neesot bijis ne jausmas, kā gredzenu var pārvērst, un nebija iespējams pierādīt, ka viņa to būtu zinājusi. Bet savu piemiņu viņa zaudēja. Tā, tagad tu esi gatava. Pakusties. Pārbaudi, vai ir ērti.

Es pastaigāju, paskrienu uz riņķi un pavicinu rokas. – Jā, viss kārtībā. Der nevainojami.

– Nu tad neatliek nekas cits kā gaidīt zvanu, – Sinna nosaka. – Varbūt tu gribi vēl nedaudz ieēst? 151

Es atsakos no ēdiena, bet pieņemu glāzi ūdens un, kamēr mēs sēžam uz dīvāna, nelieliem malciņiem izdzeru. Es negribu grauzt nagus vai košļāt lūpu, tāpēc sāku kodīt vaiga iekšpusi. Tā vēl nav sadzijusi pēc kodieniem pirms dažām dienām. Drīz mana mute pieplūst ar asiņu garšu.

Gaidot mana nervozitāte pārvēršas šausmās. Pēc stundas es varu būt mirusi, beigta. Pat mazāk. Es kā apsēsta ar pirkstiem taustu nelielo izcilni uz delma, kur sieviete ievadīja raidītāju. Es to spaidu, kaut arī tas sāp, un piespiežu tik stipri, ka sāk veidoties neliels zilums.

– Vai gribi aprunāties, Katnis? – Sinna pajautā.

Es papurinu galvu, bet pēc mirkļa izstiepju viņam pretī roku. Sinna saņem to abās plaukstās. Tā mēs sēžam, kamēr patīkama sievietes balss paziņo, ka laiks gatavoties startam.

Joprojām turēdama vienu Sinnas roku, es nostājos uz apaļas metāla plāksnes. – Atceries, ko teica Heimičs. Skrien, atrodi ūdeni! Pārējais notiks pats no sevis, – viņš atgādina. Es pamāju. – Un atceries vēl ko. Man nav atļauts slēgt derības, bet, ja varētu, tad es liktu naudu uz tevi.

– Tiešām? – es čukstus jautāju.

– Tiešām, – Sinna apliecina. Viņš pieliecas un noskūpsta mani uz pieres. – Lai tev veicas, meitene ugunī. – Pār mani nolaižas stikla cilindrs un pārrauj mūsu sadotās rokas, nošķirot stilistu no manis. Viņš ar pirkstiem pieskaras zodam. Galvu augšā!

Es paceļu zodu un stāvu, cik vien stalti varu. Cilindrs sāk celties uz augšu. Kādas piecpadsmit sekundes es esmu tumsā, bet tad jūtu, kā metāla plāksne mani izstumj ārā no cilindra. Mirkli manas acis apžilbina saules gaisma, un es sajūtu tikai stipru vēju, kurā jaušas cerīga priežu smarža.

Virs galvas es izdzirdu nodārdam leģendārā vadītāja Klaudija Templsmita balsi:

– Dāmas un kungi, lai sākas Septiņdesmit ceturtās Bada Spēles!

Sešdesmit sekundes. Tik ilgi mums ir jāstāv uz metāla plāksnēm, līdz mūs atbrīvos gongs. Ja nokāpsi, pirms būs pagājusi minūte, tavas kājas saspridzinās mīnas. Sešdesmit sekundes var aplūkot pārstāvjus – visi stāv vienādā attālumā no Pārpilnības Raga – milzīga zelta raga, kurš ir veidots kā konuss ar izliektu smaili un kura atvere ir vismaz divdesmit pēdu augstumā, izberot straumēm lietu, kas var nodrošināt mūsu dzīvi arēnā. Tur ir ēdiens, trauki ar ūdeni, ieroči, medikamenti, apģērba gabali un nepieciešamais uguns iegūšanai. Ap Pārpilnības Ragu ir izkaisītas arī citas lietas. Jo tālāk no raga tie ir, jo to vērtība krītas. Piemēram, tikai netālu no manām kājām atrodas trīs kvadrātpēdas liels plastmasas plēves gabals. Lietusgāzē tas noteikti varētu noderēt. Bet Pārpilnības Raga mutē es varu redzēt telti, kas pasargātu gandrīz jebkādos laika apstākļos. Ja man būtu gana drosmes, lai ietu un cīnītos par to ar pārējiem divdesmit trim pārstāvjiem! Man piekodināja to nedarīt.

Mēs esam līdzenā, atklātā laukā. Klajumā ar cieti nomīdītu zemi. Aiz pārstāvjiem, kas stāv man pretī, es neko neredzu, un tas nozīmē, ka tur ir vai nu stāva nogāze vai pat klints krauja. Pa labi no manis ir ezers. Pa kreisi un aiz muguras – rets priežu mežs. Heimičs gribētu, lai es dodos turp. Nekavējoties.

Domās es dzirdu viņa pamācību: "Vienkārši tinieties, pazūdiet pēc iespējas tālāk no pārējiem un atrodiet ūdens avotu."

Bet, redzot priekšā veltes, mani māc kārdinājums, liels kārdinājums. Un es zinu: ja nepaņemšu es, tad tās paņems kāds cits. Ka tie pārstāvji-karjeristi, kas izdzīvos asinspirtī, sadalīs lielāko daļu dzīvībai svarīgā laupījuma. Kaut kas iekrīt man acīs. Uz segu kaudzes stāv sudrabains bultu maks un jau uzvilkts loks, kas tā vien gaida, lai to paņem. *Tas ir manējais*, es domāju. *Tas ir domāts man.*

Es esmu ātra. Sprintā es esmu ātrāka par visām skolas meitenēm, kaut arī garajās distancēs dažas ir pārākas. Šie četrdesmit jardi ir tieši tas, kam es esmu radīta. Es zinu, ka varu to dabūt, zinu, ka varu būt pirmā, bet jautājums ir – cik ātri es varu tikt prom? Kamēr es savākšu mantas un paņemšu ieročus, ragu sasniegs pārējie. Vienu vai divus es varētu nošaut, bet ja nu tur būs kāds ducis? No neliela attāluma viņi varēs mani nogalināt ar šķēpiem un nūjām. Vai ar spēcīgajām dūrēm.

Tomēr es nebūtu vienīgais mērķis. Varu derēt, ka daudzi, lai novāktu sīvākos sāncenšus, liktu mierā sīku skuķi, kaut arī tam treniņos iedeva vienpadsmit punktus.

Heimičs nav redzējis mani skrienam. Ja viņš būtu to redzējis, varbūt tad būtu licis man mēģināt. Iegūt ieroci. Jo tieši tāds ierocis varētu izrādīties mans glābiņš. Un visā kaudzē es redzu tikai vienu loku. Zinu, ka minūte ir gandrīz beigusies un man ir jāizlemj, kāda būs mana stratēģija, un es jau saspringstu skrējienam – nevis prom uz apkārtējo mežu, bet uz kaudzi – pēc loka. Tad es piepeši pamanu Pītu. Viņš stāv ar kādiem pieciem pārstāvjiem tālāk pa labi, diezgan tālu, bet es vienalga redzu, ka viņš uz mani skatās, un man šķiet, ka viņš papurina galvu. Bet man acīs spīd saule, un es vēl domāju, kad atskan gongs.

Un es nokavēju! Es esmu palaidusi garām savu izdevību! Jo tieši ar tām pāris sekundēm, ko es zaudēju, jo nebiju gatava, pietiek, lai es pārdomātu virzienu. Manas kājas mirkli saminstinās mulsumā, uz kuru pusi vēlas doties manas smadzenes, un tad es metos uz priekšu un paķeru plēves gabalu un maizes klaipu. Guvums ir tik neliels, un es tā dusmojos uz Pītu par uzmanības novēršanu, ka es noskrienu vēl divdesmit jardus, lai pagrābtu koši oranžu mugursomu ar pilnīgi nezināmu saturu, jo es nespēju izturēt, ka manas rokas ir praktiski tukšas.

Kāds zēns, man šķiet, no Devītā apgabala, sasniedz mugursomu vienlaicīgi ar mani, un brīdi mēs ap to cīkstamies, bet tad viņš ieklepojas, nošķiežot manu seju ar asinīm. Es pretīgumā atsprāgstu no siltās, lipīgās strūklas. Tad puika noslīgst zemē. Un es ieraugu viņa mugurā nazi. Pārstāvji jau ir sasnieguši Pārpilnības Ragu un izretinās uzbrukumam. Meitene no Otrā apgabala ir desmit jardu attālumā un skrien uz manu pusi, vienā rokā satvērusi pusduci nažu. Treniņos es redzēju, kā viņa met. Viņai nekad negadās aizmest garām. Un es esmu viņas nākamais mērķis.

Visas bailes, ko izjutu iepriekš, tagad koncentrējas bailēs no tuvojošās meitenes – plēsoņas, kas jau pēc dažām sekundēm var mani nogalināt. Manī izplūst adrenalīns, un es uzmetu mugursomu pār vienu plecu un, cik vien ir jaudas, metos uz mežu. Es dzirdu asmeni svelpjam uz manu pusi un instinktīvi paceļu somu, lai aizsargātu galvu. Nazis iestrēgst somā. Nu jau uzlikusi plecos abas lences, es skrienu koku virzienā. Nojauta saka: tā meitene man nesekos. Viņa dosies atpakaļ uz Pārpilnības Ragu, kamēr visas labās lietas vēl nav savāktas. Manai sejai pārslīd smaids. *Paldies par nazi*, es nodomāju.

Mežmalā es mirkli pagriežos, lai pārlūkotu lauku. Apmēram ducis pārstāvju plēšas pie raga. Vairāki jau miruši guļ zemē. Tie, kas ir izvēlējušies bēgt, nozūd kokos vai tukšumā iepretim man. Es atkal metos skriet, kamēr mežs mani apslēpj no pārējiem, un tad pāreju vienmērīgā riksī, kuru spēšu kādu laiku saglabāt. Dažas nākamās stundas es vai nu rikšoju, vai eju, pēc iespējas palielinot attālumu starp sevi un saviem sāncenšiem. Cīnoties ar puiku no Devītā apgabala, es pazaudēju maizi, bet paguvu iebāzt piedurknē plastmasas plēves gabalu, un tagad es to ejot kārtīgi saloku un ielieku kabatā. Izvelku arī nazi – labu nazi ar garu, asu asmeni, kas pie spala ir robots, ar to varēs zāģēt – un ieslidinu aiz jostas. Vēl es neuzdrošinos apstāties, lai pārbaudītu mugursomas saturu. Es kustos uz priekšu, apstājoties tikai, lai ieklausītos, vai man neseko.

Es varu iet ilgi. To es zinu no mežā pavadītajām dienām. Bet man vajadzēs ūdeni. Tāds bija Heimiča otrais padoms, un, tā kā pirmo es īsti neņēmu vērā, tagad vērīgi lūkojos apkārt pēc ūdens. Nekā.

Mežs sāk sabiezēt, un starp priedēm parādās dažādi citi koki: daži man ir zināmi, citi – pilnīgi sveši. Kādā 157 brīdī es saklausu troksni un jau izvelku nazi, domādama, ka nāksies aizstāvēties, bet esmu tikai izbiedējusi trusi. – Prieks tevi redzēt, – es nočukstu. Ja ir viens trusis, to varētu būt simtiem, kas tā vien gaida, kad tos noķers cilpās. Zeme zem kājām sliecas uz leju. Tas man diez ko nepatīk. Ielejās es jūtos kā slazdā. Es gribu būt augstu, kā pakalnos ap Divpadsmito apgabalu, lai varētu redzēt ienaidniekus tuvojamies. Bet man nav citas izvēles kā vien virzīties uz priekšu.

Dīvainā kārtā es nejūtos pārāk slikti. Atmaksājas pārpilnībā pavadītās dienas. Man ir gana spēka, kaut arī neesmu izgulējusies. Būt mežā ir atsvaidzinoši. Es priecājos par vienatni, kaut arī tā ir ilūzija, jo es droši vien šai pašā brīdī esmu redzama ekrānos. Ne jau visu laiku, bet ik pa brīdim. Pirmajā dienā ir jāparāda tik daudzi mirstošie, ka pārstāve, kas soļo pa mežu, nav īpaši interesanta. Bet mani rādīs pietiekami bieži, lai skatītāji zinātu, ka esmu dzīva, neesmu ievainota un kustos. Viena no saspringtākajām derību dienām ir atklāšanas diena, kad mirst pirmie pārstāvji. Bet šie skati nav salīdzināmi ar to, kas notiek tad, kad arēnā ir atlikusi tikai saujiņa spēlētāju.

Vēlā pēcpusdienā es izdzirdu lielgabalu šāvienus. Katrs šāviens nozīmē mirušu pārstāvi. Cīņa pie Pārpilnības Raga acīmredzot ir galā. Asinspirts upuri nekad netiek savākti, kamēr slepkavas nav izklīduši. Atklāšanas dienā ar lielgabaliem pat nesāk šaut, kamēr nav beigusies sākotnējā cīņa, jo ir pārāk grūti izsekot, kad kurš mirst. Es atļauju sev apstāties un atelšos, skaitot šāvienus. Viens...

divi... trīs... Lielgabals šauj atkal un atkal, kamēr nodārd vienpadsmitais šāviens. Kopā ir vienpadsmit mirušie! Ir atlikuši trīspadsmit spēlētāji. Es ar nagiem nokasu sakaltušās asinis, ko puika no Devītā apgabala ieklepoja man sejā. Viņš pilnīgi noteikti ir pagalam. Interesanti, kā ir ar Pītu? Vai viņš šodien izdzīvoja? To es pēc dažām stundām uzzināšu. Kad debesīs projicēs mirušo fotogrāfijas, lai tās redzētu pārējie.

Piepeši mani dziļi satriec doma, ka Pītas varbūt vairs nav, ka viņš ir noasiņojis, savākts un nu jau ir ceļā uz Kapitoliju, kur viņu notīrīs, pārģērbs un vienkāršā koka kastē aizvedīs atpakaļ uz Divpadsmito apgabalu. Viņa vairs te nav. Viņš ir ceļā uz mājām. Es pūlos atcerēties, vai viņu redzēju, kad viss sākās. Bet pēdējais, ko spēju atcerēties, ir, kā Pīta papurināja galvu, pirms atskanēja gongs.

Varbūt ir labāk, ja viņa vairs nav. Viņš neticēja, ka uzvarēs. Un man galu galā nebūs jāuzņemas nepatīkamais pienākums viņu novākt. Varbūt ir labāk, ja viņš ir prom uz visiem laikiem.

Es pārgurusi saļimstu blakus savai somai. Man tomēr ir jāpārskata tās saturs, iekams iestājas nakts. Jāpaskatās, kas ir manā rīcībā. Noāķējusi lences, es redzu, ka soma ir izturīga, kaut arī krāsa nav diez cik piemērota. Oranžais tumsā gandrīz vai spīdēs. Es iekaļu domās, ka rīt no rīta pirmais darbs būs to nomaskēt.

Atveru somu. Visvairāk man šobrīd gribas dzert. Heimiča norādījums nekavējoties atrast ūdeni nebija nejaušs. Bez tā es ilgi neizdzīvošu. Dažas dienas es spēšu izvilkt, mokoties ar nepatīkamiem atūdeņošanās simptomiem, 159 bet pēc tam kļūšu bezpalīdzīga un augstākais pēc nedēļas būšu pagalam. Es uzmanīgi izlieku somas saturu. Viens plāns, melns guļammaiss, kas atstaro ķermeņa siltumu. Paciņa sausiņu. Paciņa ar kaltētām liellopu gaļas šķēlītēm. Pudele joda tinktūras. Koka sērkociņu kaste. Neliels ritulis auklas. Saulesbrilles. Un pusgalona tilpuma plastmasas pudele ar korķi, kas ir sausa kā tuksnesis.

Ūdens nav. Vai šiem būtu bijis grūti piepildīt pudeli ar ūdeni? Es pamanu sausumu rīklē, mutē un saplaisājušās lūpas. Esmu gājusi visu dienu. Bija karsts, un es daudz svīdu. Tā ir noticis arī mājās, bet tur vienmēr ir strautiņi, no kuriem padzerties, vai arī sniegs, ko var vajadzības gadījumā izkausēt.

Atkal krāmējot somu, man iešaujas prātā briesmīga doma. Ezers. Tas pats, ko es redzēju, gaidot, kad izskanēs gongs. Ja nu tas ir vienīgais ūdens avots arēnā? Tādējādi būtu garantēts, ka mēs cīnīsimies. Ezers ir dienas gājiena attālumā no vietas, kur es sēžu tagad bez dzeramā. Tas ir daudz grūtāks gājiens. Un, pat tad, ja es ezeru sasniegtu, to noteikti labi apsargās daži pārstāvji-karjeristi. Es jau gandrīz krītu panikā, kad atceros trusi, ko izbiedēju agrāk. Tam taču arī ir kaut kas jādzer. Man tikai jāatrod, kur.

Krēsla sabiezē, un es kļūstu nemierīga. Koki ir pārāk skraji, lai mani labi paslēptu. Priežu skuju kārta, kas klusina manus soļus, apgrūtina arī dzīvnieku izsekošanu, kad man vajadzēs atrast ūdeni. Bet es joprojām eju pa nogāzi – zemāk un zemāk šķietami nebeidzamā ielejā.

Esmu arī izsalkusi, bet vēl neuzdrošinos aizskart savus dārgos sausiņu un gaļas krājumus. Tā vietā es paņemu nazi un apstrādāju priedi: nogriežu ārējo mizu un noskrāpēju krietnu riekšu mīkstākās iekšējās mizas. Ejot es to lēnām košļāju. Pēc nedēļas, ko pavadīju, mielojoties ar smalkākajiem ēdieniem pasaulē, ir drusku grūti norīt. Bet es savā mūžā esmu ēdusi daudz priežu. Es ātri pielāgošos.

Vēl pēc stundas ir skaidrs, ka man ir jāatrod vieta apmetnei. Nakts dzīvnieki iziet savās gaitās. Ik pa brīdim es izdzirdu kādu taurējienu vai kaucienu – pirmās norādes, ka par trušiem būs jāpacīnās ar plēsējiem. To, vai arī mani pašu uzskatīs par barību, vēl nevar pateikt. Šai pašā brīdī man varbūt seko sazin cik dzīvnieku.

Bet es izlemju, ka patlaban mana prioritāte būs mani sāncenši. Es esmu droša, ka daudzi turpinās medīt arī naktī. Tie, kas uzvarēja slaktiņā pie Pārpilnības Raga, būs bruņojušies ar pārtiku, krietnu ūdens daudzumu no ezera, lāpām vai lukturiem un ieročiem, kurus viņi tā vien ilgojas likt lietā. Es varu tikai cerēt, ka esmu gājusi pietiekami ātri un tikusi gana tālu, lai nebūtu viņu medību apgabalā.

Pirms iekārtoties naktij, es paņemu savu auklu un izlieku krūmos divas cilpas. Es zinu, ka tas ir riskanti, bet šeit ēdiens izbeigsies ļoti ātri. Un skrienot es nekādus slazdus izlikt nevaru. Tomēr vēl piecas minūtes turpinu iet.

Koku es izvēlos uzmanīgi. Vītolu – ne īpaši augstu, bet ieaugušu vēl vairāku vītolu pudurī. Garajos, līganajos zaros var labi paslēpties. Es uzrāpjos kokā, turēdamās pie resnākajiem zariem tuvāk stumbram, un atrodu gulēšanai izturīgu stakli. Ir nedaudz jāpastrādā, bet es iekārtoju guļammaisu samērā ērti. Ielieku mugursomu guļammaisa galā un pati ieslīdu iekšā aiz tās. Piesardzības labad es noņemu jostu, apmetu to zaram un guļammaisam un atkal aiztaisu sev ap vidu. Tagad, ja es miegā pagriezīšos, tad nenokritīšu zemē. Es esmu gana maza, lai pārvilktu pāri galvai guļammaisa galu, bet tomēr uzlieku arī kapuci. Iestājoties naktij, gaisa temperatūra strauji pazeminās. Kaut arī man nācās krietni riskēt, lai iegūtu mugursomu, es zinu, ka tas bija pareizi. Guļammaiss, kas atstaro un saglabā manu ķermeņa temperatūru, būs nepārvērtējams. Esmu pārliecināta, ka ir vairāki citi pārstāvji, kuru lielākās rūpes šobrīd ir sasildīties, bet es varbūt pat varēšu dažas stundas pagulēt. Ja vien es nebūtu tik izslāpusi...

Tikko iestājas nakts, es izdzirdu himnu, kas ievada šodien mirušo parādi. Caur zariem varu redzēt Kapitolija zīmogu, kas izskatās tā, it kā peldētu gaisā. Patiesībā es skatos uz milzīgu ekrānu, ko tur viens no nemanāmajiem helikopteriem. Himna izskan, un uz brīdi debesis satumst. Mājās mēs no sākuma līdz beigām skatītos katru nogalināšanu, bet pārstāvji to nedrīkst redzēt. Tiek uzskatīts, ka sāncenšiem tad būtu priekšrocības, jo viņi zinās, no kā jāpiesargās. Piemēram, ja es dabūtu loku un kādu nošautu, manu noslēpumu uzzinātu visi. Nē, šeit, arēnā, mēs redzam tikai tās pašas fotogrāfijas, ko rādīja, kad pārraidīja mūsu vērtējumu treniņos. Vienkāršus portretus. Tikai tagad punktu vietā parāda apgabala numuru. Kad sāk rādīt vienpadsmit mirušo pārstāvju sejas, es dziļi ievelku elpu un sāku viņus skaitīt uz pirkstiem.

stiem.

Pirmā meitene no Trešā apgabala. Tas nozīmē, ka pārstāvji-karjeristi no Pirmā un Otrā apgabala ir dzīvi. Tas nav nekāds pārsteigums. Tad rāda puisi no Ceturtā apgabala. To es nebiju gaidījusi, parasti pirmajā dienā izdzīvo visi karjeristi. Puisis no Piektā apgabala... Laikam jau meitenei ar lapsas seju ir izdevies palikt dzīvai. Abi pārstāvji no Sestā un Septītā apgabala. Puisis no Astotā. Abi no Devītā. Jā, tur jau ir puika, ar kuru es cīkstējos par mugursomu. Man ir izbeigušies pirksti, ir atlicis tikai viens mirušais. Vai tas ir Pīta? Nē, debesīs redzama meitene no Desmitā apgabala. Viss. Atkal parādās Kapitolija zīmogs, un ar pompu nodārd mūzikas pēdējie akordi. Tad atkal iestājas tumsa un kļūst dzirdamas meža skaņas.

Es jūtos atvieglota, ka Pīta ir dzīvs. Atgādinu sev, ka, ja mani nogalinās, tad manai mātei un Primai vislabāk būtu, ja uzvarētu viņš. Tā es sev iestāstu, lai izskaidrotu pretrunīgās izjūtas, kādas mani pārņem, domājot par Pītu. Pateicībā par atpazīstamību, kādu viņš man sagādāja, intervijā atzīstoties mīlestībā. Dusmojoties par viņa pārākumu uz jumta. Šausminoties, ka arēnā mēs jebkurā brīdī varētu nonākt aci pret aci.

Vienpadsmit mirušie, bet neviena no Divpadsmitā apgabala. Es mēģinu izdomāt, kuri ir palikuši. Pieci pārstāvji-karjeristi. Meitene ar lapsas seju. Trešs un Rū. Rū... tātad viņa tomēr pārdzīvoja pirmo dienu. Es nespēju nepriecāties. Tie būtu desmit. Pārējos trīs es atcerēšos rīt. Tagad, kad ir tumšs un es esmu tālu nākusi un iekārtojusies augstu kokā, tagad man vajadzētu mēģināt atpūsties.

Es jau divas dienas neesmu kārtīgi izgulējusies un šodien nogāju lielu gabalu. Es lēnām ļauju muskuļiem atslābt. Acīm aizvērties. Pēdējais, ko iedomājos, ir: cik labi, ka es nekrācu...

Krakš! Mani pamodina lūstoša zara brīkšķis. Cik ilgi es gulēju? Četras stundas? Piecas? Mans degungals ir auksts kā ledus. *Krakš! Krakš!* Kas notiek? Tā neskan zars, kas pārlūzt zem kājas, brīkšķis ir ass kā zaram, kas lūst no koka. *Krakš! Krakš!* Es lēšu, ka troksnis ir vairākus simtus jardu pa labi no manis. Lēnām, bez skaņas, pagriežos uz to pusi. Dažas minūtes nevar redzēt neko, ir tikai melna tumsa, bet var dzirdēt knosīšanos. Tad es pamanu dzirksteli, un aizdegas neliela uguns. Virs liesmas sildās plaukstu pāris, bet vairāk neko es neredzu.

Man ir jāiekož lūpā, lai nenolamātu uguns kūrēju katrā man zināmajā lamuvārdā. Ko viņš iedomājas? Pašā nakts sākumā aizdegta uguns būtu pavisam kas cits. Spēcīgākie un ar pārtiku labi apgādātie pārstāvji, kas cīnījās pie Pārpilnības Raga, tobrīd noteikti nevarēja būt tik tuvu, lai pamanītu liesmas. Bet tagad, kad viņi droši vien jau stundām ķemmē mežus, meklējot upurus... Tikpat labi varētu vicināt karogu un bļaut pilnā rīklē: "Nāciet man pakaļ!"

Un te nu es esmu – akmens sviediena attālumā no visstulbākā spēlētāja. Iesprādzējusies kokā. Es neuzdrošinos bēgt, jo mana aptuvenā atrašanās vieta nupat ir kļuvusi zināma jebkuram ieinteresētam slepkavam. Nujā, es zinu, ka ir auksti un ne jau katram ir guļammaiss. Bet

ir jāsakož zobi un jāpaciešas līdz ausmai!

Nākamās pāris stundas es palieku savā guļammaisā, vārīdamās dusmās un pilnā nopietnībā domādama: ja tikšu lejā no koka, man nebūs ne mazāko problēmu novākt savu jauno kaimiņu. Mans instinkts sākumā lika bēgt, nevis cīnīties. Bet tas tur acīmredzami ir drauds. Muļķi ir bīstami. Un šim te droši vien nav diez kādu ieroču, bet man ir lielisks nazis.

Debesis vēl ir tumšas, bet es jūtu tuvojamies pirmās rītausmas zīmes. Sāku jau prātot, ka mēs – ar to domājot cilvēku, kura nāvi es tagad vēlos, un sevi – varbūt varētu palikt nepamanīti. Tad es sadzirdu. Vairāki kāju pāri metas skriet. Kūrējs laikam ir iesnaudies. Viņu sagrābj, pirms viņa paspēj glābties. Tagad es zinu, ka tā ir meitene, – to var pateikt pēc lūgšanās un tai sekojošā mokpilnā kliedziena. Tad vairākas balsis smejas un apsveic cita citu. Kāds izsaucas: – Divpadsmit pagalam, vēl atlikuši vienpadsmit! – Tas izpelnās atzinīgu auru šalti.

Tātad viņi cīnās barā. Tas mani īpaši nepārsteidz. Spēļu sākumā bieži vien izveidojas alianses. Spēcīgākie apvienojas, lai izmedītu vājākos, un tad, kad saspīlējums arvien pieaug, viņi sāk plēsties sava starpā. Man nav grūti iedomāties, kuri pārstāvji ir apvienojušies. Tie noteikti ir atlikušie pārstāvji-karjeristi no Pirmā, Otrā un Ceturtā apgabala. Divi puiši un trīs meitenes. Tie, kuri kopā ēda pusdienas.

Brīdi es klausos, kā viņi iztausta meiteni, meklējot krājumus. Pēc komentāriem es spriežu, ka neko labu viņi nav atraduši. Es gudroju, vai upuris varētu būt Rū, bet žigli atmetu tādu domu. Viņa ir pārāk gudra, lai tā kurinātu uguni.

– Labāk vācamies, lai šie var savākt līķi, kamēr tas nesāk smirdēt. – Es esmu gandrīz pārliecināta, ka runātājs ir brutālais puisis no Otrā apgabala. Atskan piekrītoša murdoņa, un tad es sev par šausmām dzirdu, ka bars nāk uz manu pusi. Viņi nezina, ka esmu te. Kā gan viņi to varētu zināt? Un es koku pudurī esmu itin labi paslēpusies. Vismaz kamēr neuzlēks saule. Tad mans melnais guļammaiss no glābēja pārvērtīsies par nelaimes nesēju. Ja viņi turpinās ceļu, tad paies man garām un pēc mirkļa būs prom.

Bet karjeristi apstājas klajumā kādus desmit jardus no mana vītola. Viņiem ir kabatas lukturi un lāpas. Cauri zariem es pamanu pa kādai rokai un zābakam. Es sastingstu kā akmens, neuzdrošinādamās pat elpot. Vai viņi ir mani pamanījuši? Nē, vēl ne. Pēc viņu vārdiem es noprotu, ka domas tiem ir kur citur.

– Vai tagad jau nevajadzēja šaut lielgabalam?

– Es teiktu, ka jā. Viņus nekas nekavē iejaukties uzreiz.

– Ja vien viņa nav dzīva.

– Viņa ir pagalam. Es pats viņu uzdūru.

– Tad kur ir šāviens?

– Kādam vajadzētu aiziet atpakaļ. Pārliecināties, vai lieta ir nodarīta.

– Aha, nav ko medīt šamo divreiz.

– Es teicu, ka viņa ir pagalam!

Sākas strīds, bet tad viens pārstāvis apklusina pārējos. – Mēs izšķiežam laiku! Es iešu viņu piebeigt, un tad dodamies tālāk!

Es gandrīz nogāžos no koka. Tā ir Pītas balss.

12

Labi gan, ka biju gana tālredzīga, lai piesprādzētos. Es sāniski noripoju no stakles un tagad karājos ar seju pret zemi aiz jostas, ieķērusies zarā ar vienu roku un atbalstījusi kājas pret stumbru, kas guļammaisā ir abās pusēs mugursomai. Kad es nosvēros uz sāniem, noteikti bija dzirdams kāds troksnis, bet karjeristi bija pārāk aizņemti strīdoties, lai to pamanītu.

– Nu tad ej vien, mīlniek, – saka puisis no Otrā apgabala. – Paskaties pats.

Īsu mirkli es lāpas gaismā ieraugu Pītu, kas dodas atpakaļ uzmeklēt meiteni pie ugunskura. Viņa seja ir pietūkusi zilumos, ap vienu roku ir asiņains pārsējs, un pēc soļu raksta es manu, ka viņš mazliet pieklibo. Es atceros, kā viņš purināja galvu, piekodinot man nedoties cīņā par krājumiem, bet pats visu laiku jau no sākta gala bija plānojis mesties tieši pašā burzmā pretēji tam, ko viņam lika darīt Heimičs.

Nu labi, to es kaut kā varu saprast. Bija kārdinoši noskatīties tādā kalnā ar labumiem. Bet tas, ko viņš dara tagad... tas... Pievienošanās karjeristu vilku baram, kuri grib izķert mūs pārējos. Nevienam no Divpadsmitā apgabala tāda doma ne prātā neienāktu! Pārstāvji-karjeristi ir pārāk ļauni un uzpūtīgi, un labāk paēduši, bet tikai 167 tāpēc, ka ir Kapitolija klēpja šuneļi. Vispār viņus ienīst visi un visur, izņemot viņu pašu apgabalos ne. Varu iedomāties, ko par viņu tagad saka mājās. Un Pītam vēl netrūka nekaunības, lai ar mani runātu par negodu? Acīmredzot cēlais puisis uz jumta bija tikai vēl viena spēlīte ar mani. Bet tā būs pēdējā. Es alkaini vēršos nakts debesīs pēc zīmes, ka viņš ir miris, ja vien pati šamo nenovākšu ātrāk.

Pārstāvji-karjeristi klusē, kamēr viņš vairs nav dzirdams, tad sāk sarunāties klusinātās balsīs.

– Kāpēc gan nenogalināt viņu tagad, lai būtu nost no kakla?

– Lai jau šis velkas mums pakaļ. Kas tur slikts? Un viņš labi rīkojas ar nazi.

Vai patiesi? Tas ir jaunums. Cik daudz interesanta es šodien uzzinu par savu draugu Pītu!

– Turklāt kopā ar viņu mums būs vislabākās iespējas atrast to tur.

Tikai pēc mirkļa es aptveru, ka ar "to tur" viņi domā mani.

– Kāpēc? Domā, viņa uzķērās uz tām puņķainajām, romantiskajām blēņām?

– Varētu būt. Man šī likās diezgan padumja. Ikreiz, kad iedomājos, kā viņa tur gorījās savā kleitā, man nāk vēmiens.

– Kaut mēs zinātu, kā viņa dabūja vienpadsmit punktus.

– Varu derēt, ka mīlnieks to zina.

Atgriežoties Pītam, atskan troksnis, un viņi apklust.

– Vai viņa bija beigta? – jautā puisis no Otrā apgabala.

– Nē. Bet tagad ir, – Pīta atbild. Tai pašā brīdī nodārd lielgabals. – Vai esat gatavi iet tālāk?

Karjeristu bars skriešus dodas prom, lēnām sāk aust gaisma, un atskan putnu treļļi. Es vēl kādu brīdi palieku savā neērtajā pozā ar saspringumā trīcošiem muskuļiem un tad uzraušos atpakaļ uz zara. Man ir jākāpj lejā un jākustas tālāk, bet es vēl brīdi guļu, sagremodama dzirdēto. Pīta ir ne tikai kopā ar karjeristiem, viņš vēl arī palīdz šiem meklēt mani. Padumjo meiteni, kura ir jāuztver nopietni viņas vienpadsmit punktu dēļ. Jo viņa prot lietot loku un bultas. Ko Pīta zina labāk par visiem.

Bet viņš vēl nav pateicis. Vai viņš to slēpj, jo zina, ka tieši tas notur viņu pie dzīvības? Vai viņš skatītāju priekšā joprojām izliekas, ka mīl mani? Kas notiek viņa prātā?

Pēkšņi putni apklust. Tad viens spalgi aizkliedzas, it kā brīdinot. Viena nots. Tieši tāda pati, kā mēs ar Geilu dzirdējām toreiz, kad sagūstīja sarkanmataino eivoksu meiteni. Augstu gaisā virs nāvi nesošā ugunskura uzrodas helikopters. Nolaižas lielas metāla ķetnas. Lēnām un uzmanīgi mirušo meiteni ieceļ helikopterā. Tad tas izgaist. Putni atsāk čivināt.

– Kusties, – es sev čukstus saku. Izlocījusies no guļammaisa, es to saritinu un ielieku somā. Dziļi ieelpoju. Kamēr mani slēpa tumsa un guļammaiss, un vītola zari, kamerām droši vien bija grūti mani kārtīgi nofilmēt. Bet es zinu, ka tagad man seko. Tajā pašā mirklī, kad nolēkšu zemē, mani parādīs tuvplānā.

Skatītāji droši vien juka prātā, zinot, ka es esmu kokā, ka es dzirdēju karjeristu sarunu, ka atklāju – Pīta ir kopā ar viņiem. Kamēr es izdomāšu, kā tieši gribu to izspēlēt, 169 vislabāk būs vismaz pēc iespējas izlikties, ka viss ir labi. Neizskatīties apstulbušai. Un noteikti ne apmulsušai vai izbiedētai.

Man ir jādomā viens gājiens uz priekšu.

Tāpēc es izslīdu no lapotnes rītausmas gaismā un mirkli apstājos, dodot kamerām laiku pievērsties manai sejai. Tad es viegli piešķiebju galvu iesāņus un zinoši pasmaidu. Tā! Lai nu šie izdomā, ko tas nozīmē! Es jau taisos doties prom, kad iedomājos par izliktajām cilpām. Varbūt ir neprātīgi tās pārbaudīt, kad pārējie ir tik tuvu. Bet man tas ir jāizdara. Laikam jau es pārāk daudzus gadus esmu medījusi. Un mani kārdina izredzes iegūt gaļu. Mans atalgojums ir brangs trusis. Viens un divi es to notīru un izķidāju, un atstāju galvu, ķepas, asti, ādu un iekšas zem lapu kaudzes. Man gribētos sakurt uguni, jo, ēdot jēlu truša gaļu, var saķert trušu drudzi, tā man reiz bija smaga mācība. Tad es iedomājos par mirušo pārstāvi. Es aizsteidzos atpakaļ uz viņas apmetni, un ugunskurs, kas viņai nesa nāvi, vēl ir karsts. Es sagriežu trusi, no zariem sameistaroju iesmu un uzlieku gaļu virs oglēm.

Es priecājos par kamerām. Gribu, lai atbalstītāji redz, ka protu medīt, ka ir labi derēt uz mani, jo bads mani neievilinās slazdos tik viegli kā pārējos. Kamēr trusis cepas, es saberžu gabalu pārogļota zara un ķeros pie oranžās somas nomaskēšanas. Melnais to padara nespodrāku, bet man šķiet, ka noteikti līdzētu dubļu kārta. Bet, lai dabūtu dubļus, man vajadzīgs ūdens...

Savācu mantas, paķeru savu iesmu, iesperu oglēs maz-

liet zemes un aizeju pretējā virzienā, nekā devās karjeristi. Ejot es apēdu pusi truša un tad atlikušo ietinu savā plastmasas plēves gabalā vēlākam laikam. Gaļa apklusina manu kurkstošo vēderu, bet neko daudz nelīdz remdēt slāpes. Ūdens tagad ir mana galvenā prioritāte.

Soļojot jūtos droša: joprojām es atrodos uz Kapitolija ekrāniem, tāpēc piesardzīgi turpinu slēpt savas izjūtas. Bet Klaudijs Templsmits noteikti labi pavada laiku ar saviem vieskomentētājiem, analizējot Pītas izturēšanos un manu reakciju. Ko par to visu domāt? Vai Pīta būtu parādījis savu īsto seju? Kā tas ietekmē derību likmes? Vai mēs zaudēsim atbalstītājus? Vai mums vispār *ir* atbalstītāji? Jā, es esmu pārliecināta, ka mums tādi ir vai vismaz – bija.

Stāstam par nelaimīgajiem mīlētājiem Pīta nešaubīgi ir iemetis sprunguli spiekos. Vai varbūt arī ne? Varbūt mēs vēl varam no tā kaut ko izspiest, ja jau viņš nav neko daudz par mani pateicis. Varbūt visi nodomās, ka mēs esam to izplānojuši kopā, ja izskatīsies, ka tas mani uzjautrina.

Saule ceļas augstāk debesīs un pat caur lapotni ir pārlieku spoža. Es uzklāju lūpām nedaudz truša tauku un mēģinu neelst, bet tas neko nelīdz. Ir pagājusi tikai viena diena, un mans organisms strauji atūdeņojas. Es mēģinu iedomāties visu, ko zinu par ūdens meklēšanu. Ūdens tek lejā no kalna, tāpēc patiesībā doties zemāk ielejā nemaz nav tik aplami. Ja vien es pamanītu dzīvnieku pēdas vai kādu puduri īpaši zaļu augu, tas varētu palīdzēt. Bet izskatās, ka nekas nemainās. Ir tikai viegli lejupvedošā nogāze, putni un šķietami vienādie koki.

Dienai turpinoties, es apjaušu, ka nebūs labi. Man izdodas pačurāt tikai pavisam nedaudz, un urīns ir tumši brūns, man sāp galva, un uz mēles jaušas sauss laukums, ko es nespēju samitrināt. Saule sāpīgi spiež acīs, tāpēc es sameklēju savas saulesbrilles, bet tās kaut kā jokaini izšķoba redzi, tāpēc iebāžu atpakaļ somā.

Ir vēla pēcpusdiena, kad man liekas, ka esmu atradusi palīdzību. Es pamanu puduri ogu krūmu un steidzos aplasīt ogas, lai izsūktu to saldo sulu. Bet, jau pacēlusi tās pie lūpām, ieskatos vērīgāk. Ogas, ko es uzskatīju par mellenēm, ir mazliet citādas formas, un, vienu pārplēšot, es redzu, ka iekšā tā ir asins sarkana. Es nepazīstu tādas ogas, varbūt arī tās ir ēdamas, bet man šķiet, ka tā ir kāda nelāga Spēļu rīkotāju viltība. Pat skolotāja augu nodaļā Apmācības centrā mums īpaši piekodināja izvairīties no ogām, ja neesam pilnīgi droši, ka tās nav indīgas. To es jau zināju, bet es esmu tik izslāpusi, ka, tikai atceroties viņas atgādinājumu, varu saņemt spēkus un aizmest ogas.

Mani sāk pārņemt nogurums, bet tas nav parastais gurdums, kāds pārņem pēc gara pārgājiena. Man bieži nākas apstāties un atpūsties, kaut arī es zinu, ka vienīgās zāles, kas mani izārstēs, prasa nepārtraukt meklējumus. Es izmēģinu jaunu taktiku – uzrāpjos kokā tik augstu, cik uzdrošinos ar tik ļodzīgām kājām, un meklēju jebkādas pazīmes par ūdens tuvumu. Bet uz visām pusēm, cik vien tālu sniedzas skatiens, var redzēt tikai to pašu nebeidzamo mežu.

Apņēmusies iet līdz tumsai, es soļoju, kamēr sāku klupt pār pašas kājām.

Pārgurusi uzvelkos kokā un piesprādzējos. Ēstgribas man nav, bet es sūkāju zaķa kaulu vienkārši tāpēc, lai mutei būtu, ko darīt. Iestājas nakts, atskan himna, un augstu debesīs es ieraugu meitenes attēlu. Tātad viņa bija no Astotā apgabala. Tā meitene, kuru Pīta aizgāja piebeigt.

Manas bailes no karjeristu bara salīdzinājumā ar mokošajām slāpēm ir nenozīmīgas. Turklāt viņi devās prom no manis, un arī viņiem būs jāatpūšas. Tā kā ūdens ir maz, varbūt viņiem pat bija jāatgriežas pie ezera, lai papildinātu krājumus.

Varbūt arī man tā ir vienīgā iespēja.

Rīts nes raizes. Man galvā truli atbalsojas katrs sirdspuksts. Visvienkāršākās kustības sāpīgi duras locītavās. Es drīzāk nokrītu nekā nolecu no koka. Paiet vairākas minūtes, kamēr es savācu savas mantas. Dziļi sirdī es apzinos, ka tā nevar. Man vajadzētu rīkoties piesardzīgāk, kustēties noteiktāk. Bet prāts miglojas, un ir grūti izdomāt, kā rīkoties. Es atspiežos pret koka stumbru un ar vienu pirkstu viegli taustu smilšpapīram līdzīgo mēles virsmu, un izvērtēju savas iespējas. Kur lai es dabūju ūdeni?

Atgriezties pie ezera? Neder. Tik tālu es nemūžam netikšu.

Cerēt uz lietu? Debesīs nav ne mākonīša.

Turpināt meklēt? Jā, tā ir mana vienīgā izvēle. Bet tad man prātā iešaujas cita doma, un tai sekojošās dusmas liek man atjēgties.

Heimičs! Viņš varētu man atsūtīt ūdeni! Nospiest pogu un dažu minūšu laikā likt man to atgādāt – piestiprinātu sudrabainam izpletnim. Es zinu, ka man noteikti ir atbalstītāji, vismaz viens vai divi, kas varētu atļauties man nopirkt pinti kāda šķidruma. Tas ir dārgi, tiesa, bet 173 tie ļaudis ir taisīti no naudas. Un arī viņi liks uz mani. Varbūt Heimičs nesaprot, cik ļoti man to vajag. Es ierunājos tik skaļi, cik vien uzdrošinos. – Ūdeni. – Cerību pilna gaidu, ka no debesīm nolaidīsies izpletnis. Bet nekas nenotiek. Kaut kas nav kārtībā. Vai es būtu neprātīga, iedomājoties, ka man ir atbalstītāji? Vai arī Pītas izturēšanās ir likusi tiem visiem novērsties? Nē, tam es neticu. Ir kāds, kas gribētu man nopirkt ūdeni, tikai Heimičs atsakās to nogādāt. Kā mans padomdevējs viņš kontrolē dāvanu plūsmu no maniem atbalstītājiem. Es zinu, ka viņš mani ienīst. To viņš ir izrādījis gana skaidri. Bet vai pietiekami, lai ļautu man nomirt? No slāpēm? To taču viņš nedrīkst, vai ne? Ja padomdevējs slikti izturēsies pret saviem pārstāvjiem, skatītāji un Divpadsmitā apgabala ļaudis viņu sauks pie atbildības. Ar to neriskētu pat Heimičs, vai ne? Varat teikt, ko gribat, par maniem sabiedrotajiem tirgoņiem no Centra, bet es nedomāju, ka viņi Heimiču sagaidītu ar atplestām rokām, ja viņš ļautu man tā nomirt. Un kur viņš tad dabūtu dzeramo? Tātad... kas par lietu? Vai viņš mēģina likt man ciest par to, ka viņu izaicināju? Vai viņš visu atbalstītāju devumu nogādā Pītam? Vai viņš ir pārāk piedzēries, lai vispār pamanītu, kas šobrīd notiek? Tam es kaut kā neticu un neticu arī, ka viņš mēģina mani nogalināt, pametot novārtā. Patiesībā viņš savā nejaukā veidā tiešām ir mēģinājis mani sagatavot tam, kas tagad notiek. Kas tādā gadījumā ir par lietu?

Es paslēpju seju plaukstās. Tagad nav jābaidās, ka raudāšu, es pat nāves briesmās nespētu izspiest ne asaras.

Ko Heimičs dara? Par spīti dusmām, naidam un aizdomām, prāta dziļumos iznirst klusa atbilde. *Varbūt viņš tev dod norādi*, balss čukst. Norādi. Kādu tad? Un tad es saprotu. Ir tikai viens iemesls, kāpēc lai Heimičs man nesūtītu ūdeni. Viņš zina, ka esmu to gandrīz atradusi. Es sakožu zobus un pieceļos kājās. Mana mugursoma šķiet trīsreiz smagāka. Es sameklēju nolūzušu zaru, kas noderēs kā ceļaspieķis, un sāku iet. Saule spiež un karsē vēl vairāk nekā pirmajās divās dienās. Es jūtos kā gabals vecas ādas, kas karstumā izkalst un saplaisā. Katrs solis sagādā mokas, bet es neapstājos. Es nepakļaujos vēlmei apsēsties. Ja apsēdīšos, tad, ļoti iespējams, vairs nevarēšu piecelties un vispār neatcerēšos savu uzdevumu.

Cik viegls upuris es būtu! Šobrīd mani varētu novākt jebkurš pārstāvis, pat sīciņā Rū, – mani varētu vienkārši pagrūst un nogalināt ar manu pašas nazi, un man būtu par maz spēka, lai pretotos. Bet, ja arī kāds ir tai pašā meža daļā, kur es, tad mani ignorē. Vispār es jūtos tā, it kā būtu miljons jūdžu attālumā no ikvienas dzīvas dvēseles.

Bet ne viena. Nē, šobrīd man noteikti seko kamera. Es domāju par tiem gadiem, kad esmu vērojusi, kā pārstāvji mirst badā, nosalst, noasiņo un dehidrējas līdz nāvei. Mani noteikti rāda, ja vien kaut kur citur nenotiek pamatīga cīņa.

Manas domas pievēršas Primai. Jādomā: viņa neskatās Spēles tiešajā ēterā, jo pusdienlaikā skolā rādīs jaunumus. Viņas dēļ es pūlos pēc iespējas neizrādīt izmisumu.

Bet pēcpusdienā es jūtu, ka beigas ir tuvu. Man dreb kājas, un sirds dauzās pārāk ātri. Es visu laiku piemirstu, ko daru. Es jau vairākas reizes esmu paklupusi, tomēr atguvusi līdzsvaru, bet tad spieķis izslīd un es beidzot nogāžos zemē un vairs nespēju piecelties. Es ļauju plakstiem aizvērties.

Es esmu novērtējusi Heimiču nepareizi. Viņam nav nekāda nolūka man palīdzēt.

Tas nekas, es domāju. *Te nav tik ļauni.* Gaiss vairs nav tik karsts, un tas nozīmē, ka tuvojas vakars. Jaušas viegla, salda smarža, kas man atgādina rožu aromātu. Mani pirksti glāstot tausta zemi un viegli slīd. *Šī vieta miršanai ir labu labā*, es nodomāju.

Es ar pirkstu galiem veidoju nelielus, apaļus ornamentus vēsajā, slidenajā zemē. *Es dievinu dubļus*, es domāju. Ne vienu vien reizi es esmu sekojusi medījumam tā mīkstajā, viegli nolasāmajā virsmā. Dubļi ir labi pret bišu kodumiem. Dubļi. Dubļi. Dubļi! Mani plaksti atsprāgst vaļā, un es ieroku pirkstus zemē. Tie ir dubļi! Mans deguns paceļas gaisā. Un tur ir rozes! Ūdensrozes!

Sāku līst pa dubļiem, vilkdamās uz smaržas pusi. Piecus jardus no vietas, kur pakritu, es caur augu puduri ievelkos dīķī. Uz tā virsmas šūpojas skaistas, dzeltenas ūdensrozes pilnos ziedos.

Tik tikko spēju savaldīties, lai nemestos ar seju ūdenī un nesarītos tik daudz, cik vien spēju. Man ir atlicis tieši tik veselā saprāta, lai atturētos. Ar drebošām rokām izvelku savu pudeli un piepildu to ar ūdeni. Pēc atmiņas pievienoju pareizo skaitu joda tinktūras pilienu, lai
ūdeni attīrītu. Nogaidīt pusstundu ir īstas mokas, bet es

to paveicu. Vai vismaz man liekas, ka tā ir pusstunda, visādā ziņā tik daudz, cik es varu izturēt.

Lēnām, uzmanīgi, es sev saku. Es noriju malku un lieku sev nogaidīt. Tad vēl malku. Nākamajās pāris stundās es izdzeru veselu pusgalonu. Tad vēl vienu. Es sagatavoju vēl vienu un uzkāpju kokā, un turpinu malkot ūdeni, uzkožot trusi, un pat atļaujos apēst vienu no dārgajiem sausiņiem. Kad sākas himna, es jau jūtos daudz labāk. Šonakt sejas nerāda, šodien neviens pārstāvis nav miris. Rīt es palikšu tepat, atpūtīšos, nomaskēšu savu mugursomu ar dubļiem, saķeršu mazās zivteles, ko redzēju dzerot, un izrakšu ūdensrožu saknes, lai pagatavotu labu maltīti. Es ieritinos savā guļammaisā, pieķerdamās ūdens pudelei kā dzīvībai, kas tā, protams, arī ir.

Pēc dažām stundām mani no snaudas atmodina kāju dipoņa. Es mulsi palūkojos apkārt. Vēl nav ausmas, bet manas sūrstošās acis tomēr redz.

Būtu grūti nepamanīt tuvojamies uguns sienu.

Es vispirms gribu rāpties lejā no koka, bet to izdarīt neļauj sasprādzētā josta. Es neveikliem pirkstiem kaut kā atkabinu sprādzi un, joprojām sapinusies guļammaisā, nokrītu zemē kā akmens. Nekādai mantu krāmēšanai nav laika. Par laimi, mugursoma un ūdens pudele jau ir maisā. Es iemetu tur arī jostu, pārmetu maisu pār plecu un metos bēgt.

Pasaule tinas liesmās un dūmos. Krakšķēdami lūst zari un krīt man pie kājām, šķiežot dzirksteļu strūklas. Es varu tikai sekot citiem – trušiem un stirnām, un es pamanu cauri mežam lēkšojam pat baru savvaļas suņu. Es uzticos viņu virziena izjūtai, jo viņu instinkti ir asāki par manējiem. Bet dzīvnieki ir daudz žiglāki, viņi tik graciozi traucas cauri pamežam, bet mani zābaki ķeras aiz saknēm un kritalām, un es nekādi nespēju turēties viņiem līdzi.

Ir drausmīgi karsti, bet vēl ļaunāki par svilinošo spelti ir dūmi, kas draud mani kuru katru brīdi nosmacēt. Es uzrauju pāri degunam krekla augšpusi un nopriecājos, ka tā ir izmirkusi sviedros un it kā izveido plānu, sargājošu masku. Skrienu uz priekšu, man uz muguras kuļājas maiss un sejā cērtas zari, kas bez brīdinājuma iznirst no pelēkās dūmakas. Es skrienu, jo zinu, ka ir jāskrien.

Uguns nav radusies no kāda pārstāvja apmetnes ugunskura, tā nav nekāda sagadīšanās. Svelmainās liesmas ir nedabīgi augstas un vienādas, kas norāda, ka tās ir cilvēku roku darbs – tīšuprāt sakurts sārts, Spēļu rīkotāju izgudrojums. Šodien bija pārāk mierīgi. Neviens nav miris, un varbūt pat nav bijis nevienas cīņas. Skatītāji Kapitolijā varbūt garlaikojas un apgalvo, ka Spēles sāk kļūt vienmuļas. Un vienmuļas Spēles nekādā gadījumā nedrīkst būt.

Nav grūti nojaust Spēļu rīkotāju motivāciju. Arēnā ir karjeristu bars un mēs, pārējie, un droši vien visi esam tālu cits no cita. Ugunij ir mūs jāizdzen no paslēptuvēm, jāsadzen mūs kopā. Tas varbūt nav oriģinālākais paņēmiens, kādu man ir nācies redzēt, bet tas noteikti ir ļoti, ļoti efektīvs.

Es pārlecu pāri degošam stumbram. Lēciens nav gana augsts. Jakas mugurpuse apakšā aizdegas, un man nākas apstāties, lai to norautu un nomīdītu liesmas. Bet es neuzdrošinos jaku aizmest, kaut arī tā ir apdegusi un vēl kvēlo, tāpēc riskēju un iebāžu to guļammaisā, cerēdama, ka gaisa trūkums apslāpēs dzirksteles, ko vēl neesmu nodzēsusi. Man ir tikai tas, ko nesu uz muguras, un izdzīvošanai tas jau tāpat ir maz.

Jau pēc dažām minūtēm man sāk svilt rīkle un deguns. Drīz pēc tam es sāku klepot, un man ir tāda sajūta, it kā plaušas būtu uzliktas cepināties. Sajūta ir nepatīkama, tad tā pārvēršas nepanesamā, un beidzot katrs elpas vilciens sāpīgi atbalsojas man krūtīs. Es sāku vemt un patveros akmeņu ielokā, kur zaudēju savas plānās vakariņas un visu, kas vien ir atlicis manā vēderā. Nometusies rāpus, es rīstos, kamēr vairs nav atlicis nekā.

Es zinu, ka ir jākustas, bet mani krata drebuļi un reibst galva, un es cīnos pēc elpas. Atļaujos iztērēt apmēram karotes tiesu ūdens mutes skalošanai, ko izspļauju, pēc tam iedzeru dažus malkus no pudeles. *Vienu minūti*, es sev piekodinu. *Tu vari atpūsties vienu minūti.* Es izmantoju laiku, lai sakārtotu mantas: saritinu guļammaisu un nekārtīgi sabāžu visu atpakaļ mugursomā. Mana minūte ir beigusies. Es zinu, ka ir laiks doties tālāk, bet dūmi ir aizmiglojuši manas domas. Žiglie dzīvnieki, kas kalpoja man par kompasu, jau ir prom. Zinu, ka šajā meža daļā iepriekš neesmu bijusi – iepriekšējos gājienos es neredzēju tādas lielas klinšu radzes kā tā, pret kuru atbalstos tagad. Uz kurieni Spēļu rīkotāji mani dzen? Atpakaļ uz ezeru? Uz pilnīgi jaunu apvidu ar jaunām briesmām? Es paguvu tikai dažas stundas atpūsties pie dīķa, kad sākās uzbrukums. Vai būtu iespējams kaut kādā veidā iet paralēli ugunij un nokļūt atpakaļ – vismaz pie ūdens? Uguns sienai noteikti kaut kur ir beigas, un tā arī nedegs mūžīgi. Ne jau tāpēc, ka Spēļu rīkotāji nevarētu tai nodrošināt degvielu, bet tāpēc, ka arī tad skatītāji sāktu sūdzēties par garlaicību. Ja es tiktu atpakaļ aiz ugunslīnijas, varētu izvairīties no karjeristiem. Jau izlemju izmest līkumu atpakaļ, kaut arī tas nozīmē iet vairākas jūdzes prom no šīs elles kurtuves un tad lielu līkumu atpakaļceļā, kad klintī apmēram divas pēdas no manas galvas ietriecas pirmā uguns lode. Es uzlecu kājās no sava patvēruma, jaunās bailēs sajuzdama enerģijas pieplūdumu.

Spēlē ir noticis pavērsiens. Uguns bija vajadzīga tikai, lai mūs piedabūtu kustēties, nu skatītājiem parādīs īsto jautrību. Izdzirdot nākamo svelpienu, es pat nepaskatīdamās piepļoku zemei. Uguns lode ietriecas kokā pa kreisi no manis, un tas uzliesmo. Palikt uz vietas nozīmētu nāvi. Es tik tikko paspēju pielēkt kājās, kad trešā lode uzsprāgst tur, kur es gulēju, un man aiz muguras paceļas ugunsstabs. Laiks zaudē nozīmi, es tikai drudžaini mēģinu izvairīties no lodēm. Es neredzu, no kurienes tās nāk, bet noteikti ne no helikoptera. Leņķis nav pietiekami ass. Droši vien šis meža gabals ir aprīkots ar kokos vai klintīs paslēptiem liesmu metējiem. Kaut kur vēsā, nevainojami spodrā istabā pie kontrolpults sēž Spēļu rīkotājs un tur pirkstus uz slēdžiem, kurus piespiežot mana dzīve izbeigtos vienā mirklī. Ir tikai jātrāpa.

Mans neskaidrais plāns attiecībā uz atgriešanos pie dīķa pilnīgi pagaist man no prāta, un es līkumoju un lokos, un lēkāju, lai izvairītos no uguns lodēm. Katra ir tikai apmēram ābola lielumā, bet trāpot tās eksplodē ar milzīgu spēku. Izdzīvošanas instinkts saasina visas maņas. Nav laika spriedelēt, vai kustība ir pareiza. Kad atskan svelpiens, ir vai nu jākustas, vai jāmirst.

Bet kaut kā es tomēr turpinu tikt uz priekšu. Es visu mūžu esmu skatījusies Bada Spēles un zinu, ka noteiktas arēnas daļas ir paredzētas noteiktiem uzbrukumiem. Ja vien es tikšu prom no šejienes, tad varbūt nokļūšu ārpus ugunsmetēju darbības rādiusa. Varbūt es arī tad uzreiz iegāzīšos odžu midzenī, bet tagad es nespēju par to satraukties.

Nezinu, cik ilgi es tā ložņāju, izvairīdamās no uguns lodēm, taču beidzot šāvieni sāk kļūt retāki. Tas ir labi, jo man atkal ir jāvemj. Šoreiz es izvemju žultaini skābu šķidrumu, kas applaucē man rīkli un iekļūst arī degunā. Mans ķermenis sāk locīties konvulsijās, izmisīgi cenšoties atbrīvoties no indes, ko esmu uzņēmusi uzbrukuma laikā, un es esmu spiesta apstāties. Es gaidu nākamo svelpienu – nākamo signālu, ka jāmetas tālāk. Rīstoties manās sūrstošajās acīs sariešas asaras. Manas drēbes ir izmirkušas sviedros. Līdz ar dūmu un vēmekļu dvaku es sajūtu svilstošu matu smārdu. Es aptaustu bizi un pamanu, ka viena lode ir nosvilinājusi vismaz sešas collas. Man pirkstos sabirzt nomelnējuši mati. Es brīdi blenžu kā apburta un tad sadzirdu tuvojošos svelpoņu. Mani muskuļi reaģē, tikai šoreiz nepietiekami ātri. Uguns lode ietriecas zemē man blakus, bet vispirms tā noslīd gar manu labo stilbu. Ieraugot degošās bikses, es zaudēju savaldīšanos. Es nokrītu zemē rāpus un lokos un mētājos, un kliedzu, mēģinādama tikt vaļā no šausmām. Kad es beidzot atgūstu spēju domāt, es vārtu kāju zemē, apslāpējot lielāko daļu liesmu. Bet tad nedomājot ar kailām rokām noplēšu atlikušo audumu.

Sēžu zemē dažas pēdas no uguns lodes sakurtā sārta. Mans stilbs zvērīgi sāp, un rokas klāj sarkanas čulgas. Mani pārāk stipri krata drebuļi, lai kustētos. Ja Spēļu rīkotāji grib mani piebeigt, tad tagad ir īstais brīdis.

Domās es dzirdu Sinnas balsi, kas atsauc atmiņā greznus audumus un mirdzošus dārgakmeņus: "Katnisa – meitene ugunī." Spēļu rīkotāji par to noteikti smejas kā kutināti. Iespējams, tieši Sinnas skaistie tērpi ir atnesuši man šīs mocības. Es zinu, ka viņš nebūtu varējis to paredzēt, jo es no sirds ticu, ka viņam nav vienalga, kas ar mani notiek. Beigu beigās man varbūt būtu bijis visdrošāk braukt tajos ratos pilnīgi kailai.

Uzbrukums ir galā. Spēļu rīkotāji negrib, ka es mirstu. Vismaz pagaidām ne. Visi zina, ka viņi mūs visus varētu iznīcināt dažu sekunžu laikā pēc atklāšanas gonga. Bet galvenā izprieca Bada Spēlēs ir vērot, kā pārstāvji nogalina cits citu. Laiku pa laikam šie novāc kādu pārstāvi tikai tāpēc, lai atgādinātu spēlētājiem, ka to var. Bet lielākoties rīkotāji manipulē ar spēlētājiem tā, lai tie nonāktu aci pret aci. Tātad, ja jau uz mani vairs nešauj, tad tuvumā ir vismaz vēl viens pārstāvis.

Es tagad uzrāptos kokā un noslēptos, ja to spētu, bet dūmu vāli joprojām ir gana biezi, lai mani noindētu. Es piespiežos piecelties kājās un sāku klibot prom no liesmu mūra, kas izgaismo debesis. Neliekas, ka uguns vēl vilktos man pakaļ, ja neskaita smirdošos, melnos dūmu mākoņus.

Maigi sāk aust cita – dienas gaisma. Saules starus aizsedz dūmi. Es gandrīz neko neredzu. Varbūt tikai kādus piecdesmit jardus uz visām pusēm. Tur no manis pavisam viegli varētu paslēpties kāds pārstāvis. Vajadzētu piesardzības vārdā izvilkt nazi, bet es šaubos, ka spētu to ilgi noturēt. Sāpošās rokas gan nav nekas salīdzinājumā ar stilbu. Man riebjas apdegumi, es jau no sākta gala tos neciešu ne acu galā – pat pavisam nelielus, tādus, ko var dabūt, velkot no krāsns maizes kukuli. Man šīs sāpes ir pašas nejaukākās, bet kaut ko tādu kā nupat es vēl nekad neesmu piedzīvojusi.

Es esmu pagalam nogurusi un pat nepamanu, ka esmu pie dīķa, kamēr neesmu iebridusi jau līdz potītēm. Dīķī ieplūst avotiņš, kas netālu urdz no plaisas klintī, un ūdens ir dievišķi vēss. Es iemērcu rokas seklajā ūdenī un 183 uzreiz sajūtu atvieglojumu. Vai to vienmēr nesaka mana māte? Ka pirmās zāles apdegumiem ir auksts ūdens? Ka tas izvelk karstumu? Bet viņa ar to domāja nelielus apdegumus. To viņa droši vien ieteiktu manām rokām. Bet stilbam? Kaut arī es vēl neesmu saņēmusi drosmi kāju apskatīt, es domāju, ka šis ievainojums ir pilnīgi citāds.

Kādu laiku uz vēdera guļu dīķa malā un plunčinu rokas ūdenī, pētīdama uz nagiem uzkrāsotās sīciņās liesmas, kas pamazām sāk lobīties nost. Labi vien ir. Uguns man tagad pietiek visam mūžam.

Es nomazgāju no sejas asinis un pelnus un mēģinu atcerēties visu, ko zinu par apdegumiem. Vīlē, kur ēdiena pagatavošanai un māju apsildīšanai izmanto ogles, apdegumi ir bieži. Un vēl ir negadījumi raktuvēs... Reiz kāda ģimene atnesa jaunu vīrieti bezsamaņā un lūdzās, lai mana māte viņam palīdz. Par raktuvju strādniekiem atbildīgais apgabala ārsts viņu norakstīja un pateica ģimenei, lai ved vīrieti mājās nomirt. Bet ģimene negribēja ar to samierināties. Vīrietis gulēja uz mūsu virtuves galda, neko nenojauzdams par pasauli sev apkārt. Es īsu mirkli ieraudzīju vāti uz viņa augšstilba – atsegtu, pārogļojušos miesu, izdegušu līdz kaulam – un tad aizbēgu no mājām. Es devos uz mežu un visu dienu medīju, un domās mani vajāja skats uz drausmīgo kāju un atmiņas par tēva nāvi. Dīvainā kārtā Prima, kura baidās pat no pašas ēnas, toreiz palika un palīdzēja. Mana māte apgalvo, ka par dziedniekiem nekļūst – par tiem piedzimst. Abas darīja visu, kas bija viņu spēkos, bet vīrietis vienalga nomira, kā jau ārsts bija teicis.

Man vajadzētu pievērsties kājai, bet es joprojām nespēju uz to paskatīties. Ja nu būs tikpat slikti kā tam vīrietim – ja nu es ieraudzīšu kaulu? Bet tad es atceros, ka māte teica: ja apdegums ir nopietns, tad upuris pat nejūt sāpes, jo ir iznīcināti nervi. Sevi iedrošinājusi, es pieceļos sēdus un izstiepju kāju sev priekšā. Ieraugot savu stilbu, es gandrīz paģībstu. Miesa ir koši sarkana, un to no vienas vietas klāj čūlas. Es piespiežu sevi elpot dziļi un lēni, nešaubīdamās, ka manai sejai ir pievērstas kameras. Es nevaru izrādīt vājumu ievainojuma dēļ. Ja gribu palīdzību, sevis žēlošana man nekādu palīdzību nesagādās. Bet apbrīna par manu nepadošanos gan. Es nogriežu atlikušās auduma skrandas līdz celim un aplūkoju ievainojumu tuvāk. Apdegums ir apmēram manas plaukstas lielumā. Āda nekur nav melna. Nav tik slikti, lai neiemērktu to ūdenī. Es piesardzīgi pastiepju kāju dīķī, atbalstīdama zābaka papēdi uz akmens, lai apava āda pārāk neizmirktu, un nopūšos, jo ūdens tiešām sniedz zināmu atvieglojumu. Es zinu, ka ir zālītes, kuras, ja vien varētu tās atrast, paātrinātu dzīšanu, bet es īsti nevaru atcerēties, kādas. Droši vien man būs jāapmierinās ar ūdeni un laiku.

Vai man kustēties tālāk? Dūmi sāk pamazām izklīst, bet joprojām ir pārāk smagi, lai nāktu par labu veselībai. Ja es došos prom no uguns, vai tad neiekritīšu tieši bruņotu karjeristu nagos? Turklāt ikreiz, kad es paceļu kāju no ūdens, sāpes uzliesmo tik stipri, ka man tā ir jānolaiž atpakaļ. Ar plaukstām nav gluži tik traki. Tās var pa sprīžiem izņemt no ūdens. Tāpēc es lēnām sakārtoju savas mantas. Vispirms es piepildu savu pudeli ar ūdeni, attīru to un, kad ir pagājis pietiekami ilgs laiks, sāku atveldzēties. Pēc kāda laika es piespiežos noskrubināt sausiņu, kas palīdz nomierināt māgu. Es saritinu guļammaisu. Tas ir samērā neskarts, ja neskaita dažas nomelnējušas vietas. Ar jaku ir citādi. Tā ir apsvilusi un smird, un vismaz pēda auduma uz muguras nav glābjama. Nogriežu sabojāto daļu, un man paliek apģērba gabals, kas piesedz vairs tikai ribas. Bet kapuce ir neskarta, un tāda jaka ir daudz labāka par neko.

Par spīti sāpēm, mani sāk mākt snaudiens. Es gribētu uzrāpties kokā un mēģināt atpūsties, bet tad mani būtu pārāk viegli pamanīt. Turklāt šķiet neiespējami pamest dīķi. Es kārtīgi sakārtoju savas mantas un pat uzlieku somu plecos, bet nespēju aiziet. Pamanu dažus ūdens augus ar ēdamām saknēm un pagatavoju nelielu maltīti kopā ar pēdējo zaķa gabalu. Iedzeru ūdeni. Vēroju, kā saule met lēnu loku debesīs. Un kur tad es vispār varu aiziet – kur būtu drošāk par šejieni? Es atlaižos uz savas somas un ļaujos snaudai. *Ja karjeristi mani grib, tad lai jau atrod ar'*, es nodomāju, pirms laižos nomidzī. *Lai atrod.*

Un viņi tiešām atrod. Protams. Laimīgā kārtā es esmu gatava bēgt, jo tad, kad izdzirdu soļus, man ir mazāk nekā minūte handikapa. Sāk nolaisties vakars. Tajā pašā mirklī, kad pamostos, es jau pietrūkstos kājās un metos skriet, augstu uzšļakstīdama ūdeni un iemezdamās pamežā dīķa otrā pusē. Kāja mani kavē, bet es jūtu, ka arī mani sekotāji vairs nav tik žigli kā pirms ugunsgrēka. Es dzirdu, kā viņi klepo un sasaucas aizsmakušās balsīs.

Un tomēr viņi tuvojas kā savvaļas suņu bars, tāpēc es daru to, ko visu mūžu tādos apstākļos esmu darījusi. Es izvēlos augstu koku un sāku kāpt. Ja skrienot man

sāpēja, tad kāpjot sāpes pārvēršas īstās mocībās, jo vajag
ne tikai piepūlēties, bet vēl arī tieši ar plaukstām pie-
skarties koka mizai. Bet es esmu žigla, un, kad karjeristi
sasniedz koku, es jau esmu divdesmit pēdu augstumā.
Brīdi mēs sastingstam un aplūkojam cits citu. Cerams,
viņi nedzird, kā dauzās mana sirds.

Tās varētu būt beigas, nodomāju. Kādas ir manas iz-
redzes? Visi seši ir tur lejā – pieci karjeristi un Pīta, un
mans vienīgais mierinājums ir, ka arī viņi ir diezgan
nokausēti. Bet vienalga, paskat, kādi viņiem ir ieroči!
Paskat, kā viņu sejas savelkas smaidā un atņirdz zobus,
lūkojoties uz mani – drošu medījumu virs viņu galvām!
Situācija ir visai bezcerīga. Bet tad es aptveru vēl kaut
ko. Nav šaubu, ka viņi ir lielāki un stiprāki par mani,
bet viņi ir arī smagāki. Ne jau velti es, nevis Geils, uz-
drošinos kāpt pēc nobriedušajiem augļiem visaugstāk
un izlaupīt visaugstākās putnu ligzdas. Es noteikti sveru
vismaz piecdesmit vai sešdesmit mārciņas mazāk par vis-
mazāko karjeristu.

Tagad pasmaidu es. – Kā jums labi klājas? – es dzī-
vespriecīgi uzsaucu.

Viņus tas apstulbina, bet es zinu, ka skatītājiem pa-
tiks.

– Tīri tā nekas, – atbild puisis no Otrā apgabala.
– Un tev?

– Pēdējā laikā ir pārāk karsti, un tas nav manā gau-
mē, – es attraucu, domās gandrīz dzirdēdama kapito-
liešu smieklus. – Te augšā gaiss ir labāks. Varbūt uzkāp
tu arī?

– Tā es arī darīšu, – tas pats puisis solās.

– Še, paņem šito, Kāto – ierunājas meitene no Pirmā apgabala un sniedz viņam sudrabaino loku un bultu maku. Mans loks! Manas bultas! Jau tos ieraugot vien, es tā pārskaišos, ka man gribas kliegt – uz sevi, uz to nodevēju Pītu par to, ka viņš novērsa manu uzmanību un es nedabūju ieročus. Mēģinu uzmeklēt viņa acis, bet viņš apzināti izvairās no mana skatiena un ar krekla malu spodrina savu nazi.

– Nē, – Kāto saka, atstumdams loku. – Ar zobenu man veiksies labāk. – Es ieraugu ieroci ar īsu, smagu asmeni pie viņa jostas.

Nogaidu, kamēr Kāto sāk rāpties kokā, un tad arī atsāku kāpt. Geils allaž saka: es viņam atgādinot vāveri – tā es raušoties augšā pa pašiem tievākajiem zariem. Daļēji par to jāpateicas manam svaram, bet daļēji arī treniņam. Ir jāzina, kur likt rokas un kājas. Es esmu vēl trīsdesmit pēdas augstāk, kad izdzirdu krakšķi un, palūkojusies lejup, redzu: Kāto, rokas vicinādams, gāžas lejā kopā ar nolūzušu zaru. Viņš smagi atsitas pret zemi, un es ceru, ka viņš varbūt ir lauzis sprandu, bet viņš, neganti lamādamies, pieceļas.

Meitene ar bultām (es dzirdu kādu nosaucam viņu par Spīgalu – pretīgi, kādus tik vārdus bērniem nedod Pirmajā apgabalā) – tātad Spīgala kāpj kokā, kamēr zari zem viņas kājām sāk krakšķēt, un viņai pietiek prāta apstāties. Es esmu vismaz astoņdesmit pēdu augstumā. Viņa mēģina uz mani šaut, un uzreiz ir skaidrs, ka viņa neprot apieties ar loku. Viena bulta iestrēgst kokā netālu no manis, un es varu to izvilkt. Zobgalīgi novicinu bultu viņai virs galvas, it kā tas būtu vienīgais iemesls to vispār izvilkt, bet patiesībā es esmu nodomājusi likt bultu lietā, ja vien radīsies tāda izdevība. Ja sudrabainie ieroči būtu manās rokās, es varētu viņus nogalināt – visus kā vienu.

Karjeristi lejā pārkārtojas, un es dzirdu viņus sazvērnieciski sačukstamies. Viņi ir pārskaitušies, ka pataisīju viņus par muļķiem. Bet sabiezē krēsla, un izdevība mani nogalināt ir palaista garām. Beidzot es dzirdu, kā Pīta piesmakušā balsī saka: – Ai, lai tak viņa paliek tur augšā. Nekur viņa nespruks. Mēs tiksim ar viņu galā no rīta.

Nujā, vienā ziņā viņam ir taisnība. Es nekur nesprukšu. Visa dīķa sniegtā veldze ir izgaisusi, un es sajūtu savus apdegumus ar jaunu spēku. Es norāpjos zemāk uz kādu stakli un neveikli sāku gatavoties gulēšanai. Uzvelku jaku. Izklāju guļammaisu. Piesprādzējos un mēģinu nekunkstēt. Karstums guļammaisā manai kājai ir nepanesams. Es izgriežu audumā caurumu un izkaru stilbu ārā. Apslaku vāti un rokas ar ūdeni.

Visa mana bravūra ir pagaisusi. Es esmu novārgusi no sāpēm un izsalkuma, bet nespēju piespiesties kaut ko apēst. Pat tad, ja izdosies pārciest nakti, – ko nesīs rīts? Blenžu lapotnē un mēģinu sevi piespiest atpūsties, bet apdegumi to neļauj. Putni iekārtojas naktij un dzied šūpļa dziesmas saviem mazuļiem. Izlien nakts radības. Ūjina kāda pūce. Cauri dūmu smakai var viegli sajust skunksa smārdu. No blakus koka manī lūkojas kāda dzīvnieka acis – varbūt oposuma – un spīguļo karjeristu lāpu gaismā. Pēkšņi es paslejos uz elkoņa. Tās nav oposuma acis. To stiklaino spīdumu es pazīstu ļoti labi. Tās vispār nav dzīvnieka acis. Pēdējos blāvajos gaismas staros es pamanu meiteni, kas cauri zariem klusi nolūkojas manī.

Rū.

Cik ilgi viņa jau tur ir? Droši vien visu laiku. Kamēr lejā risinājās notikumi, viņa sēdēja te nekustīga un neviena nepamanīta. Varbūt viņa uzkāpa kokā pirms manis, izdzirdējusi, ka šamo bars ir tik tuvu.

Brīdi mēs lūkojamies viena otrai acīs. Un tad meitenes sīkā rociņa izslīd no lapotnes, nesakustinot ne lapiņu, un norāda uz kaut ko man virs galvas.

14

Es palūkojos lapotnē viņas norādītajā virzienā. Sākumā es nesaprotu, uz ko viņa rāda, bet tad es apmēram piecpadsmit pēdas augstāk mijkrēslī samanu neskaidru apveidu. Bet kas... kas tas ir? Kaut kāds dzīvnieks? Kamols izskatās apmēram jenota lielumā, bet tas nokarājas no zara un pavisam vieglītēm šūpojas. Tas ir kaut kas cits. Reizē ar pazīstamajām vakara skaņām mežā manas ausis saklausa vieglu zumēšanu. Un tad es saprotu. Tas ir lapseņu pūznis.

Mani pārņem bailes, bet man pietiek prāta, lai nekustētos. Galu galā es nezinu, kas tās ir par lapsenēm. Tās varētu būt parastās – tādas, kuras liks mani mierā, ja likšu mierā viņas. Bet mēs esam Bada Spēlēs, un tajās gandrīz nekas nav normāls. Drīzāk lapsenes ir Kapitolija mutanti – sekotājdzēlējas. Tāpat kā zobgaļsīļus, arī šīs slepkavīgās lapsenes pavairoja laboratorijā un tad kara laikā stratēģiski izvietoja ap apgabaliem – kā mīnas. Sekotājdzēlējas ir lielākas par parastajām lapsenēm, tām ir raksturīgs vienmērīgi zeltains ķermenis, un to dzēlieni rada uztūkumu plūmes lielumā. Cilvēki parasti nepanes vairāk par dažiem dzēlieniem. Daži mirst uzreiz. Ja izdzīvo, tad indes radītās halucinācijas jau ne vienu vien ir iedzinušas ārprātā. Un vēl kas – šīs lapsenes izsekos katru, kas tās iztraucēs pūznī, un mēģinās traucētāju nogalināt. Tāpēc jau viņas sauc par sekotājdzēlējām.

Pēc kara Kapitolijs iznīcināja visus pūžņus ap savu pilsētu, bet tos, kas bija ap apgabaliem, atstāja neskartus. Laikam jau tas bija vēl viens atgādinājums par mūsu vājumu – tāpat kā Bada Spēles. Vēl viens iemesls, lai Divpadsmitajā apgabalā turētos žoga iekšpusē. Kad mēs ar Geilu uzduramies sekotājdzēlēju pūznim, mēs uzreiz dodamies pretējā virzienā.

Vai tas, kas tagad karājas virs manis, ir sekotājdzēlēju pūznis? It kā meklējot palīdzību, es palūkojos atpakaļ uz Rū, bet viņa ir nozudusi savā kokā.

Manā situācijā laikam gan nav nozīmes tam, kādas lapsenes tur ir. Esmu ievainota un slazdā. Tumsa man ir sniegusi īsu atelpu, bet, tiklīdz uzausīs saule, karjeristiem būs gatavs plāns, kā mani nogalināt. Viņi nekādā gadījumā nerīkosies citādi, ne jau nu pēc tam, kad esmu viņiem likusi justies kā gatavajiem stulbeņiem. Pūznis varbūt ir mana vienīgā iespēja. Ja es varētu to nomest uz viņiem, tad varbūt izglābtos. Bet, to mēģinot, es riskēšu ar savu dzīvību.

Protams, es nemūžam netikšu pūznim tik tuvu, lai to nogrieztu. Man būs jānozāģē zars pie stumbra un jānomet zemē kopā ar pūzni. Ar mana naža roboto daļu vajadzētu izdoties. Bet vai to izturēs manas rokas? Un vai zāģēšanas radītā vibrācija neatmodinās spietu? Un ja nu karjeristi saprot manu nodomu un pārvācas? Tas izjauktu visu plānu.

Es atskāršu, ka vislabāk būs nemanāmi zāģēt himnas laikā. Tā varētu sākties kuru katru brīdi. Es izraušos no guļammaisa, pārliecinos, ka nazis ir piestiprināts pie jostas, un sāku kāpt augstāk kokā. Jau tas vien ir bīstami, jo zari kļūst bīstami tievi pat man, bet es neatstājos. Kad es uzrāpjos uz zara, kurā karājas pūznis, zumēšana pieņemas spēkā. Bet, ja tās tiešām ir sekotājdzēlējas, tad skaņa ir savādi slinka. *Tas ir dūmu dēļ*, es apjaušu. *Tie ir viņas iemidzinājuši.* Tā bija vienīgā aizsardzība, kādu dumpinieki atklāja cīņā pret lapsenēm.

Virs manis atmirdz Kapitolija zīmogs un skaļi nodārd himna. *Tagad vai nekad*, es domāju un sāku zāģēt. Neveikli velkot nazi šurpu turpu, pārplīst čūlas uz manas labās rokas. Kad esmu uzķērusi ritmu, darbs ir vieglāks, bet sāpes vienalga ir gandrīz nepanesamas. Es sakožu zobus un zāģēju tālāk, laiku pa laikam pamezdama skatienu uz debesīm, un pamanu, ka šodien neviens nav miris. Tas nekas. Skatītāji būs apmierināti, redzot, ka es esmu ievainota un uzdzīta kokā, un zem manis ir bars. Bet himna beidzas, un, kad izskan pēdējie akordi, esmu pārzāģējusi tikai trīs ceturtdaļas. Debesis satumst, un es esmu spiesta pārtraukt.

Ko nu? Droši vien es varētu darāmo pabeigt pēc taustes, bet tas laikam nebūs tas gudrākais plāns. Ja lapsenes būtu pārāk miegainas vai ja pūznis krītot aizķertos aiz kāda zara, tāda laika izšķiešana varētu izrādīties nāvējoša. Es gribu izglābties. *Labāk*, es domāju, *klusiņām uzkāpšu augšā rītausmā un uzmetīšu ligzdu saviem ienaidniekiem.*

Karjeristu lāpu nespodrajā gaismā es lēnām nokāpju atpakaļ uz savu žākli, un tur mani sagaida labākais pārsteigums, kādu jebkad esmu piedzīvojusi. Uz mana guļammaisa stāv neliels, pie sudrabaina izpletņa piestiprināts plastmasas bundulītis. Mana pirmā dāvana no atbalstītāja! Heimičs būs to atsūtījis himnas laikā. Trauciņš ir mazs, tas viegli iegulst manā plaukstā. Kas tas varētu būt? Noteikti ne ēdiens. Es noskrūvēju vāku un pēc smaržas noprotu, ka tās ir zāles. Es piesardzīgi pataustu ziedes virsmu. Sāpes pirkstgalā izgaist.

– Ak, Heimič, – es čukstu. – Paldies. – Viņš nav mani pametis. Viņš nav mani atstājis cīnīties vienu pašu. Tādas zāles noteikti maksā astronomisku summu. Droši vien par nelielo trauciņu nevis samaksāja viens atbalstītājs, bet sameta vairāki. Zāles ir nenovērtējamas.

Es iemērcu trauciņā divus pirkstus un saudzīgi uzklāju balzamu savam ikram. Zāļu efekts ir gandrīz vai maģisks – tās veldzē sāpes, jau pieskaroties vien, un atstāj patīkamu, vēsu sajūtu. Tas nav nekāds zālīšu brūvējums, kādu mana māte jauc no meža augiem, tās ir augsto tehnoloģiju radītas zāles no Kapitolija laboratorijām. Kad kāja ir apstrādāta, mazliet zāļu ieberzēju plaukstās. Ievīstījusi trauciņu izpletnī, es to kārtīgi noglabāju somā. Tagad, kad sāpes ir rimušās, es tik tikko pagūstu iekārtoties atpakaļ savā guļammaisā, kad jau ieslīgstu miegā.

Putns, kas tup zarā tikai nedaudzas pēdas no manis, brīdina, ka aust jauna diena. Pelēkajā rītausmā es aplūkoju savas rokas. Zāles visus koši sarkanos pleķus ir izlīdzinājušas maigā mazuļa ādas sārtumā. Kāja joprojām sūrst, bet tajā apdegums bija daudz dziļāks. Es uzklāju jaunu zāļu kārtu un klusām sakravāju mantas. Lai kas notiktu, man būs jākustas un tas jādara ātri. Es piespiežos arī apēst sausiņu un šķēlīti gaļas un iedzeru dažus malkus ūdens. Vakar man vēderā nepalika gandrīz nekas, un es jau sāku just bada iespaidu.

Lejā, zemē, es redzu guļam karjeristu baru un Pītu. Spīgala ir atspiedusies pret koka stumbru un pēc pozas izskatās, ka viņai bijis jāstāv sardzē, bet tad viņu pieveicis nogurums.

Es samiedzu acis un mēģinu kaut ko saskatīt blakus kokā, bet nevaru Rū ieraudzīt. Viņa man deva padomu, tāpēc ir tikai godīgi brīdināt viņu. Turklāt, ja es šodien miršu, es gribētu, lai uzvar Rū. Doma par Pītu kā uzvarētāju ir nepanesama, pat ja tas nozīmētu mazliet papildu pārtikas manai ģimenei.

Es klusinātā čukstā saucu Rū vārdu, un kokā uzreiz parādās platas, modras acis. Viņa atkal norāda uz pūzni augstāk. Es paceļu gaisā nazi un rādu, ka zāģēšu. Meitene pamāj un nozūd. Tuvākajā kokā atskan viegla čaboņa, bet tā atkārtojas mazliet tālāk. Es aptveru, ka viņa lec no koka uz koku, un tik tikko novaldos, lai skaļi neiesmietos. Vai to viņa parādīja Spēļu rīkotājiem? Es iztēlojos, kā viņa lido ap vingrošanas zāli, ne reizes nepieskaroties zemei. Viņai būtu vajadzējis dabūt vismaz desmit punktus.

Austrumos debesīs sārtojas rožainas svītras. Es nevaru gaidīt vēl ilgāk. Salīdzinājumā ar mokpilno kāpienu vakar vakarā tagad rāpties augstāk ir tīrais sīkums. Nokļuvusi pie zara, kurā karājas pūznis, es ielieku nazi izzāģētajā robā un jau taisos sākt darbu, kad pamanu kaut ko sakustamies. Uz pūžņa. Spoži zeltainu sekotājdzēlējas atspīdumu. Kukainis laiski rāpo pa pelēcīgo, papīram līdzīgo virsmu. Nav šaubu, ka lapsene uzvedas mazliet miegaini, bet tomēr tā ir atmodusies un kustas, un tas nozīmē, ka drīz laukā nāks arī pārējās. Man nosvīst plaukstas un caur ziedes kārtiņu sariešas sviedru pērlītes, un es, kā vien spēdama, nosusinu rokas kreklā. Ja es nepieveikšu zaru dažu sekunžu laikā, tad varbūt izlīdīs viss spiets un uzbruks man.

Gaidīt ilgāk nav nekādas jēgas. Es dziļi ieelpoju, cieši satveru naža spalu un spiežu tik stipri, cik vien varu. *Uz priekšu, atpakaļ, uz priekšu, atpakaļ!* Sekotājdzēlējas sāk zumēt, un es dzirdu tās raušamies laukā. *Atpakaļ, uz priekšu, atpakaļ, uz priekšu!* Manā celī iedegas svelošas sāpes, un es nojaušu, ka viena ir mani atradusi un tai sekos pārējās. *Atpakaļ, uz priekšu, atpakaļ, uz priekšu.* Kad nazis pārgrauž zaru līdz galam, atgrūžu zara galu tik tālu no sevis, cik vien iespējams. Tas gāžas lejā cauri zemākajām pazarēm, dažās uz brīdi aizķerdamies, bet atkal atraisās un ar būkšķi nogāžas zemē. Pūznis pašķīst kā ola, un gaisā paceļas saniknotu sekotājdzēlēju spiets.

Es sajūtu otro dzēlienu vaigā un trešo kaklā, un no lapseņu indes man gandrīz uzreiz sareibst galva. Es ar vienu roku pieturos pie koka un ar otru izrauju no ādas atskabargainos dzeloņus. Laimīgā kārtā, pirms ligzda nogāzās, mani bija pamanījušas tikai trīs lapsenes. Pārējie kukaiņi par ienaidniekiem uzskata zemē esošos.

Sākas drausmīgs juceklis. Karjeristi pamostas pašā sekotājdzēlēju uzbrukuma karstumā. Pītam un dažiem pārējiem pietiek prāta visu atstāt un mesties bēgt. Es dzirdu kliedzienus: – Uz ezeru! Uz ezeru! – un nojaušu, ka viņi cer no lapsenēm paglābties ūdenī. Ezers noteikti

ir tuvu, ja jau viņi domā, ka spēs skrienot glābties no

sakaitinātajiem kukaiņiem. Spīgalai un vēl vienai meitenei no Ceturtā apgabala veicas sliktāk. Viņas sakož vairākas reizes, pirms vēl abas nozūd manam skatienam. Spīgala laikam jau galīgi zaudē prātu, viņa spiedz un mēģina lapsenes atvairīt ar loku, bet tas neko nelīdz. Viņa sauc pēc palīdzības, bet pārējie, protams, neatgriežas. Meitene no Ceturtā apgabala streipuļodama pazūd no mana redzesloka, bet diez vai viņa tiks līdz ezeram. Es redzu, kā Spīgala nokrīt, dažas minūtes histēriski raustās un tad norimst.

No pūžņa ir palikusi tikai tukša čaula. Lapsenes ir nozudušas, vajājot pārējos. Es nedomāju, ka tās atgriezīsies, bet es riskēt negribu. Žigli noraušos no koka, nolecu zemē un metos skriet prom no ezera. Streipuļoju no lapseņu indes, bet atrodu ceļu atpakaļ uz nelielo dīķi un katram gadījumam iegUļos ūdenī – ja nu kāda lapsene man sekotu. Apmēram pēc piecām minūtēm es izvelkos uz akmeņiem. Ļaužu runas par sekotājdzēlēju kodumu sekām nav bijušas pārspīlētas. Pampums uz mana ceļa drīzāk ir pat apelsīna nekā plūmes lielumā. No vietām, kur es izvilku dzeloņus, sūcas nelāgi smirdošs, zaļš šķidrums.

Pampums. Sāpes. Sūce. Skats uz mirstošo Spīgalu, kura raustījās uz zemes. Ir noticis tik daudz, bet saule vēl nav pat parādījusies virs apvāršņa. Man negribas domāt par to, kā Spīgala tagad izskatās. Viņas ķermenis ir zaudējis formu. Pietūkušie pirksti sastingst ap loku...

Loks! Manā apdullušajā prātā viena doma savienojas ar kādu citu, un es pietrūkstos kājās un nedrošiem soļiem steberēju cauri mežam atpakaļ pie Spīgalas. Loks.

Bultas. Man ir tie jādabū. Lielgabala šāvienu es vēl ne-esmu dzirdējusi, tā ka Spīgala varbūt ir tikai bezsamaņā, varbūt viņas sirds vēl cīnās pret lapseņu indi. Bet, kad tā apstāsies un lielgabals paziņos par viņas nāvi, atlidos helikopters un savāks viņas līķi, līdz ar to uz visiem lai-kiem paņemot līdzi vienīgo loku un bultas, ko Spēlēs esmu redzējusi. Un es nepieļaušu, ka tie man atkal izslīd no rokām!

Es nokļūstu līdz Spīgalai tieši tai brīdī, kad atskan lielgabala šāviens. Sekotājdzēlējas ir prom. Meiteni, kura interviju vakarā savā zeltainajā kleitā bija tik satriecoši skaista, vairs nevar ne pazīt. Viņai vaibstu vairs nav, un locekļi ir sapampuši trīstik resni. Kodienu tūkumi sāk plīst, un ap augumu sūcas smirdošais, zaļais šķidrums. Lai atbrīvotu loku, man nākas ar akmeni salauzt vairā-kus locekļus, kas kādreiz bija viņas pirksti. Bultu maks ir iespiests meitenei zem muguras. Es mēģinu apvelt viņu otrādi, velkot aiz vienas rokas, bet miesa manos pirkstos izirst, un es atkrītu atpakaļ zemē.

Vai tas notiek pa īstam? Vai arī man ir sākušās halu-cinācijas? Es cieši samiedzu acis un mēģinu elpot caur muti, stingri sev piekodinādama, ka nedrīkst kļūt slikti. Brokastīm ir jāpaliek vēderā, jo varbūt paies vairākas dienas, līdz es atkal varēšu medīt. Atskan vēl viens liel-gabala šāviens, un es spriežu, ka nupat ir nomirusi mei-tene no Ceturtā apgabala. Es dzirdu, kā putni pieklust un viens brīdinoši aizkliedzas, kas nozīmē, ka tūlīt pa-rādīsies helikopters. Es mulsi domāju, ka tas ir atlido-jis pakaļ Spīgalai, kaut arī tas nav īsti saprotams, jo es vēl esmu pie viņas un vēl cīnos par bultām. Es paslejos uz ceļiem, un koki visapkārt sāk vest traku riņķa danci. Debesīs es samanu helikopteru. Metos šķērsām pāri Spīgalas līķim, it kā lai to sargātu, bet tad redzu, ka gaisā paceļas un nozūd Ceturtā apgabala meitenes mirstīgās atliekas.

– Nodari to! – es sev pavēlu. Sakodusi zobus, es iebāžu rokas zem Spīgalas ķermeņa, satveru to, kam vajadzētu būt viņas krūšu kurvim, un ar pūlēm apveļu viņu uz vēdera. Es vairs nespēju savaldīties, mana elpa kļūst drudžaina. Viss notiek kā murgā, un man zūd apjausma par to, kas ir īsts. Es pavelku sudrabaino bultu maku, bet tas ir aiz kaut kā aizķēries, varbūt aiz viņas lāpstiņas vai kaut kā tāda, un beidzot izrauju to raušus. Tikko es esmu satvērusi maku rokās, es sadzirdu vairāku kāju pāru soļus pamežā un atskāršu, ka karjeristi ir atgriezušies. Viņi ir atgriezušies, lai mani nogalinātu, lai atgūtu savus ieročus. Vai arī abējādi.

Bet bēgšanai ir par vēlu. Es izvelku no maka glumu bultu un mēģinu uzvilkt loku, bet vienas stiegras vietā redzu trīs un no kodieniem garo tik pretīga dvaka, ka es to nespēju. Es to nespēju. Es nespēju.

Es bezpalīdzīgi stāvu, kad starp kokiem parādās pirmais mednieks ar metienam paceltu šķēpu. Es galīgi neizprotu šoku Pītas sejā. Es gaidu triecienu. Tā vietā viņš nolaiž roku.

– Ko tu te vēl dari? – viņš man uzšņāc. Es neizpratnē blenžu jautātājā. No koduma zem viņa auss notek ūdens tērcīte. Viņa ķermenis sāk mirguļot, it kā to viscauri klātu rasa. – Vai tu esi traka? – Tagad viņš mani biksta ar šķēpa spalu. – Celies! Celies! – Es pieceļos kājās, bet viņš turpina mani stumt. Kas ir? Kas te notiek? Viņš spēcīgi pagrūž mani. – Bēdz! – viņš iekliedzas. – Bēdz! Viņam aiz muguras no krūmiem izlaužas Kāto. Arī viņš mikli spīguļo, un zem acs viņam ir nelāgs pampums. Es samanu saules gaismas atspulgu uz Kāto zobena un paklausu Pītam. Es skrienu, cieši satvērusi savu loku un bultas un triekdamās kokos, kas parādās ne no kurienes, un klupdama un krizdama cenšos noturēt līdzsvaru. Atpakaļ, garām manam dīķim un iekšā nepazīstamā mežā. Pasaule sāk nelāgi deformēties. Kāds taurenis uzblīst mājas lielumā un uzsprāgst miljons zvaigznēs. Koki pārvēršas asins šaltīs un apšļaksta manus zābakus. No čūlām uz manām rokām sāk rausties ārā skudras, un es nevaru no tām atbrīvoties. Skudras kāpj augšā pa manām rokām un kaklu. Kāds kliedz. Kliedziens ir garš, spalgs, neatvelkot elpu. Es miglaini apjaušu, ka kliedzēja varbūt esmu es pati. Es paklūpu un iekrītu seklā bedrē ar sīkiem, oranžiem pūslīšiem, kas dūc kā sekotājdzēlēju pūžņi. Es pievelku ceļus pie zoda un gaidu nāvi.

Man ir nelabi, es esmu apdullusi un spēju domāt tikai vienu: *Pīta Melārks tikko izglāba manu dzīvību.*

Pēkšņi skudras iegraužas manās acīs un es zaudēju samaņu.

15

Sākas murgs, no kura es laiku pa laikam atmostos vēl lielākās šausmās. Viss, no kā es visvairāk baidos, un visi, par kuriem es visvairāk baidos, rēgojas tik dzīvi, un es nevaru nenoticēt, ka viss notiek pa īstam. Ikbrīd pamostoties domāju, ka *beidzot tas ir galā*, bet tā nav. Atkal sākas tikai jaunas mocības. Cik dažādos veidos manu acu priekšā mirst Prima? Cik reižu es izdzīvoju tēva pēdējos dzīves brīžus? Cik reižu jūtu, kā saplosa manu pašas ķermeni? Tā ir sekotājdzēlēju inde — tā ir rūpīgi radīta tieši tāda, lai atrastu vietu, kur smadzenēs mīt bailes.

Kad beidzot tiešām spēju domāt skaidri, es guļu mierīgi, gaidīdama nākamo iztēles ainu uzbrukumu. Bet es nospriežu, ka inde laikam ir pametusi manu ķermeni, atstājot to izmocītu un vārgu. Joprojām guļu uz sāniem embrija pozā. Paceļu roku pie acīm un jūtu, ka tās ir veselas, ka tās nav skārušas patiesībā neesošās skudras. Ir milzīga piepūle pat vienkārši izstiept locekļus. Man sāp tik daudz kas, ka nav pat vērts visu uzskaitīt. Ļoti, ļoti lēnām man izdodas piecelties sēdus. Sēžu lēzenā bedrē, ko piepilda nevis dūcošie, oranžie pūšļi no manām halucinācijām, bet vecas kritušas lapas. Manas drēbes ir pievilgušas slapjas, bet es nezinu, vai pie vainas ir dīķa ūdens, rasa, lietus vai sviedri. Ilgi es nespēju neko vairāk kā maziem malciņiem dzert ūdeni no savas pudeles un vērot, kā vabole mēro ceļu augšup pa sausserža stiebru. Cik ilgi es biju bezsamaņā? Bija rīts, kad es zaudēju spēju domāt. Tagad ir pēcpusdiena. Bet stīvums locītavās liek domāt, ka ir pagājusi vairāk nekā viena diena, iespējams, pat vairāk par divām. Ja tā, tad es nekādi nevaru zināt, kuri pārstāvji izdzīvoja pēc sekotājdzēlēju uzbrukuma. Spīgala un meitene no Ceturtā apgabala ne. Bet vēl bija puisis no Pirmā apgabala, abi Otrā apgabala pārstāvji un Pīta. Vai viņi mira no kodumiem? Ja viņi ir dzīvi, tad pēdējās dienas viņiem noteikti bija tikpat drausmīgas kā man. Un Rū? Viņa ir tik maza, ka nevajadzētu daudz indes, lai viņu piebeigtu. Protams... sekotājdzēlējām tad vajadzētu viņu noķert, bet viņai bija krietns handikaps.

Man mutē ir nelāga puvekļu garša, un ūdens pret to neko daudz nelīdz. Es pierāpoju pie sausserža un noplūcu ziedu. Saudzīgi izvelku no zieda kausiņa putekšņlapu un uzlieku uz mēles nektāra pilienu. Saldums izplūst manā mutē un noslīd lejup pa rīkli, sasildot dzīslas ar atmiņām par vasaru un mežu manās mājās, un Geilu man blakus. Nez kāpēc man prātā ataust mūsu saruna pēdējā rītā.

– *Mēs to varētu, vai zini,* – Geils klusi ierunājas.

– *Ko tad?*

– *Pamest apgabalu. Aizbēgt. Dzīvot mežā. Tu un es – mēs to varētu.*

Un pēkšņi es vairs nedomāju par Geilu, bet par Pītu un... Pīta! *Viņš izglāba man dzīvību!* es domāju. Jo tad, kad mēs satikāmies, es nespēju nošķirt realitāti no sekotājdzēlēju indes izraisītajām iztēles ainām. Bet, ja viņš tiešām to izdarīja, un mans instinkts saka: tā bija, tad kāpēc? Vai viņš vienkārši turpina spēlēt savu mīlētāja lomu, ko radīja intervijā? Vai arī viņš tiešām centās mani pasargāt? Un, ja tā, tad ko viņš vispār dara kopā ar karjeristiem? Tas viss ir neloģiski.

Es sāku prātot, ko gan par šo starpgadījumu domā Geils, bet tad izstumju to visu no prāta, jo nez kāpēc Geils un Pīta manās domās īpaši labi nesadzīvo.

Tāpēc es koncentrējos uz vienīgo labumu, ko esmu ieguvusi, kopš nokļuvu arēnā. Man ir loks un bultas! Vesels ducis bultu, ja skaita arī to, ko izrāvu no koka. Uz tām nav ne zīmes no indīgi zaļajām gļotām, kas sūcās no Spīgalas līķa, un tas man liek domāt, ka varbūt tās nemaz nebija īstas. Bet toties uz tām ir krietns daudzums sakaltušu asiņu. Bultas notīrīt es varēšu vēlāk, bet šobrīd es atļaujos brītiņu patrenēties, iešaujot dažas bultas tuvējā kokā. Ierocis vairāk līdzinās tiem, kādi bija Apmācības centrā, nevis tiem, kādi man ir mājās, bet kāda tur atšķirība? Man tas būs labs diezgan.

Ieroči liek man ieraudzīt Spēles pavisam citā gaismā. Es zinu, ka man ir spēcīgi sāncenši. Bet es vairs neesmu tikai medījums, kas bēg un slēpjas vai arī rīkojas, izmisuma dzīts. Ja šajā brīdī starp kokiem parādītos Kāto, es nebēgtu, es šautu. Es aptveru, ka patiesībā ar patiku gaidu, kad tas notiks.

Bet vispirms man ir jāatgūst mazliet spēka. Mans ķermenis atkal ir stipri atūdeņojies, un mani ūdens krājumi ir bīstami mazi. Nedaudzie mīkstumi, kādus man izdevās iegūt, gatavošanās laikā mielojoties Kapitolijā, ir pazuduši un arī vairākas mārciņas turklāt. Mani gūžu kauli un ribas ir izspiedušās vairāk nekā jebkad agrāk, izņemot tos briesmīgos mēnešus pēc tēva nāves. Un vēl ir ievainojumi – apdegumi, ģriezumi un zilumi no ietriekšanās kokos, un trīs sekotājdzēlēju kodumi, kas sūrst un tūkst vēl vairāk nekā iepriekš. Es ieziežu apdegumus ar dziedējošo ziedi un mēģinu mazliet uztriept arī dzēlieniem, bet uz tiem ziede neiedarbojas. Mana māte zināja, kā tos ārstēt, bija kaut kādas lapas, kas izvelk indi, bet viņai reti gadījās vajadzība tās lietot, un es neatceros pat tā auga nosaukumu, kur nu vēl to, kā tas izskatās.

Vispirms ūdeni, es domāju. *Pa ceļam varēs pamedīt.* Pēc iznīcības takas, ko es indes reibumā atstāju lapotnē, ir viegli redzēt, no kurienes es nācu. Tāpēc es aizsoļoju pretējā virzienā, cerēdama, ka mani ienaidnieki joprojām svaidās sekotājdzēlēju indes radītajā sirreālajā pasaulē.

Es nespēju kustēties ļoti ātri, manas locītavas atsakās veikt asas kustības. Bet es soļoju lēnā mednieces solī – kā tad, kad dzenu pēdas medījumam. Pēc dažām minūtēm es pamanu trusi un nošauju savu pirmo medījumu ar loku un bultu. Šāviens nav tāds kā parasti – caur aci –, bet būs labi diezgan. Apmēram pēc stundas es atrodu upi – seklu, bet platu, un tas ir vairāk nekā man ir nepieciešams. Saule spiež karsti un spēcīgi, tāpēc, gaidot, kamēr ūdens attīrīsies, es izģērbjos līdz veļai un iebrienu rāmajā straumē. Esmu ļoti netīra. Sākumā mēģinu apmazgāties, bet tad vienkārši uz dažām minūtēm noguļos ūdenī un ļauju tam aizskalot sodrējus un asinis, un ādas plēksnes, kas ir sākušās lobīties no maniem apdegumiem. Izskaloju savas drēbes un izkaru tās krūmos izžūt, tad uz brītiņu apsēžos krastā piesaulē un ar pirkstiem atšķetinu matus. Man atgriežas apetīte, un es apēdu sausiņu un gabalu kaltētās gaļas. Ar sūnu vīkšķi notīru asinis no saviem sudrabainajiem ieročiem.

Atsvaidzinājusies es vēlreiz apziežu savus apdegumus, atkal sapinu matus un uzvelku miklās drēbes, zinādama, ka saule tās izžāvēs pavisam ātri. Visgudrāk būs iet pret straumi. Es eju augšā kalnā, kas man patīk labāk, turklāt te ir svaiga ūdens avots ne tikai man pašai, bet arī iespējamam medījumam. Es viegli vien nomedīju savādu putnu, tas laikam ir kāds savvaļas tītara paveids. Tas visādā ziņā izskatās ēdams. Vēlā pēcpusdienā es izlemju iekurt nelielu ugunskuru, lai pagatavotu gaļu, jo esmu pārliecināta, ka mijkrēslis apslēps dūmus. Kad iestāsies nakts, es uguni apdzēsīšu. Es notīru savu medījumu un īpaši rūpīgi apskatu putnu, bet tas nepavisam neliekas bīstams. Noplūkts tas nav neko lielāks par cāli, bet toties ir tauks un tam ir stingra gaļa. Tikko uzlikusi pirmo porciju virs uguns, es izdzirdu nobrīkšķam zaru.

Vienā mirklī es jau esmu pagriezusies un paceļu pie pleca loku ar uzvilktu bultu. Neviena nav. Vai vismaz neviena, ko varētu redzēt. Tad es aiz kāda koka pamanu rēgojamies bērna zābaciņa purngalu. Mani pleci atslābst, un es pasmaidu. Mežā viņa kustas kā ēna, tas nu gan jāatzīst. Kā citādi viņa būtu varējusi man sekot? Vārdi izlaužas man pār lūpām, pirms pagūstu apdomāties.

– Vai zini, viņi nav vienīgie, kas var izveidot aliansi, – es saku.

Brīdi valda klusums. Tad aiz stumbra pašķielē Rū acs. – Tu gribi, lai esmu tava sabiedrotā?

– Kāpēc ne? Tu mani izglābi no sekotājdzēlējām. Tu esi gana gudra, lai vēl būtu dzīva. Un vienalga neizskatās, ka es varētu no tevis aizmukt, – es atbildu. Meitene samirkšķina acis, mēģinādama izlemt. – Vai esi izsalkusi? – Es redzu, ka viņa norij siekalas, paskatoties uz gaļu. – Nu tad nāc šurp, man šodien bija divi medījumi.

Rū nedroši iznāk no aizsega. – Es varu izārstēt tavus kodumus.

– Tiešām? Kā?

Viņa parakņājas savā somā un izvelk riekšu lapu. Es esmu gandrīz droša, ka tās ir tās pašas, ko lieto mana māte. – Kur tu tās atradi?

– Tepat vien. Mēs visi nēsājam tās līdzi, kad strādājam dārzos. Tajos atstāja daudz pūžņu, – Rū paskaidro. – Šeit to arī ir daudz.

– Pareizi. Tu esi no Vienpadsmitā apgabala. Tur strādā zemkopji, – es atceros. – Dārzi, tu saki? Tad tāpēc tu proti lidot pa kokiem, it kā tev būtu spārni. – Rū pasmaida. Man ir izdevies uzminēt vienu no nedaudzajām prasmēm, ar ko viņa atklāti lepojas. – Nu tad nāc. Izārstē mani.

Es atlaižos pie uguns un uzrotu bikses, atklājot kodumu uz ceļa. Man par pārsteigumu, Rū ieliek sauju lapu mutē un sāk tās košļāt. Mana māte izmantotu citus paņēmienus, bet mums jau gan nav lielas izvēles. Pēc kādas minūtes Rū uzliek manam celim glumu sakošļātu lapu un siekalu kunkuli.

– Ooo, – es nedomājot izdvešu. Sajūta ir tāda, it kā lapas tiešām izsūktu sāpes tieši no koduma.

Rū ieķiķinās. – Labi gan, ka tev pietika prāta izvilkt dzeloņus, citādi būtu daudz sliktāk.

– Kaklu, kaklu! – es lūdzos.

Rū iebāž mutē vēl sauju lapu, un drīz es jau gandrīz smejos, jo atvieglojums ir tik patīkams. Pamanu garu apdeguma švīku uz Rū apakšdelma. – Man tev kaut kas ir. – Es nolieku malā savus ieročus un ieziežu viņas roku ar savu ziedi.

– Tev ir labi atbalstītāji, – viņa ilgpilni saka.

– Vai tu arī jau kaut ko esi dabūjusi? – es uzprasu. Viņa papurina galvu. – Gan jau dabūsi. Turi acis vaļā. Jo tuvāk beigām, jo vairāk cilvēku aptvers, cik gudra tu esi. – Apgriežu gaļu uz otru pusi.

– Vai tu nejokoji, kad teici, ka gribi, lai es esmu tava sabiedrotā? – viņa jautā.

– Nē, es to domāju nopietni, – es apgalvoju. Es gandrīz vai dzirdu, kā Heimičs ievaidas par manu savienību ar šo maldugunij līdzīgo bērnu. Bet es vēlos, lai Rū ir mana sabiedrotā. Jo viņa prot izdzīvot, un es viņai uzticos, un... ko tur liegties? Viņa man atgādina Primu.

– Labi, – viņa piekrīt un pastiepj roku. Es to paspiežu. – Sarunāts.

Tāda noruna, protams, var būt tikai īslaicīga, bet neviena no mums par to neieminas.

Rū maltītei pievieno lielu sauju kaut kādu miltainu sakņu. Uzceptas tās garšo sīvi saldeni – kā pastinaki. Viņa atpazīst arī putnu, tā ir savvaļas radība, ko viņas apgabalā sauc par zosli. Viņa pastāsta, ka dažreiz dārzā ieklīst vesels bars zošļu, un tad tajā dienā viņi dabū kārtīgas pusdienas. Kādu laiku mēs nesarunājamies un piepildām vēderus. Zoslim ir garda gaļa, tik tauka, ka iekožoties pāri sejai notek eļļainas tērcītes.

– Ak, – Rū nopūšas. – Es vēl nekad agrāk neesmu viena pati apēdusi veselu kāju.

Tam es ticu. Varu derēt, ka gaļa viņai vispār netiek gandrīz nekad. – Ņem otru arī, – es mudinu.

– Tiešām? – viņa brīnās.

– Ņem visu, ko vēlies. Tagad, kad man ir loks un bultas, es varu nomedīt vēl. Un vēl man ir cilpas. Es varu tev parādīt, kā tās izlikt, – es piedāvāju. Rū joprojām nedroši skatās uz putna kāju. – Nu ņem taču, – es iedrošinu, ielikdama viņai rokā stilbiņu. – Gaļa tik un tā var glabāties tikai dažas dienas, un mums ir viss putns un vēl trusis. – Rū tur stilbu rokā, un viņas apetīte uzvar. Viņa nokož lielu kumosu.

– Es biju domājusi, ka Vienpadsmitajā apgabalā jums ir mazliet vairāk ēdamā nekā mums. Jūs taču audzējat pārtiku, – es runāju.

Rū iepleš acis. – Ak nē, mums nav atļauts ēst saražoto.

– Vai par to arestē, vai? – es painteresējos.

– Par to per ar pātagu, un visiem pārējiem ir jāskatās, – Rū stāsta. – Mērs šajā ziņā ir ļoti stingrs.

No viņas sejas izteiksmes es saprotu, ka tāds skats nav nekāds retums. Divpadsmitajā apgabalā publiska pēršana nenotiek bieži, kaut arī laiku pa laikam kaut kas tāds atgadās. Teorētiski mani un Geilu varētu katru dienu pērt par malumedniecību – nu, vispār teorētiski mums varētu klāties vēl plānāk –, ja vien amatpersonas nepirktu no mums gaļu. Turklāt mūsu mēram, Medžas tēvam, tādi gājieni diez ko neiet pie sirds. Varbūt dzīvei visnecienītākajā, nabadzīgākajā un izsmietākajā apgabalā visā valstī ir arī savas priekšrocības. Piemēram, tādas, ka Kapitolijs mūs lielākoties ignorē, kamēr mēs izpildām ogļu kvotas.

– Vai jūs dabūjat tik daudz ogļu, cik gribat? – Rū jautā.

– Nē, – atbildu. – Tikai tik, cik nopērkam, un tik, cik aizķeras pie zābakiem.

– Ražas laikā mūs baro mazliet vairāk, lai cilvēki varētu ilgāk izturēt, – Rū pastāsta.

– Vai tad jums nav jāiet skolā? – es gribu zināt.

– Ražas laikā ne. Tad visi strādā, – Rū paskaidro.

Ir interesanti klausīties, kāda ir viņas dzīve. Mēs tik maz sazināmies ar cilvēkiem, kas nav no pašu apgabala. Man iešaujas prātā, ka vai tik Spēļu rīkotāji nav atslēguši skaņu mūsu sarunai, jo, kaut arī informācija ir nekaitīga, viņi negrib, ka cilvēki no dažādiem apgabaliem kaut ko zinātu cits par citu.

Pēc Rū ieteikuma mēs saliekam kopā visu savu pārtiku, lai saplānotu, kā to lietosim turpmāk. Viņa ir redzējusi lielāko daļu no tā, kas man ir, bet es pielieku kaudzītei vēl pēdējos pāris sausiņus un kaltētās gaļas gabaliņus. Viņa ir savākusi krietni daudz sakņu, riekstu, zaļumu un pat nedaudz ogu.

Es pavirpinu pirkstos nepazīstamu ogu. – Vai esi pārliecināta, ka tās var droši ēst?

– O jā, mums mājās tādas ir. Es tās ēdu jau vairākas dienas, – viņa atbild un iemet sauju mutē. Es piesardzīgi vienā iekožos. Oga garšo tikpat labi kā mūsu mellenes. 209

Rū kā sabiedrotā šķiet arvien labāka. Mēs sadalām savus pārtikas krājumus, lai abas būtu dažas dienas apgādātas. ja gadītos izšķirties. Bez ēdamā Rū ir neliela ādas blašķe ūdenim, pašas taisīta linga un lieks zeķu pāris. Vēl viņai ir asa akmens šķēpele, ko viņa lieto kā nazi. – Es zinu, ka tas nav daudz, – viņa it kā nokaunējusies atzīst, – bet man bija žigli jātiek prom no Pārpilnības Raga.

– Tu rīkojies pilnīgi pareizi, – es paslavēju. Kad es izlieku savus krājumus, meitenei aizcērtas elpa, ieraugot saulesbrilles.

– Kā tu tās dabūji?

– Tās bija manā somā. Līdz šim nav noderējušas. Tās neaptumšo saules gaismu, un ar tām ir grūtāk redzēt, – es atbildu, paraustīdama plecus.

– Tās nav domātas pret sauli, tās ir tumsai! – Rū izsaucas. – Dažreiz, kad mēs naktī novācam ražu, tiem, kas ir visaugstāk kokos, iedala dažas. Vietām, kur nesniedzas lāpu gaisma. Reiz viens puika, Mārtins, mēģināja savējās paturēt. Viņš iebāza tās biksēs. Viņu uzreiz nogalināja.

– To puiku nogalināja par to, ka viņš šitādas nozaga? – es pārjautāju.

– Jā, un visi taču zināja, ka viņš nevienu neapdraud. Mārtinam kaut kas nebija kārtībā ar galvu. Viņš uzvedās kā trīsgadīgs bērns, saproti? Tās brilles viņš gribēja, lai paspēlētos, – Rū stāsta.

To dzirdot, man liekas, ka Divpadsmitais apgabals ir gandrīz vai miera osta. Jā, cilvēki bieži mirst no bada, bet es nespēju iztēloties, ka Miera sargi nogalinātu kādu pamuļķi. Pie mums Centrā klīst viena maza meitene, viena no Taukās Sē mazbērniem. Viņa nav gluži pie pilna prāta, bet pret viņu izturas kā pret mājdzīvnieku. Viņai pamet ēdiena atliekas un vēl šo to.

– Un kam tad tās der? – es jautāju Rū, paņemdama brilles.

– Ar tām var redzēt pilnīgā tumsā, – Rū paskaidro.

– Šovakar, kad norietēs saule, tu pamēģini.

Es iedodu Rū dažus sērkociņus, un viņa man atdod daudz savākto lapu – gadījumam, ja mani kodumi atkal iekaistu. Mēs apdzēšam savu ugunskuru un ejam pret straumi, kamēr gandrīz iestājas nakts.

– Kur tu guli? – es jautāju. – Kokos? – Viņa pamāj.

– Tikai jakā?

Rū parāda savu lieko zeķu pāri. – Rokām man ir šīs.

Es iedomājos, cik auksti ir naktīs. – Ja gribi, mēs varam kopā gulēt guļammaisā. Mēs abas tur viegli ielīdīsim. – Viņas sejiņa sāk starot. Es redzu, ka uz ko tādu viņa nebija uzdrošinājusies pat cerēt.

Mēs izvēlamies kādu žākli augstu kokā un iekārtojamies naktij. Sākas himna. Šodien neviens nav miris.

– Rū, es tikai šodien pamodos. Cik naktis es palaidu garām? – Himnai vajadzētu apslāpēt vārdus, bet es vienalga čukstu un pat piesardzības labad piesedzu lūpas ar plaukstu. Es negribu, lai skatītāji zina to, ko es viņai esmu iecerējusi izstāstīt par Pītu. Rū runājot seko manam paraugam.

– Divas, – viņa saka. – Pirmā un Ceturtā apgabala meitenes ir pagalam. Mūsu ir palicis desmit.

– Notika kaut kas jocīgs. Vismaz man liekas, ka notika. Varbūt sekotājdzēlēju inde lika man to tikai iedomāties, – es stāstu. – Vai zini to puiku no mana apgabala? Pītu? Man šķiet, ka viņš izglāba man dzīvību. Bet viņš bija kopā ar karjeristiem.

– Tagad viņš vairs nav ar viņiem, – Rū saka. – Es izspiegoju viņu galveno apmetni pie ezera. Viņiem izdevās tikt atpakaļ, pirms viņi sabruka no kodieniem. Bet Pītas tur nav. Varbūt viņš tiešām tevi izglāba, bet tad viņam bija jābēg.

Es neatbildu. Ja Pīta tik tiešām mani izglāba, tad es atkal esmu viņa parādniece. Un šo parādu nevar atmaksāt. – Ja arī tā bija, tas droši vien piederējās pie viņa izlikšanās. Lai ļaudis domātu, ka viņš ir manī iemīlējies, saproti?

– Ā, – Rū domīgi novelk. – Man nešķita, ka tā būtu izlikšanās.

– Protams, ka tā ir, – es noskaldu. – Viņš to izdomāja kopā ar mūsu padomdevēju. – Himna beidzas, un debesis satumst. – Izmēģināsim brilles. – Es izvelku acenes un uzlieku tās uz deguna. Rū nejokoja. Es redzu visu – sākot no koku lapām un līdz pat skunksam, kas krietnus piecdesmit jardus attālāk laiski cilpo caur krūmiem. Ja man sagribētos, es to zvēru varētu no šejienes novākt. Es varētu novākt ikvienu.

– Interesanti, kam vēl šitādas ir, – es ierunājos.

– Karjeristiem ir divi pāri. Bet viņiem tur, pie ezera, ir viss, – Rū stāsta. – Un viņi ir tik stipri.

– Mēs arī esam stipras. Tikai citādi.

– Tu esi stipra. Tu proti šaut, – viņa nosaka. – Ko tad varu es?

– Tu spēj sev sagādāt pārtiku. Vai to var viņi? – jautāju.

– Viņiem to nevajag. Viņiem ir lieli krājumi, – Rū skumst.

– Iedomājies, ka viņiem to nebūtu. Iedomājies, ka krājumi izbeigtos. Cik ilgi viņi izvilktu? Šīs ir Bada Spēles, vai ne?

– Bet, Katnis, viņi nav badā, – Rū nesaprot.

– Nē, nav. Tur jau tā lieta, – es piekrītu. Un pirmo reizi man rodas ideja. Plāns, ko nav radījusi vajadzība bēgt un izvairīties. Man ir uzbrukuma plāns. – Man šķiet, ka to mums vajadzēs nokārtot, Rū.

Rū ir izlēmusi man uzticēties pilnīgi. Es to zinu, jo, tiklīdz beidzas himna, viņa saritinās man pie sāna un iemieg. Arī mani nemoka nekādas nelāgas aizdomas par viņu, un es neveicu nekādus piesardzības pasākumus. Ja viņa būtu gribējusi, lai es mirstu, viņai tikai vajadzēja toreiz nozust no koka, neparādot man sekotājdzēlēju pūzni. Kaut kur pašos prāta dziļumos mani neliek mierā acīmredzamais. Spēlēs nevaram uzvarēt mēs abas. Bet, tā kā nav īpaši ticams, ka izdzīvos kaut viena no mums, man izdodas šo domu ignorēt.

Turklāt manu uzmanību novērš mana svaigā ideja par karjeristiem un viņu krājumiem. Mums ar Rū ir kaut kā jāizdomā veids, kā iznīcināt viņu pārtiku. Es esmu diezgan pārliecināta, ka pārtikas sagādāšana viņiem prasīs milzīgu piepūli. Tradicionālā karjeristu metode ir Spēļu sākumā sagrābt visu iespējamo ēdienu un tad izmantot to kā bāzi. Gados, kad viņi nav krājumus labi apsargājuši – vienreiz pārtiku iznīcināja pretīgi reptiļi, bet citreiz to aizskaloja Spēļu rīkotāju inscenēti plūdi –, tieši tajos gados uzvarēja pārstāvji no citiem apgabaliem. Tas, ka karjeristi augot ir dabūjuši labāk paēst, patiesībā viņiem nāk par sliktu, jo viņi neprot būt izsalkuši. Ne jau tā, kā es vai Rū.

Bet es esmu pārāk nogurusi, lai jau šovakar sāktu iz-
strādāt detalizētu plānu. Dzīstošās brūces, joprojām in-
des viegli apmiglotais prāts, Rū siltums pie sāniem un
viņas galviņa man uz pleca sniedz man drošības sajūtu.
Es pirmo reizi atskāršu, cik vientuļa esmu bijusi arēnā.
Cik lielu mierinājumu spēj sniegt viena cilvēka tuvums!
Es padodos snaudai, apņēmusies, ka rīt kauliņi kritīs ci-
tādi. Rīt būs jāpiesargājas karjeristiem.

No miega mani uzrauj lielgabala šāviens. Debesīs svītro-
jas gaisma, un putni jau čivina. Rū sēž zarā pa gabaliņu
no manis un kaut ko tur rokās. Mēs gaidām, ausīdamās,
vai neatskanēs vēl kāds šāviens, bet valda klusums.

– Kā tu domā, kas tas bija? – Es nespēju nedomāt par
Pītu.

– Nezinu. Tas varēja būt jebkurš no pārējiem, – Rū
atbild. – Laikam jau šovakar to uzzināsim.

– Kuri vēl ir atlikuši? – es pajautāju.

– Zēns no Pirmā apgabala. Abi pārstāvji no Otrā.
Puisis no Trešā. Trešs un es. Un tu un Pīta, – Rū skaita.
– Iznāk astoņi. Pagaidi, vēl arī puisis no Desmitā, tas –
ar klibo kāju. Viņš ir devītais.

Ir vēl kāds, bet neviena no mums nespēj atcerēties,
kurš tas ir.

– Interesanti, kā tas pēdējais mira, – Rū prāto.

– Kas to lai zina. Bet mums tas nāk par labu. Nāve
mazliet piesaistīs pūļa uzmanību. Varbūt mums pietiks
laika kaut ko izdarīt, pirms Spēļu rīkotāji izdomā, ka viss
virzās uz priekšu pārāk lēni, – es secinu. – Kas tev rokās?

– Brokastis, – Rū atsaucas un, pastiepusi plaukstas,
parāda divas lielas olas.

– Kas tās ir par olām?

– Es īsti nezinu. Tur tālāk ir purvains apvidus. Gan jau kāda ūdensputna olas, – viņa atbild.

Būtu labi olas pagatavot, bet neviena no mums negrib riskēt kurt uguni. Nodomāju, ka šodien mirušais pārstāvis bija karjeristu upuris, un tas nozīmē, ka viņi ir atguvušies tiktāl, lai atkal spētu piedalīties Spēlēs. Mēs abas izsūcam pa olai, apēdam truša kāju un mazliet ogu. Tās it nemaz nav peļamas brokastis.

– Vai esi gatava? – es jautāju, uzlikdama plecos somu.

– Kam tad? – Rū jautā, taču pēc tā, kā viņa sakustas, var redzēt, ka viņa piedalīsies visā, ko vien piedāvāšu.

– Šodien mēs atņemsim karjeristiem ēdienu, – es paziņoju.

– Tiešām? Kā? – Rū acīs iemirdzas priecīgs satraukums. Te nu viņa ir pilnīgs pretmets Primai, kurai piedzīvojumi ir smags pārbaudījums.

– Nav ne jausmas. Nāc, medījot mēs visu izdomāsim, – es mudinu.

Mums tomēr neizdodas diez ko daudz nomedīt, jo es esmu pārāk aizņemta, visos sīkumos izprašņājot Rū par karjeristu apmetni. Viņa tur ir spiegojusi tikai īsu brītiņu, bet ir bijusi vērīga. Karjeristi ir izveidojuši apmetni pie ezera. Viņu pārtikas krājumi ir apmēram trīsdesmit jardus tālāk. Pa dienu viņi sardzē atstāj vienu pārstāvi – puiku no Trešā apgabala.

– Puiku no Trešā apgabala? – es pārjautāju. – Viņš ir kopā ar šiem?

– Jā, viņš vienmēr paliek nometnē. Arī viņu sadzēla, kad pārējie laidās no sekotājdzēlējām uz ezeru, – Rū saka. – Laikam jau karjeristi piekrita atstāt viņu dzīvu, ja viņš kalpos par sargu. Bet viņš nav liels.

– Kādi viņam ir ieroči? – es jautāju.

– Cik es redzēju, nekādi īpašie. Šķēps. Dažus no mums viņš ar to varbūt atvairītu, bet Trešs viņu nogalinātu pavisam viegli.

– Un pārtika tā vienkārši stāv klajā laukā? – es taujāju. Viņa pamāj. – Kaut kas tur nav īsti kārtībā.

– Zinu. Bet es nevarēju saprast, kas tieši, – Rū piekrīt. – Katnis, pat ja tev izdotos tikt līdz ēdienam, kā tu to iznīcinātu?

– Sadedzinātu. Iemestu to ezerā. Izmērcētu benzīnā. – Es iebikstu Rū vēderā, kā to daru ar Primu. – Apēstu! – Viņa ieķiķinās. – Neuztraucies, es izdomāšu. Kaut ko iznīcināt ir daudz vieglāk nekā kaut ko iegūt.

Kādu laiku mēs rokam saknes, lasām ogas un zaļumus un klusinātās balsīs apspriežam stratēģiju. Un es arvien tuvāk iepazīstu Rū. Viņa ir vecākā no sešiem bērniem, sīvi aizstāv brāļus un māsas, atdod savas pārtikas devas mazākajiem un pati meklē barību pļavās apgabalā, kur Miera sargi nav tik pielaidīgi kā mūsējie. Uz jautājumu, ko viņa mīl vairāk par visu pasaulē, Rū atbild negaidīti: – Mūziku.

– Mūziku? – es atbalsoju. Mūsu pasaulē es mūziku noderīguma ziņā liktu kaut kur starp matu lentēm un varavīksni. Pēc varavīksnes vismaz var spriest par laikapstākļiem. – Vai tev tai atliek daudz laika?

– Mēs dziedam mājās. Un arī darbā. Tāpēc man ļoti patīk tava piespraude. – Viņa norāda uz zobgaļsīli, par kuru es atkal esmu aizmirsusi.

– Vai pie jums ir zobgaļsīļi? – jautāju.

– Jā, jā. Daži ir mani īpašie draugi. Mēs varam sadziedāties stundām ilgi. Viņas iznēsā manas ziņas, – Rū palepojas.

– Kā to saprast? – es samulstu.

– Parasti es kāpju pēc augļiem visaugstāk, tāpēc pirmā ieraugu karogu, kas signalizē, ka var beigt darbu. Tad es dziedu īpašu dziesmu, – Rū paskaidro. Pavērusi lūpas, viņa skaidrā, maigā balsī nodzied īsu motīvu. – Un tad sīļi to trallina visā dārzā. Tā visi uzzina, ka laiks beigt, – meitene turpina. – Viņi gan var būt bīstami, ja pienāk par tuvu ligzdām. Bet tāpēc tos nevar vainot.

Es atāķēju piespraudi un sniedzu to viņai. – Še ņem. Tev tā nozīmē vairāk nekā man.

– Nē, nē, – Rū atgaiņājas, sakļaudama manus pirkstus pār piespraudi. – Man patīk, ka tā ir tev. Tāpēc es izlēmu tev uzticēties. Turklāt man ir šī. – Viņa izvelk no krekla kaklarotu, kas novīta no kaut kādas savādas zāles stiebriem. Pie tās karājas raupji tēsta koka zvaigzne. Vai varbūt zieds. – Tas ir amulets.

– Pagaidām tas darbojas, – es nosaku, piesprauzdama zobgaļsīli atpakaļ pie krekla. – Varbūt tev pie tā arī ir jāpaliek.

Līdz pusdienām mūsu plāns ir izdomāts. Agrā pēcpusdienā mēs esam gatavas rīkoties. Es eju talkā Rū savākt un sakraut malku pirmajiem diviem ugunskuriem. Trešajam viņai pietiks laika pašai. Mēs izlemjam pēcāk satikties vietā, kur pirmo reizi kopīgi ieturējām maltīti. Upe man palīdzēs to atrast. Pirms promiešanas es pārliecinos, ka Rū netrūkst pārtikas un sērkociņu. Es pat uzstāju, lai viņa paņem manu guļammaisu, ja gadās, ka līdz naktij nebūs iespējams satikties.

– Un tu? Vai tad tev nebūs auksti? – viņa šaubās.

– Ja es pie ezera paķeršu vēl vienu guļammaisu, tad ne, – es attraucu un tad smaidīdama piebilstu: – Šeit zagšana nav nelikumīga.

Pēdējā brīdī Rū izdomā man iemācīt savu zobgaļsīļu signālu – to, kas nozīmē, ka dienas darbs ir galā. – Varbūt tas nenostrādās. Bet, ja tu dzirdi, ka sīļi to dzied, tad zini, ka ar mani viss ir kārtībā, tikai es nevaru uzreiz tikt atpakaļ.

– Vai te ir daudz sīļu?

– Vai tad tu neesi tos redzējusi? Ligzdas ir visur! – Man nākas atzīties, ka neesmu gan tās ievērojusi.

– Nu labi. Ja viss ies, kā plānots, tad satiksimies vakariņās, – es saku.

Rū negaidīti mani apskauj. Es vilcinos tikai mirkli, bet tad apskauju arī viņu.

– Uzmanies, – meitene man piekodina.

– Tu tāpat. – Es pagriežos un mazliet nobažījusies dodos atpakaļ upes. Es raizējos par to, ka Rū nogalinās, un arī par to, ka viņu nenogalinās un mēs abas paliksim pēdējās, par to, ka pametu Rū vienu, par to, ka pametu Primu vienu pašu mājās. Nē, Primai ir māte un Geils, un maiznieks, kas solīja, ka viņai nebūšot jācieš bads. Rū esmu tikai es.

Kad es sasniedzu upi, man ir tikai jāseko straumei lejup pa nogāzi līdz vietai, kur to atradu pēc sekotājdzēlēju uzbrukuma. Ejot pa ūdens malu, gan ir jāpiesargās, jo man prātā jaucas neatbildēti jautājumi. Lielākoties par Pītu. Tas lielgabala šāviens agri no rīta – vai tas vēstīja par viņa nāvi? Ja tā, tad kā viņš nomira? No karjerista rokas? Un vai tā bija atriebība par to, ka viņš ļāva man palikt dzīvai? Es pūlos atkal atcerēties to mirkli pie Spīgalas līķa, kad viņš izskrēja laukā no kokiem. Bet jau tas vien, ka viņš mirguļoja, liek man šaubīties, ka tas viss notika pa īstam.

Vakar es laikam kustējos ļoti lēni, jo jau pēc dažām stundām sasniedzu seklo braslu, kur vakar mazgājos. Papildinu savus ūdens krājumus un uzķepēju jaunu dubļu kārtu mugursomai. Tā vien liekas, ka soma vienmēr atkal paliek oranža, lai cik reižu es to būtu nomaskējusi. Karjeristu apmetnes tuvums asina manas maņas un, jo tuvāk es nāku, jo piesardzīgāk es izturos. Es bieži apstājos, lai ieklausītos nedabiskās skaņās, un jau sagatavoju bultu uz loka stiegras. Neredzu nevienu no pārstāvjiem, bet pamanu šo to no Rū pieminētā. Ogulājus ar saldām ogām. Krūmu ar lapām, kas izārstēja manus kodumus. Vairākus sekotājdzēlēju pūžņus netālu no koka, kurā mani uzdzina. Un šur tur lapotnē pazib zobgaļsīļu melnbaltie spārni.

Nonākusi pie koka, zem kura mētājas tukšais pūznis, es mirkli apstājos, lai saņemtu drosmi. Rū man smalki aprakstīja, kā no šejienes nonākt vislabākajā novērošanas vietā pie ezera. *Atceries*, es sev piekodinu, *tagad medniece esi tu, nevis viņi*. Ciešāk satveru loku un eju tālāk. Es sasniedzu jaunaudzi, par kuru man pastāstīja Rū, un jau atkal apbrīnoju viņas gudrību. Esmu pašā meža malā, bet biezā lapotne sākas tik tuvu pie zemes, ka viegli varu novērot karjeristu apmetni, pati palikdama nepamanīta. Starpā ir plašais klajums, kur Spēles sākās.

Apmetnē ir četri pārstāvji. Puisis no Pirmā apgabala, Kāto un meitene no Otrā apgabala un kaulains zēns ar pelnu iepelēku ādu, kurš laikam ir no Trešā apgabala. Kapitolijā pavadītajā laikā viņš manās acīs neguva nekādu ievērību. Es par viņu neatceros gandrīz neko – ne viņa tērpu, ne punktu skaitu treniņos, ne interviju. Pat tagad, kad viņš sēž un ķimerējas ap kaut kādu plastmasas kasti, viņu ir viegli neievērot starp lielajiem, valdonīgajiem kompanjoniem. Bet no viņa ir jābūt kādam labumam, citādi šie nebūtu atstājuši viņu dzīvu. Viņu redzot, es tikai sajūtos vēl nemierīgāka: kāpēc lai karjeristi viņu atstātu kā sargu un kāpēc lai viņi vispār ļautu viņam dzīvot.

Visa četrotne joprojām atgūstas no sekotājdzēlēju uzbrukuma. Pat no šejienes es redzu lielos tūkumus uz viņu ķermeņiem. Viņiem laikam neienāca prātā izraut dzeloņus vai arī, ja apjēdza to, tad viņi neko nezina par lapām, kas kodumus ārstē. Acīmredzot zāles, kas bija Pārpilnības Ragā, ir izrādījušās bezspēcīgas.

Pārpilnības Rags stāv, kur stāvējis, bet tā iekšpuse ir tukša. Lielākā daļa krājumu kastēs, audekla maisos un plastmasas bunduļos ir glīti sakrauti piramīdā aizdomīgi attālu no apmetnes. Vēl citi ir izbārstīti piramīdai apkārt, gandrīz vai atgādinot krājumu izvietojumu ap Pārpilnības Ragu Spēļu sākumā. Pašu piramīdu sedz tīkls, kas varbūt noder putnu atbaidīšanai, bet citādi šķiet bezjēdzīgs.

Situācija ir ļoti mulsinoša. Attālums, tīkls un tas, ka pie karjeristiem ir zēns no Trešā apgabala. Viens ir skaidrs – iznīcināt krājumus nebūs tik vienkārši, kā izskatās.

Te kaut kas slēpjas, tāpēc būs labāk, ja palikšu slēpnī, kamēr izprātošu, kāds te ir noslēpums. Es spriežu, ka piramīda ir kaut kādā veidā saistīta ar slazdiem. Domāju par apslēptām bedrēm, krītošiem tīkliem, pavedieniem, kurus pārraujot sirdī ietriecas saindēta šautra. Iespēju ir nebeidzami daudz.

Kamēr es apsveru, kā rīkoties, atskan Kāto kliedziens. Viņš rāda meža virzienā kaut kur tālu man aiz muguras, un es pat nepagriezdamās zinu, ka Rū būs aizdedzinājusi pirmo ugunskuru. Mēs pagādājām pietiekami daudz zaļas malkas, lai dūmi būtu pamanāmāki. Karjeristi uzreiz sāk bruņoties.

Sākas strīdiņš. Viņi kašķējas gana skaļi, lai es sadzirdētu, ka tam par iemeslu ir jautājums, vai zēnam no Trešā apgabala vajadzētu palikt tepat vai doties viņiem līdzi.

— Lai viņš nāk. Mums viņu vajag mežā, un te viņa darbiņš tāpat ir padarīts. Tiem krājumiem neviens nevarēs piedurt ne pirkstu.

— Un kā ar mīlnieku? — pajautā puisis no Pirmā apgabala.

— Es tak visu laiku saku — aizmirsti viņu! Es zinu, kur šim iecirtu. Brīnums, ka viņš vēl nav noasiņojis līdz nāvei. Jebkurā gadījumā viņš noteikti nav tādā stāvoklī, lai mūs aplaupītu, — Kāto noskalda.

Tātad Pīta ir kaut kur mežā — smagi ievainots. Man joprojām nav ne jausmas, kāpēc viņš izlēma nodot karjeristus.

— Ejam, — Kāto pavēl. Viņš iegrūž Trešā apgabala puikam rokās šķēpu, un visi dodas uz dūmu pusi. Pēdē-

jais, ko es dzirdu, pirms viņi nozūd mežā, ir Kāto balss:
– Kad mēs to skuķi atradīsim, es pats savām rokām viņu nogalināšu, lai neviens pat nemēģina iejaukties.

Nez kāpēc man nav pārliecības, ka viņš runā par Rū. Viņa šim neuzmeta sekotājdzēlēju pūzni. Es palieku slēpnī kādu pusstundu un mēģinu izdomāt, ko lai daru ar krājumiem. Ar loku un bultu man ir viena priekšrocība – attālums. Es diezgan viegli varētu piramīdā iešaut aizdedzinātu bultu – es esmu gana laba šāvēja, lai trāpītu tīkla acī – bet nav nekādas garantijas, ka uguns uzliesmos. Drīzāk bulta vienkārši apdzisīs, un ko tad? Tad es nebūtu panākusi it neko un turklāt par sevi atklājusi pārāk daudz. Ka biju te, ka man ir sabiedrotais un ka es prasmīgi rīkojos ar loku un bultu.

Citas iespējas nav. Būs vien man jāpieiet tuvāk un jāpaskatās, vai nevaru atklāt, kā tieši krājumi tiek apsargāti. Es jau taisos iziet klajumā, kad ar acs kaktiņu pamanu kustību. Vairākus simtus jardu pa labi es redzu kādu iznākam no meža. Mirkli man šķiet, ka tur klajumā izslīd Rū, bet tad es atpazīstu Lapsu – viņa bija tā, kuru mēs šorīt nevarējām atcerēties. Izlēmusi, ka ir drošībā, viņa sīkiem, žigliem soļiem skriešus metas uz piramīdu. Pirms meitene nonāk pie apkārt izkaisītajiem krājumiem, viņa apstājas, izpēta zemi un uzmanīgi nostājas uz vietas. Tad viņa ar dīvainiem, maziem palēcieniem dodas uz piramīdu, dažreiz piezemēdamās uz vienas kājas un viegli grīļodamās, bet dažreiz riskēdama paspert vairākus soļus. Vienā brīdī viņa pārlec pāri nelielai mučelei un piezemējas uz pirkstgaliem. Bet lēciens ir pārāk sparīgs, un Lapsa aiz inerces krīt uz priekšu. Es dzirdu, kā viņa spalgi aizkliedzas, kad plaukstas pieskaras zemei, bet nekas nenotiek. Vienā mirklī viņa atkal ir kājās un turpina ceļu, līdz sasniedz krājumu kaudzi.

Tātad man ir taisnība, slazdi acīmredzot ir sarežģītāki, nekā biju iedomājusies. Man arī bija taisnība, domājot par Lapsu. Cik gan viltīgai viņai ir jābūt, lai atklātu taku līdz ēdienam un to tik labi iegaumētu? Viņa piepilda somu, paņemdama pa druskai no vairākām pakām – sausiņus no kastes, dažus ābolus no auduma maisa, kas karājas virvē pie mucas. Bet tikai pa druskai – ne tik daudz, lai varētu redzēt, ka kaut kas ir pazudis. Ne tik daudz, lai radītu aizdomas. Un tad viņa atkal dej savu dīvaino deju prom no piramīdas un nozūd atpakaļ mežā sveika un vesela.

Es attopos, ka niknumā griežu zobus. Lapsas izturēšanās apstiprināja to, ko es jau biju uzminējusi. Bet kas tas par slazdu, kurš prasa tādu izmanību? Kurā var iekrist tik daudzās vietās? Kāpēc viņa tā kliedza, kad rokas pieskārās zemei? Varēja domāt... Un lēnām man ataust sapratne... Varēja domāt, ka zeme eksplodēs.

– Tur ir mīnas, – es nočukstu. Tas visu izskaidro. Karjeristu bezrūpību, atstājot krājumus, Lapsas reakciju, to, ka pie karjeristiem ir puika no Trešā apgabala. Trešajā apgabalā ir rūpnīcas, kur ražo televizorus, automašīnas un sprāgstvielas. Bet kur viņš dabūja mīnas? Krājumos? Tas nu nav tas ierocis, kādu Spēļu rīkotāji parasti sagādā, jo viņiem patīk, ka pārstāvji izlej asinis tuvcīņā. Es izslīdu no krūmiem un pieeju pie vienas no metāla plāksnēm, kas pacēla pārstāvjus arēnā. Zeme ap to ir izrakņāta un tad atkal piemīdīta. Mīnas dezaktivēja pēc sešdesmit sekundēm, kuras stāvējām uz plāksnēm, bet puikam no Trešā apgabala acīmredzot ir izdevies tās atkal aktivēt. Es vēl nekad neesmu redzējusi, ka Spēlēs kāds būtu tā izdarījis. Varu derēt, ka pat Spēļu rīkotāji bija šokēti.

Jā, lai dzīvo Trešā apgabala puika tāpēc, ka parādīja šiem pigu, bet ko tagad darīt man? Ir skaidrs, ka es nevaru tāpat vien tur ieiet un neuzsprāgt. Kas attiecas uz aizdedzinātu bultu – tas ir vēl smieklīgāk nekā iepriekš. Mīnas iedarbina spiediens. Un tam nav jābūt lielam. Kādu gadu vienai meitenei, stāvot uz plāksnes, izkrita viņas piemiņa – neliela koka bumbiņa. Meitenes atliekas bija jāsavāc gandrīz vai ar birstīti.

Es diezgan prezīzi metu, tātad varētu iemest tur dažus akmeņus un iedarbināt... varbūt vienu mīnu? Varbūt sāktos ķēdes reakcija. Vai arī ne? Vai Trešā apgabala zēns būtu izlicis mīnas tā, ka vienas uzsprāgšana pārējās neskartu? Tādējādi krājumi būtu drošībā, bet iebrucējs – pagalam. Pat tad, ja es uzspridzinātu tikai vienu mīnu, karjeristi noteikti atgrieztos. Un ko es vispār iedomājos? Krājumus sedz tīkls – pilnīgi noteikti uzklāts šādu uzbrukumu novēršanai. Turklāt īstenībā man vajadzētu vienlaicīgi iemest kādus trīsdesmit akmeņus, lai sāktos ķēdes reakcija un iznīcinātu visu kaudzi.

Es pametu skatienu atpakaļ uz mežu. Debesīs ceļas dūmi no Rū otrā ugunskura. Tagad karjeristi droši vien jau nojauš, ka tur ir kāda viltība. Laika vairs nav daudz.

Ir jābūt kādam risinājumam, es zinu, ka ir, man tikai ir pietiekami jāsakoncentrējas. Es lūkojos uz piramīdu, toveriem un kastēm. Viss ir pārāk smags, lai nogāztu ar bultu. Vienā tvertnē varbūt ir cepamā eļļa, un jau atmostas doma par degošu bultu, bet tad es aptveru, ka varbūt beigās iztērēšu visas divpadsmit bultas un vienalga netrāpīšu tieši eļļas toverim, jo varu tikai minēt, kurš tas ir. Es jau sāku nopietni apsvērt iespēju atkārtot Lapsas soļus, tikt līdz piramīdai un izdomāt jaunus iznīcināšanas paņēmienus, kad ieraugu maisu ar āboliem, un man iespīdas acis. Virvi es pāršautu ar vienu šāvienu – vai tad es to nepaveicu jau Apmācības centrā? Maiss ir liels, bet tas varētu izraisīt tikai vienu sprādzienu. Ja varētu izbērt pašus ābolus...

Es zinu, kas darāms. Es ieņemu pozīciju un atļaušos izlietot trīs bultas. Uzmanīgi atsperos zemē un rūpīgi nomērķēju, aizmirsdama pārējo pasauli. Pirmā bulta ieduras maisa sānā netālu no augšas un pāršķeļ audumu. Otrā caurumu papleš vēl platāk. Es redzu pirmo ābolu sašūpojamies un atlaižu trešo bultu, kas ieķeras atplēstajā strēmelē un norauj to pavisam.

Brīdi šķiet, ka laiks sastingst. Piepeši āboli izbirst zemē, bet es atmuguriski uzlidoju gaisā.

17

No trieciena pret cieti nomīdīto zemi man aizcērtas elpa. Mugursoma kritiena spēku īpaši nemīkstina. Bultu maks, par laimi, ir ieķēries elkoņa līkumā, tāpēc paliek vesels un pasargā roku, arī loks stingri turas manā tvērienā. Zemi joprojām drebina sprādzieni. Es tos nedzirdu. Šobrīd es nedzirdu vispār neko. Bet āboli noteikti ir iedarbinājuši pietiekami daudz mīnu, lai zemes pikas detonētu pārējās. Es paspēju piesegt seju ar rokām, kad pār mani nolīst šķembu lietus. Dažas šķembas ir pat degošas. Gaisā paceļas sīvi dūmi, un tie nekādi nepalīdz centieniem atgūt elpu.

Apmēram pēc minūtes zeme pārstāj drebēt. Es apveļos uz sāna un mirkli ļaujos tīksmei, kas mani pārņem, lūkojoties uz oglēs zvērojošo postažu, kas vēl tikko bija krājumu piramīda. Tur karjeristi vairs neko nesaglābs.

Man derētu laisties lapās, es domāju. *Viņi nesīsies šurp kā plēsti.* Bet, pieslējusies kājās, atskāršu, ka glābšanās varbūt nebūs vienkārša. Man reibst galva. Nevis tikai drusciņ griežas, bet tā, ka koki riņķo man apkārt traku danci un zeme zem kājām viļņiem ceļas un krīt. Es pasperu dažus soļus un nez kā noveļos četrrāpus. Dažas minūtes es gaidu, ka reibonis pāries, bet tas nepāriet.

Mostas panika. Es nevaru te palikt. Bēgt šobrīd ir vissvarīgākais. Bet es nespēju ne paiet, ne arī kaut ko sadzirdēt. Es pielieku roku pie kreisās auss, kura bija pagriezta pret eksploziju, un plaukstā paliek asinis. Vai es sprādzienā būtu kļuvusi kurla? Šī doma ir biedējoša. Medījot es paļaujos uz ausīm tikpat daudz kā uz acīm, dažreiz varbūt pat vairāk. Bet es nedrīkstu pieļaut, ka manas bailes kļūst redzamas. Ikviens ekrāns Panemā pilnīgi nešaubīgi rāda mani tiešajā ēterā.

Neatstāt asiņainas pēdas, es sevi brīdinu, ar pūlēm uzvelku pāri galvai kapuci un stīviem pirkstiem sasienu zem zoda aukliņu. Kapucei vajadzētu palīdzēt uzsūkt asinis. Es nevaru paiet, bet vai es varu parāpot? Piesardzīgi pakustos uz priekšu. Jā, ja kustēšos pavisam lēnām, tad varēšu parāpot. Vairumā vietu mežs nav pietiekami laba paslēptuve. Mana vienīgā cerība ir nokļūt atpakaļ līdz Rū atrastajam pamežam un noslēpties zemajos zaros. Es nedrīkstu pieļaut, ka mani noķer četrrāpus klajā laukā. Tā būtu ne tikai droša nāve, tā būtu arī lēna un sāpīga – no Kāto rokas. Domāju par Primu, kurai tas būtu jānoskatās, un sakumpusi lienu uz slēptuvi.

Vēl viens sprādziens liek man pieplakt pie zemes. Ir uzsprāgusi aizkavējusies mīna, kuru iedarbinājusi kāda pašķīdusi kaste. Tā notiek vēl divas reizes. Tas man atgādina, kā pārsprāgst daži pēdējie kukurūzas graudi, ko mājās mēs ar Primu gatavojam uz uguns.

Būtu pieticīgi apgalvot, ka es paglābjos par mata tiesu. Burtiski tai pašā brīdī, kad esmu ievilkusies krūmājā koku pakājē, klajumā izbrāžas Kāto un drīz seko viņa sabiedrotie. Viņa dusmas ir tik pārspīlētas, lai neteiktu – smieklīgas. Cilvēki tātad tiešām mēdz pārskaitušies plēst matus un ar dūrēm dauzīt zemi – ja es nezinātu, ka tās ir vērstas pret mani par to, ko esmu nodarījusi. Šai apziņai vēl pievienojas tas, ka esmu tik tuvu un nespēju ne bēgt, ne aizstāvēties, un mani pārņem šausmas. Priecājos, ka slēpnī kameras nevar uzņemt tuvplānu, jo es kā traka košļāju nagus. Graužu pēdējās nagu lakas paliekas un mēģinu neklabināt zobus.

Puika no Trešā apgabala met postažā akmeņus un laikam konstatē, ka visas mīnas ir uzsprāgušas, jo patlaban karjeristi tuvojas paliekām.

Kāto ir pārgājusi pirmā dusmu lēkme, un tagad viņš izgāž niknumu pār kūpošajām paliekām, atsperdams vaļā vairākas tvertnes. Pārējie pārstāvji pēta apkārtni, meklēdami kaut ko glābjamu, bet neko neatrod. Trešā apgabala zēns ir pārāk labi pastrādājis. Tāda doma laikam iešaujas prātā arī Kāto, jo viņš pagriežas pret zēnu un, šķiet, kliedz uz viņu. Zēnam pietiek laika tikai pagriezties, lai bēgtu, kad Kāto no aizmugures jau sagrābj viņa kaklu elkoņa līkumā. Es redzu, kā uz Kāto rokas uzpampst muskuļi, kad viņš ar asu kustību pagriež puikas galvu sāņus.

Tas ir ātri. Puika no Trešā apgabala ir miris.

Liekas: abi pārējie karjeristi mēģina Kāto nomierināt. Redzu, ka viņš grib atgriezties mežā, bet šie atkal un atkal rāda uz debesīm. Es brīnos par tādu žestu, bet tad saprotu. *Protams. Viņi domā, ka tas, kurš izraisīja sprādzienu, ir pagalam.* Viņi nezina par bultām un āboliem. Viņi domā, ka slazdi nebija gana labi, bet tas, kurš uzspridzināja viņu krājumus, arī pats gājis bojā. Ja arī bija lielgabala šāviens, sprādzienos to viegli varēja nesadzirdēt. Un saplosītās miesas varbūt jau aizvācis helikopters. Kompānija dodas uz ezera tālāko krastu, lai Spēļu rīkotāji varētu aizvākt Trešā apgabala puikas līķi. Viņi nogaida. Droši vien nodārd lielgabala šāviens. Parādās helikopters un paņem beigto puiku. Saule nogrimst aiz apvāršņa. Iestājas nakts. Ieraugu augšā debesīs zīmogu un zinu, ka noteikti ir sākusies himna. Mirkli valda tumsa. Tad parāda puiku no Trešā apgabala. Un tad puisi no Desmitā. Viņš laikam nomira šorīt no rīta. Tad zīmogs parādās atkal. Tātad viņi zina. Spridzinātājs ir dzīvs. Zīmoga gaismā es redzu: Kāto un meitene no Otrā apgabala uzliek naktsbrilles. Puisis no Pirmā apgabala aizdedz koka zaru kā lāpu un izgaismo trijotnes drūmi apņēmīgās sejas. Karjeristi iesoļo atpakaļ mežā medīt.

Reibonis ir pārgājis un, kaut arī mana kreisā auss joprojām ir kurla, labajā es sadzirdu sīkšanu, kas ir laba zīme. Bet atstāt paslēptuvi gan nav jēgas. Te, nozieguma vietā, ir drošākā vieta, kāda vispār pašreiz iespējama. Šie droši vien domā, ka spridzinātājs ir divas trīs stundas viņiem priekšā. Tomēr paiet ilgs laiks, līdz es uzdrošinos pakustēties.

Vispirms es izmakšķerēju un uzlieku savas brilles. Mazliet atslābinos, jo strādā vismaz viena no manām mednieces maņām. Iedzeru mazliet ūdens un izmazgāju asiņaino ausi. Baidīdamās, ka gaļas smarža pievilinās nevēlamus plēsējus – un svaigu asiņu smārds ir gana nelāgs –, es krietni ieturos ar zaļumiem, saknēm un ogām, ko mēs ar Rū šodien savācām.

Kur ir mana mazā sabiedrotā? Vai viņa paspēja nokļūt līdz satikšanās vietai? Vai viņa par mani uztraucas? Vismaz debesīs bija redzams, ka abas vēl esam dzīvas.

Uz pirkstiem es saskaitu atlikušos pārstāvjus. Puisis no Pirmā apgabala, abi pārstāvji no Otrā, Lapsa, abi no Vienpadsmitā un Divpadsmitā apgabala. Mēs esam tikai astoņi. Derību slēgšanā Kapitolijā noteikti iet karsti. Tagad par katru no mums veidos īpašus sižetus. Droši vien intervēs mūsu draugus un ģimenes. Jau ilgi nav gadījies kas tāds: Divpadsmitā apgabala pārstāvis ticis atlikušajā astotniekā. Un mēs esam divi. Kaut gan, spriežot pēc Kāto teiktā, Pītas drīz vairs nebūs. Protams, Kāto jau nav nekāds noteicējs. Vai tad viņš tikko nezaudēja veselu kaudzi krājumu?

Lai sākas Septiņdesmit ceturtās Bada Spēles, Kāto, es domāju. *Lai tās sākas pa īstam.*

Ir sacēlies auksts vējš. Es pasniedzos pēc guļammaisa un tikai tad atceros, ka atstāju to Rū. Man vajadzēja paņemt vēl vienu, bet ar visām mīnām un jucekli es to aizmirsu. Sāku drebēt. Visu nakti tupēt kokā kā gailim laktā nebūtu prātīgi, tāpēc es zem krūmiem izroku seklu iedobi un apsedzos ar lapām un priežu skujām. Vienalga salst. Es uzklāju ķermeņa augšdaļai savu plastmasas plēvi un nolieku mugursomu tā, lai mazliet būtu aizvējā. Kļūst mazliet labāk. Nedaudz jūtu līdzi meitenei no Astotā apgabala, kura tajā pirmajā naktī aizkūra uguni. Tagad man pašai ir jāsakož zobi un jāpaciešas līdz rītam. Es vācu vēl vairāk lapu un skuju, ievelku rokas jakas piedurknēs un pievelku ceļus pie zoda. Kaut kā man izdodas iemigt.

Kad es atveru acis, pasaule izskatās dīvaini neskaidra, un es tikai pēc brīža aptveru, ka saule jau ir krietnā gabalā, bet brilles izkropļo manu redzi. Kaut kur pie ezera atskan smiekli, un es sastingstu. Smiekli skan neskaidri, bet jau tas vien, ka es tos vispār sadzirdēju, nozīmē, ka laikam atgūstu dzirdi. Jā, ar labo ausi es dzirdu, kaut gan tajā joprojām sīc. Un kreisā auss... Nu tā vismaz vairs neasiņo.

Paskatos cauri krūmiem, baidīdamās, ka karjeristi ir atgriezušies un es esmu te iestrēgusi uz nenoteiktu laiku. Bet nē, tā ir Lapsa, viņa stāv postažā, kur pacēlās piramīda, un smejas. Viņa ir gudrāka par karjeristiem un atrod pelnos dažu labu noderīgu mantu. Metāla katliņu. Naža asmeni. Mani satriec viņas uzjautrināšanās, bet tad es atskāršu, ka tagad, kad karjeristu krājumi ir iznīcināti, viņai varbūt ir izredzes. Tāpat kā mums pārējiem. Man ienāk prātā doma, ka varētu iznākt no paslēptuves un pievienot pret šamējo baru vēl vienu sabiedroto. Bet tad es pārdomāju. Meitenes viltīgajā smaidā ir kaut kas tāds, kas liek man saprast, ka draudzība ar Lapsu beigu beigās nozīmētu dunci mugurā. Ņemot to vērā, ir nevainojama izdevība viņu nošaut. Bet viņa kaut ko izdzird, kaut ko citu, nevis mani, jo apcērtas pret krauju un metas prom mežā. Es nogaidu. Neviens un nekas neparādās. Un tomēr – Lapsa domāja, ka draud briesmas, varbūt arī man ir pienācis laiks kopties prom. Turklāt es ar nepacietību gaidu, kad varēšu izstāstīt Rū par piramīdu.

Tā kā man nav ne jausmas, kur ir karjeristi, tad iet atpakaļ gar upi var tikpat labi kā jebkur citur. Es steidzos uz priekšu ar uzvilktu loku vienā rokā un gabalu auksta zošļa – otrā, jo tagad jūtos izbadējusies un man gribas ne tikai lapas un ogas, bet taukus un olbaltumvielas, kas ir gaļā. Pa ceļam uz upi nekas neatgadās. Nokļuvusi tur, es no jauna piepildu ūdens pudeli un nomazgājos, īpaši piesardzīgi apskalodama ievainoto ausi. Tad es dodos augšā kalnā, izmantojot upi kā ceļvedi. Krasta dubļos pamanu zābaku nospiedumus. Karjeristi te ir bijuši, bet samērā sen. Nospiedumi ir dziļi, jo radās mīkstos dubļos, bet karstā saule tos ir gandrīz izkaltējusi. Es neesmu pietiekami uzmanījusies ar pašas pēdām, paļaudamās uz savu vieglo gaitu un priežu skujām, kas slēpj nospiedumus. Tagad es novelku zābakus un zeķes un ar basām kājām eju augšā pa upes gultni.

Vēsais ūdens uzmundrina manu ķermeni un garu. Lēnajā straumē es pavisam viegli nošauju divas zivis. Ejot vienu jau notiesāju jēlu, kaut arī vēl nupat ēdu zosli. Otru pataupīšu Rū.

Lēnām un pakāpeniski sīkšana manā labajā ausī kļūst klusāka un beidzot izgaist pavisam. Es laiku pa laikam instinktīvi aptaustu kreiso ausi, it kā mēģinot notīrīt to, kas bloķē dzirdi. Ja arī ir kādi uzlabojumi, tos nevar just. Es nespēju pierast pie kurluma. Man ir tāda sajūta, ka nav līdzsvara un ka kreisajā pusē esmu neaizsargāta. Pat akla. Es visu laiku griežu galvu uz ievainoto pusi, pūloties ar labo ausi kompensēt tukšumu tur, kur vēl vakar šalca skaņas, sniedzot man informāciju. Jo vairāk laika paiet, jo mazāk man atliek cerību, ka tāds ievainojums ar laiku varētu sadzīt.

Nonākusi tur, kur mēs satikāmies pirmo reizi, es jūtos pārliecināta, ka tā ir neskarta. Ne zemē, ne kokos nav ne zīmes no Rū. Savādi. Nu viņai jau vajadzētu būt atpakaļ, ir jau pusdienlaiks. Nakti viņa noteikti pārlaida kādā kokā. Ko vēl viņa varētu darīt tumsā, kad apkārt klaiņo karjeristi ar savām naktsbrillēm? Un trešais ugunskurs, ko viņai vajadzēja iekurt... Es gan vakar vakarā aizmirsu pēc tā palūkoties, tas bija vistālāk no mūsu tikšanās vietas. Droši vien viņa vienkārši piesardzīgi nāk atpakaļ. Kaut nu viņa pasteigtos, man negribētos te pārāk ilgi uzturēties. Es gribu pēcpusdienā tikt kaut kur augstāk un pa ceļam pamedīt. Bet tagad man neatliek nekas cits kā gaidīt.

Es izmazgāju asinis no savas jakas un matiem un iztīru savas brūces – to skaits visu laiku pieaug. Apdegumi izskatās daudz labāk, bet es vienalga uztriepju mazliet ziedes. Tagad svarīgākais ir, lai nekas neiekaist. Es apēdu otru zivi. Tādā karstā saulē tā ilgi nestāvēs, un gan jau viegli vien varēs nošaut vēl dažas Rū. Kaut tikai viņa nāktu.

Uz zemes es ar savu nepilnīgo dzirdi jūtos pārāk ievainojama, tāpēc uzrāpjos kokā un gaidu tur. Ja uzradīsies karjeristi, no šejienes viņus labi varēs apšaut. Saule lēnām rāpjas pa debesīm. Šo to padaru, lai nosistu laiku. Sakošļāju lapas un uzlieku lapseņu kodumiem, kas gan vairs nav uztūkuši, tomēr jutīgi. Ar pirkstiem saķemmēju mitros matus un sapinu bizē. Uzvelku un sašņorēju zābakus. Pārbaudu loku un deviņas atlikušās bultas. Atkal un atkal čabinu pa lapai pie kreisās auss, pārbaudot, vai tā nesāk veseļoties. Nekā.

Par spīti notiesātajam zoslim un zivīm, man rūc vē-
ders, un es nojaušu, ka šodien būs diena, ko mēs Div-

padsmitajā apgabalā saucam par tukšo dienu. Tādā dienā var locīt iekšā, ko grib, bet nekad nepietiek. Sēžot kokā un neko nedarot, ir vēl ļaunāk, tāpēc es nolemju nepretoties. Galu galā es arēnā esmu zaudējusi daudz svara un man vajadzīgas kalorijas. Un ar loku un bultām es jūtos daudz pārliecinātāka par savām nākotnes izredzēm.

Es lēnām nolobu un apēdu sauju riekstu. Pēdējo sausiņu. Zošļa kaklu. Tas ir labs, jo vajag daudz laika, lai nolobītu gaļu. Beidzot es apriju zošļa spārnu, un ēdamā vairs nav. Bet ir tukšā diena, un pat pēc visa apēstā es sāku vaļējām acīm sapņot par ēdamo. Īpaši par pārbagātajām maltītēm, kādas pasniedz Kapitolijā. Par vistu krēmīgā apelsīnu mērcē. Par kūkām un pudiņiem. Par maizi ar sviestu. Par nūdelēm zaļajā mērcē. Par aitas gaļas un žāvētu plūmju sautējumu. Pasūkāju dažas piparmētru lapiņas un pavēlu sev savākties. Piparmētras ir labas, jo mēs bieži vakariņās dzeram piparmētru tēju, tāpēc tās piemāna vēderu, ka ēšana šodien ir galā. It kā.

Es sēžu kokā, mani silda saules stari, man mutē ir piparmētru lapas un rokās – loks un bultas... Kopš nokļuvu arēnā, es vēl ne reizes neesmu jutusies tik atpūtusies. Ja vien atnāktu Rū un mēs varētu iet prom. Ēnas stiepjas garākas un vairo manu nemieru. Vēlā pēcpusdienā es izlemju iet viņu meklēt. Es vismaz varu aiziet uz vietu, kur viņa aizkūra trešo ugunskuru, un palūkot, vai nevar redzēt, kurp viņa ir devusies.

Pirms aiziet, es izkaisu ap veco ugunskura vietu piparmētru lapas. Tā kā tās mēs savācām mazliet tālāk, Rū sapratīs, ka es esmu te bijusi, bet karjeristiem tās neko neizteiks.

Mazāk nekā pēc stundas es jau esmu vietā, kur mēs vienojāmies kurt trešo ugunskuru, un es redzu, ka kaut kas ir nogājis greizi. Malka ir kārtīgi sakrauta un starpās veikli sabāzta sausa zāle, bet ugunskurs nav aizdedzināts. Rū sakrāva sārtu, bet te neatgriezās. Tātad pēc tam kad es pirms krājumu uzspridzināšanas pamanīju otro dūmu strūkliņu, un pirms šī brīža viņa ir iekūlusies nepatikšanās.

Man ir sev jāatkārto, ka viņa ir dzīva. Vai varbūt ne? Vai viņas nāvi vēstījošais lielgabala šāviens varēja atskanēt agri no rīta, kad pat mana veselā auss vēl bija pārāk apdullusi, lai to sadzirdētu? Vai šovakar viņas portrets parādīsies debesīs? Nē, tam es nespēju noticēt. Ir simtiem citu iespējamo izskaidrojumu. Viņa varēja apmaldīties. Uzskriet plēsēju baram vai kādam citam pārstāvim, piemēram, Trešam, un tad viņai būtu jāslēpjas. Lai kas ir noticis, es ticu, ka viņa kaut kur ir – kaut kur starp otro ugunskuru un šo neaizdegto pie manām kājām. Kaut kāda iemesla dēļ viņa netiek lejā no koka.

Laikam būs jāiet tas kaut kas nomedīt.

Pēc dīki pavadītās pēcpusdienas darbošanās ir atvieglojums. Es klusām lienu ēnās, ļaudama tām sevi apslēpt. Bet neko aizdomīgu nejūt. Nav manāmas nekādas cīņas pazīmes, skujās uz zemes nav redzamas nekādas pēdas. Tikai uz mirkli apstājos, kad kaut ko sadzirdu. Man nākas piešķiebt galvu, lai pārliecinātos, bet tad tā atskan atkal. Zobgaļsīlis vidžina Rū dziesmu. To, kura nozīmē, ka ar viņu viss ir kārtībā.

Es pasmaidu un dodos uz putna pusi. Vēl viens mazliet tālāk pārņem melodiju. Rū viņiem ir dziedājusi, turklāt nesen. Citādi jau tie dziedātu citu dziesmu. Paceļu skatienu augšup, meklēdama kādu zīmi, kas liecinātu, ka viņa ir kokā. Es noriju siekalas un klusi atsaucos dziesmai, cerēdama, ka viņa sapratīs, ka var man droši pievienoties. Sīlis atkārto manu dziesmu. Un tad es izdzirdu kliedzienu.

Tur kliedz bērns. Maza meitene. Visā arēnā nav neviena cita, kas varētu tā kliegt, tikai Rū. Un es metos skriet, zinādama, ka varbūt tās ir lamatas, zinādama, ka varbūt karjeristi mani gaida, lai uzbruktu, bet es nespēju neko nedarīt. Atskan vēl viens spalgs kliedziens. Šoreiz tas ir mans vārds. – Katnis! Katnis!

– Rū! – es atsaucos, lai viņa zinātu, ka esmu tepat. Lai *viņi* zinātu, ka es esmu tuvumā. Es, meitene, kas viņiem uzmeta sekotājdzēlēju pūzni un treniņos neizprotamā kārtā dabūja vienpadsmit punktus. Cerams, ar to pietiks, lai novērstu uzmanību no Rū. – Rū! Es nāku!

Kad es izšaujos klajumā, meitene guļ zemē, bezcerīgi sapinusies tīklā. Viņai pietiek laika, tikai lai izstieptu roku caur tīklu un izteiktu manu vārdu, kad viņu caurdur šķēps.

Zēns no Pirmā apgabala nepagūst pat izraut šķēpu. Mana bulta ieurbjas dziļi viņam kaklā. Viņš nokrīt ceļos un vēl uz pusi saīsina atlikušo īso dzīves mirkli, izraudams bultu un noslīkdams paša asinīs. Es uzvelku jaunu bultu un grozu loku uz visām pusēm, vienlaikus saukdama Rū: – Vai te ir vēl kāds? Vai te ir vēl kāds?

Viņai vairākas reizes nākas teikt "nē", kamēr es sadzirdu.

Rū ir pagriezusies uz sāniem un saritinājusies ap šķēpu. Es aizstumju puisi prom no viņas, izvelku nazi un atbrīvoju meiteni no tīkla. Uzmetusi skatienu ievainojumam, es uzreiz saprotu, ka to nekādi nespēšu sadziedēt. To nespētu neviens. Šķēps ir līdz spalam ieurbies Rū vēderā. Es notupstos viņas priekšā un bezpalīdzīgi skatos uz ieroci. Nav nekādas jēgas viņu mierināt, teikt, ka viss būs labi. Viņa nav muļķe. Viņa pastiepj roku, un es to satveru kā dzīvību. It kā mirtu nevis Rū, bet es pati.

– Vai tu uzspridzināji pārtiku? – viņa čukstus jautā.

– Līdz pēdējam.

– Tev ir jāuzvar, – viņa elso.

– Es uzvarēšu. Tagad es to darīšu mūsu abu dēļ, – apsolu. Es izdzirdu lielgabala šāvienu un paceļu galvu. Tas laikam bija par Pirmā apgabala zēnu.

– Neaizej... – Rū tvēriens ap manu roku kļūst ciešāks.

– Protams, ne. Es palikšu tepat, – es solos un, pieraususies tuvāk, paņemu klēpī viņas galvu. Maigi atglaužu meitenes tumšos, biezos matus viņai aiz auss.

– Padziedi, – viņa lūdz, bet es to tik tikko sadzirdu.

Dziedāt? es domāju. *Ko tad?* Dažas dziesmas es zinu. Ticiet vai ne, bet reiz arī manās mājās skanēja mūzika. Mūzika, ko palīdzēju radīt arī es. Mani savaldzināja tēva brīnumskaistā balss. Bet kopš viņa nāves es neko daudz neesmu dziedājusi. Izņemot reizes, kad Prima ir smagi slima. Tad es viņai dziedu tās pašas dziesmas, kas viņai patika bērnībā.

Dziedāt. Manu rīkli žņaudz asaras, un balss no dūmiem un pārguruma ir piesmakusi. Bet, ja tā ir Primas, tas ir, Rū, pēdējā vēlēšanās, man ir vismaz jāmēģina. Man prātā nāk vienkārša šūpļa dziesma – dziesma, ar kuru mēs iemidzinām nemierīgus, izsalkušus mazuļus. Man šķiet, ka tā ir ļoti, ļoti sena. Radusies mūsu apgabala pakalnos. Kalnu gaisā, kā saka mana mūzikas skolotāja. Bet dziesmas vārdi ir viegli un mierinoši un sola, ka rītdiena nesīs vairāk cerību nekā briesmīgajā laikā, ko mēs saucam par šodienu.

Es mazliet noklepojos, ar grūtībām noriju siekalas un sāku:

Dziļdziļi lejā, vītola ēnā
Zāles gultiņā, zāles pēļos
Noliec jel galvu, ver plakstus ciet
Un atver acis, kad saule ausīs.

Te ir droši, te ir silti,
Te pīpenes sargā no visa, kas ļauns,
Te sapņi ir saldi, rīts piepildīs tos.
Te ir mana mīlestība.

Rū ir aizvērusi acis. Viņas krūtis gandrīz nemanāmi cilājas. Man pār vaigiem norit izlauzušās asaras. Bet dziesma ir jāpabeidz.

Dziļi lejā tāltālu slēpjas
Lapu mantija, mēness stari.
Aizmirsti bēdas, noliec raizes,
Kad atkal būs rīts, tās izzudīs.

Te ir droši, te ir silti,
Te pīpenes sargā no visa, kas ļauns...

Pēdējās rindas izskan tikko dzirdami.

Te sapņi ir saldi, rīts piepildīs tos.
Te mīlu es tevi.

Valda pilnīgs klusums. Un gandrīz vai baisi manu dziesmu sāk atbalsot zobgaļsīļi.

Brīdi es sēžu un skatos, kā manas asaras rit Rū uz sejas. Atskan lielgabala dārds, vēstot viņas nāvi. Es pieliecos un piespiežu lūpas meitenes deniņiem. Tad es lēnām, it kā lai viņu nepamodinātu, nolieku viņas galvu atpakaļ uz spilvena un atlaižu viņas roku.

Tagad man vajadzētu doties prom. Lai varētu aizvākt līķus. Un nav arī iemesla palikt. Es apveļu puisi no Pirmā apgabala uz mutes un paņemu viņa somu un bultu, kas izbeidza viņa dzīvi. Es nogriežu Rū no muguras arī viņas somu, zinādama, ka viņa tā gribētu, bet atstāju šķēpu. Ieročus, kas iedurti mirušajos, arī paņems līdzi helikopters. Es šķēpu izmantot nevaru, tāpēc, jo ātrāk tas būs prom no arēnas, jo labāk.

Es nespēju atraut acis no Rū. Viņa izskatās vēl mazāka nekā agrāk – kā tīkla ligzdā saritinājies dzīvnieka mazulis. Es nespēju viņu tā pamest. Viņai vairs nedraud nekādas briesmas, bet viņa šķiet pilnīgi neaizsargāta. Ir nepareizi ienīst puisi no Pirmā apgabala. Arī viņš nāvē izskatās tik ievainojams. Es ienīstu Kapitoliju – par to, ka viņu dēļ mums tas ir jāizcieš.

Man galvā atskan Geila balss. Viņa ārdīšanās par Kapitoliju vairs neliekas bezjēdzīga, to vairs nevar neievērot. Rū nāve mani ir piespiedusi atzīt pašai savas dusmas par nežēlību un netaisnību, kādu mums liek panest. Bet šeit es pat vēl spēcīgāk nekā mājās izjūtu savu bezspēcību. Kapitolijam atriebties nav iespējams. Vai ne?

Tad es atceros, ko Pīta teica uz jumta. *Es tikai visu laiku vēlos, kaut varētu izdomāt veidu, kā... kā parādīt Kapitolijam, ka es viņiem nepiederu. Ka es esmu kas vairāk nekā tikai skrūvīte viņu Spēlēs.* Un pirmo reizi es saprotu, ko viņš ar to gribēja teikt.

Uzreiz es gribu izdarīt kaut ko tādu, lai kapitoliešiem liktu kaunēties, lai sauktu viņus pie atbildības, lai parādītu Kapitolijam, ka, lai ko viņi darītu vai arī lai ko piespiestu darīt mūs, katrā pārstāvī, par spīti tam, ir kaut kas tāds, kas viņiem nevar piederēt. Ka Rū bija kas vairāk par vienkāršu skrūvīti viņu Spēlēs. Un arī es esmu kas vairāk.

Dažus soļus tālāk mežā aug puduris meža puķu. Varbūt tās ir kaut kādas nezāles, bet ziedi ir skaistos violetos un dzeltenos, un baltos toņos. Es saplūcu sauju un atgriežos pie Rū. Lēnām, ņemdama pa vienam ziedam, es izrotāju viņas ķermeni. Apklāju vaļējo brūci. Apviju vainagu meitenes sejai. Iepinu košākos ziedus viņas matos.

Tas viņiem būs jāparāda. Vai arī, pat ja viņi šajā brīdī izdomās filmēt kaut ko citu, viņiem būs te jāatgriežas, kad savāks līķus, un visi redzēs Rū un zinās, ka to paveicu es. Es atkāpjos un uzmetu Rū pēdējo skatienu. Varbūt viņa tiešām tikai ir atgūlusies pļavā?

– Ardievu, Rū, – es čukstu un tad piespiežu trīs kreisās rokas pirkstus pie lūpām un izstiepju pret viņu. Es aizeju neatskatīdamās.

Putni apklust. Kaut kur kokos brīdinoši aizkliedzas zobgaļsīlis, un parādās helikopters. Nezinu, kā putni nojauš. Tie laikam dzird kaut ko tādu, ko nedzird cilvēki. Apstājos, lūkodamās uz priekšu, nevis atpakaļ. Pēc neilga laika putni atsāk treļļot, un es zinu, ka Rū ir prom.

Manā priekšā uz zara nolaižas zobgaļsīļu jaunulis un uzsāk Rū dziesmu. Mana dziesma un helikoptera dūkoņa tik jaunam putnam bija pārāk sarežģīta, bet Rū īso meldiņu tas prot. Melodija nozīmē, ka Rū ir drošībā.

– Viss ir labi un droši, – saku, paiedama zem zara, kurā tup putns, – tagad mums nav par viņu jāraizējas. – Viss ir labi un droši.

Man nav ne jausmas, kurp lai eju. Īsā māju sajūta, kādu es piedzīvoju vienīgajā naktī ar Rū, ir izgaisusi. Kājas mani nes šur un tur, līdz sāk rietēt saule. Es nebaidos un pat nepiesargājos. Esmu viegls mērķis. Bet es nogalinātu katru, ko ieraudzītu. Bez kādām emocijām vai roku drebēšanas. Mans naids pret Kapitoliju it nemaz nav atdzesējis naidu pret pārstāvjiem. Īpaši karjeristiem. Viņiem vismaz var atmaksāt par Rū nāvi.

Bet neviens nerādās. Mūsu nav atlicis daudz, un arēna ir liela. Drīz vien Spēļu rīkotāji izdomās kādu jaunu paņēmienu, kā sadzīt mūs kopā. Bet šodien ir izliets pietiekami daudz asiņu. Varbūt drīkstēs pat pagulēt.

Es jau taisos uzcelt somas kokā un iekārtoties, kad man priekšā nolaižas sudrabains izpletnis. Dāvana no atbalstītāja. Bet kāpēc tagad? Pēdējā laikā es esmu pietiekami apgādāta. Varbūt Heimičs ir pamanījis manu grūtsirdību un mēģina mazliet uzmundrināt. Vai arī tajā būs kaut kas manai ausij?

Es atveru izpletni un ieraugu nelielu maizes klaipu. Tas nav smalks un balts kā Kapitolijā. No tumšajiem miltiem, ko dod par taloniem, un ir veidots pusmēness formā un nokaisīts ar sēklām. Es atceros, kā Pīta Apmācības centrā stāstīja par maizi no dažādiem apgabaliem. Šāda maize bija no Vienpadsmitā apgabala. Uzmanīgi paceļu vēl silto kukulīti. Ko gan tas ir maksājis Vienpadsmitā apgabala ļaudīm, kas paši nedabū paēst līdz sātam? Cik daudziem nācās savilkt jostas vēl ciešāk, lai sagrabinātu kādu monētu, ko pielikt, lai nopirktu vienu klaipu? Tas noteikti bija domāts Rū. Bet viņi tā vietā, lai atsauktu velti, kad Rū nomira, ir devuši Heimičam atļauju ziedot to man. Kā pateicību? Vai arī tāpēc, ka viņiem, tāpat kā man, nepatīk palikt parādā? Lai kāds būtu iemesls, kaut kas tāds vēl nav piedzīvots. Apgabala dāvana cita apgabala pārstāvim.

Es paceļu galvu un izeju pēdējos saules staros. – Es pateicos Vienpadsmitā apgabala ļaudīm, – saku. Man gribas, lai viņi zinātu, ka es apzinos, no kurienes maize ir nākusi. Ka es zinu, cik tā ir vērtīga.

Es uzkāpju kokā bīstami augstu – nevis drošības dēļ, bet tāpēc, lai tiktu pēc iespējas tālāk no šodien notikušā. Mans guļammaiss ir kārtīgi saritināts Rū somā. Rīt es sašķirošu krājumus. Rīt es izdomāšu jaunu plānu. Bet šovakar es vienkārši piesprādzējos un sīkiem kumosiem ēdu maizi. Tā ir laba. Tā garšo pēc mājām.

Drīz debesīs parādās zīmogs, un es ar labo ausi saklausu himnu. Es ieraugu puisi no Pirmā apgabala un Rū. Tas šim vakaram ir viss. *Mēs esam atlikuši seši*, es domāju. *Tikai seši.* Es aizmiegu, arvien turēdama rokās maizi.

Dažreiz, kad ir ļoti slikti, mana bezapziņa dāvā man labu sapni. Par gājienu mežā kopā ar tēvu. Par sauli un par kūku kopā ar Primu. Šonakt velte man ir ziediem rotātā Rū. Viņa sēž augstu kokā un mēģina man iemācīt sarunāties ar zobgaļsīļiem. Es neredzu viņas ievainojumus, neredzu asinis, viņa vienkārši ir smejoša meitene. Viņa dzidrā, melodiskā balsī dzied dziesmas, ko es nekad agrāk neesmu dzirdējusi. Atkal un atkal. Visu nakti. Beigās es vēl pusmiegā dzirdu pēdējās atbalsis, kaut arī viņa jau ir nozudusi lapotnē. Pilnībā pamodusies, es uz brīdi jūtos nomierinājusies. Mēģinu paturēt mierpilno sapņa sajūtu, bet tā žigli aizslīd, un ir tik skumji un vientuļi kā vēl nekad.

Manu ķermeni pārņem tāds smagums, it kā dzīslās būtu izlijis šķidrs svins. Man vairs negribas darīt pat pavisam vienkāršas lietas, darīt jebko, izņemot nekustīgu gulēšanu un lūkošanos koku lapotnē. Vairākas stundas es nekustos. No letarģijas mani, kā parasti, izrauj doma par Primas raižpilno sejiņu, kas lūkojas uz mani ekrānā mājās.

Dodu sev vairākas vienkāršas pavēles, piemēram, *tagad piecelies sēdus, Katnis. Tagad iedzer ūdeni, Katnis.* Es paklausu pavēlēm ar lēnām, mehāniskām kustībām. *Tagad sašķiro mantas, Katnis.*

Rū somā ir mans guļammaiss, gandrīz tukša ūdens blašķe, riekša sakņu un riekstu, mazliet truša, viņas papildu zeķes un linga. Puisim no Pirmā apgabala ir vairāki naži, divi šķēpa uzgaļi, kabatas lukturis, neliels ādas maks, pirmās palīdzības somiņa, pilna pudele ūdens un paciņa žāvētu augļu. Paciņa žāvētu augļu! No visa, ko viņš būtu varējis izvēlēties. Manās acīs tā ir drausmīga uzpūtība. Tik tiešām – kālab nēsāt līdzi kaut ko ēdamu, ja nometnē gaida tāda pārpilnība? Ja ienaidniekus novāksi tik žigli, ka būsi atpakaļ, pirms māks izsalkums? Var tikai cerēt, ka arī pārējie karjeristi ar ēdienu neapkrāvās un nu viņiem nav nekā.

Ja tā padomā, arī mani krājumi sāk izsīkt. Es apēdu Vienpadsmitā apgabala sūtītā klaipa atliekas un pēdējo truša gabalu. Cik žigli nozūd pārtika! Man ir atlikušas tikai Rū saknes un rieksti, puiša žāvētie augļi un viena šķēlīte kaltētas gaļas. *Tagad būs jāmedī, Katnis,* es sev saku.

Rūpīgi salieku sev vajadzīgās lietas somā. Nokāpusi no koka, es paslēpju puiša nažus un šķēpa uzgaļus akmeņu kaudzē, lai tos neizmantotu kāds cits. Pēc vakarvakara klaiņošanas man ir zudusi orientācija, bet es mēģinu iet aptuveni uz upes pusi. Uzgājusi Rū trešo, neaizkurto ugunskuru, es saprotu, ka esmu uz pareizā ceļa. Īsu brīdi pēc tam es pamanu kokos tupam zošļu baru un, iekams putniem izdodas aptvert briesmas, nošauju veselus trīs. Atgriežos pie Rū ugunskura un to aizdedzinu, neraizēdamās par dūmiem. *Kur tu esi, Kāto?* es prātoju, cepinādama putnus un Rū saknes. *Es tevi gaidu.*

Kurš gan zina, kur karjeristi atrodas? Vai nu viņi ir pārāk tālu, vai arī domā, ka tā ir kāda viltība, vai arī... Vai tā varētu būt? Vai viņi baidās no manis? Protams, viņi zina, ka man ir loks un bultas. Kāto redzēja, kā es tos paņemu no Spīgalas līķa. Bet vai viņi jau ir sapratuši sakarību? Aptvēruši, ka es uzspridzināju krājumus un nogalināju viņu biedru? Viņi droši vien domā, ka to izdarīja Trešs. Vai nebūtu ticamāk, ja viņš vēlētos atriebt Rū nāvi? Jo viņš ir no tā paša apgabala? Viņš gan par meiteni neizrādīja ne mazāko interesi.

Un Lapsa? Vai viņa bija tuvumā un redzēja, kā es uzspridzinu krājumus? Nē. Kad es nākamajā rītā pieķēru viņu smejamies pelnos, smiekli skanēja tā, it kā kāds būtu viņai sagādājis patīkamu pārsteigumu.

Šaubos, ka viņi uzskata Pītu par vainīgo signāluguns sakuršanā. Kāto ir pārliecināts, ka Pīta ir tuvu nāvei. Es pēkšņi vēlos, kaut varētu Pītam izstāstīt par ziediem, ar ko izrotāju Rū. Ka es saprotu, ko viņš uz jumta bija mēģinājis pateikt. Ja viņš uzvarēs Spēlēs, varbūt redzēs mani Uzvarētāju naktī, kad virs skatuves, kur mūs intervēja, uz ekrāna atkārtos Spēļu interesantākos brīžus. Goda vietā uz paaugstinājuma sēž uzvarētājs un viņam apkārt – viņa komanda.

Bet es apsolīju Rū, ka tur sēdēšu es. Mūsu abu dēļ. Un nez kāpēc šis solījums ir pat vēl svarīgāks par Primai doto zvērestu.

Man tiešām šķiet, ka ir izredzes. Uzvarēt! Un tāda izjūta man ir ne tikai bultu dēļ vai tāpēc, ka dažas reizes ir izdevies apmuļķot karjeristus, kaut gan tam arī ir zināma nozīme. Kad es turēju Rū roku un noskatījos, kā viņu pamet dzīvība, kaut kas manī mainījās. Esmu apņēmusies viņu atriebt un padarīt viņas nāvi neaizmirstamu, un to es varēšu tikai tad, ja uzvarēšu un pati kļūšu neaizmirstama.

Es pārcepu putnus, visu laiku cerēdama, ka uzradīsies kāds, ko varētu nošaut, bet neviena nav. Varbūt pārējie pārstāvji pašlaik cīnās uz dzīvību un nāvi savā starpā. Tas būtu labi. Kopš asinspirts es esmu bijusi uz ekrāniem biežāk, nekā man būtu gribējies.

Pēc krietna brīža es ietinu savu ēdamo un dodos uz upi papildināt ūdens krājumus un kaut ko ievākt. Bet mani atkal pārņem tāds pats smagums kā no rīta, un es uzrāpjos kokā un iekārtojos naktsmieram, kaut arī vēl ir agrs. Domās atkal redzu vakardienas notikumus. Acu priekšā visu laiku redzu, kā šķēps ieurbjas Rū ķermenī, kā bulta trāpa puiša kaklā. Nezin kāpēc es vispār domāju par to puisi.

Un es aptveru... Viņš bija pirmais, ko esmu nogalinājusi!

Lai palīdzētu slēgt derības, par katru pārstāvi paziņo dažādus statistikas datus un katram pārstāvim ir arī savs nogalināto saraksts. Teorētiski man laikam piedēvēs arī Spīgalu un meiteni no Ceturtā apgabala, jo uzmetu viņām pūzni. Bet puisis no Pirmā apgabala bija cilvēks, par kuru es zināju, ka viņš miris no manas rokas. Pirmais. Es esmu nogalinājusi daudzus dzīvniekus, bet tikai vienu cilvēku. Domās es dzirdu Geilu sakām: "Kāda gan tur starpība?"

Darbības bija apbrīnojami līdzīgas. Uzvilkt loku, izšaut bultu. Bet sekas ir pilnīgi citādas. Es nogalināju puisi, kuram nezināju pat vārdu. Kaut kur viņu apraud ģimene. Viņa draugi alkst manu asiņu. Varbūt viņam bija draudzene, kura no sirds ticēja, ka viņš pārnāks...

Bet es iedomājos Rū stingo augumu un izmetu puisi no prāta. Vismaz pagaidām.

Debesis rāda, ka šodien nekas nav noticis. Neviens nav miris. Interesanti, cik daudz laika mums būs līdz nākamajai katastrofai, kas mūs sadzīs kopā. Ja tas notiks šonakt, tad es gribētu vispirms mazliet pagulēt. Es aizsedzu dzirdīgo ausi, lai tajā neskanētu himna, bet pēkšņi saklausu trompetes un pieceļos sēdus, gaidīdama paziņojumu.

Parasti vienīgās ziņas, ko pārstāvji saņem no ārpasaules, ir ikdienas mirušo uzskaitījums. Bet laiku pa laikam atskan trompetes un tām seko paziņojums. Parasti pārstāvjus aicina uz dzīrēm. Kad ir maz pārtikas, Spēļu rīkotāji ielūdz spēlētājus uz mielastu kādā visiem pazīstamā vietā, piemēram, pie Pārpilnības Raga, lai mudinātu savākties vienkop un cīnīties. Dažreiz tur arī gaida mielasts, bet dažreiz pārstāvjiem ir jācīnās par kukuli saziedējušas maizes. Ēdiena dēļ es neietu, bet dzīres varētu būt nevainojama izdevība novākt dažus sāncenšus.

Virs galvas nodārd Klaudija Templsmita balss. Viņš apsveic sešus atlikušos spēlētājus. Bet mūs nelūdz uz dzīrēm. Viņa teiktais ir ļoti mulsinošs. Spēlēm ir mainīti noteikumi. Mainīti noteikumi! Jau tas vien ir prātam neaptverami, jo nekādu pieminēšanas vērtu noteikumu nemaz nav, izņemot aizliegumu ne ātrāk kā pēc sešdesmit sekundēm nokāpt no plāksnes un vēl nerakstīto likumu neēst sāncenšus. Jaunais noteikums ir tāds: ja pēdējie divi dzīvie pārstāvji būs no viena apgabala, par uzvarētājiem izziņos viņus abus. Klaudijs brīdi pieklust, it kā zinādams, ka mēs nesaprotam, un tad atkārto jaunumus vēlreiz.

Es atskārstu, ko tas nozīmē. Šogad varētu uzvarēt divi pārstāvji. Ja abi ir no viena apgabala. Abi drīkst palikt dzīvi. Mēs abi varam palikt dzīvi.

Es saucu Pītas vārdu, nepagūdama savaldīties.

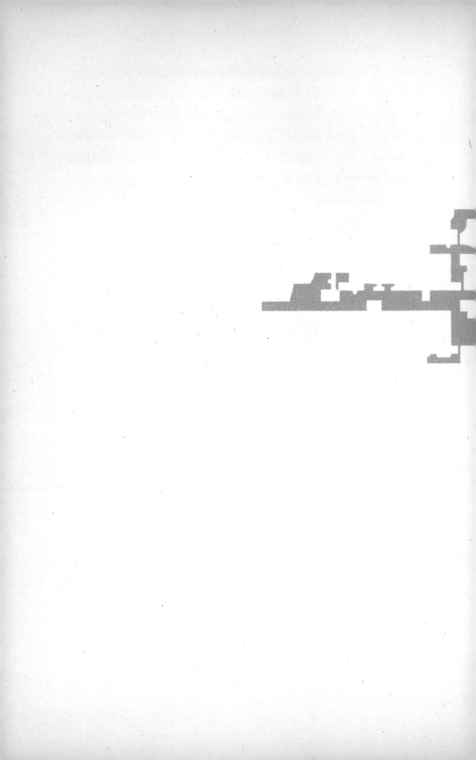

TREŠĀ DAĻA

UZVARA

19

Es aizšauju mutei priekšā plaukstu, bet skaņa jau ir izsprukusi. Debesis satumst, un es dzirdu, kā varžu koris uzsāk dziesmu. *Stulbene!* es sevi norāju. *Tas bija ļoti stulbi!* Es sastingusi gaidu, kad mežs atdzīvosies, atskanot uzbrucēju soļiem. Tad atceros, ka gandrīz neviena vairs nav.

Ievainotais Pīta tagad ir mans sabiedrotais. Lai kā es viņam būtu neuzticējusies, šaubas izgaist: ja viens no mums atņemtu otram dzīvību, atgriezies Divpadsmitajā apgabalā, viņš kļūtu par izstumto. Skaidri zinu: ja pati skatītos šīs Spēles, tad ienīstu ikvienu pārstāvi, kas uzreiz neapvienotos ar sava apgabala partneri. Turklāt aizstāvēt vienam otru ir tikai pašsaprotami. Un man kā vienai no Divpadsmitā apgabala nelaimīgo mīlētāju pāra citas izvēles nav vispār – ja vēlos saņemt vēl kādu palīdzību no līdzjūtīgajiem atbalstītājiem.

Nelaimīgie mīlētāji... Pīta laikam visu laiku spēlēja savu lomu. Kāpēc gan vēl Spēļu rīkotāji lai mainītu noteikumus, kas vēl nekad iepriekš nav noticis? Ja jau tagad var uzvarēt divi, tas nozīmē, ka mūsu "mīlasstāsts" skatītāju vidū ir tik populārs, ka tā atstāšana nelaimīgām beigām nolemtu Spēles neveiksmei. Par to noteikti nav jāpateicas man. Vienīgais, ko es esmu paveikusi – neesmu nogalinājusi Pītu. Bet viņa rīcība arēnā acīmredzot ir pārliecinājusi skatītājus, ka viņš dara visu, lai es paliktu dzīva. Viņš pašūpoja galvu, lai es neskrietu uz Pārpilnības Ragu. Stājās pretī Kāto, lai es varētu izbēgt. Pat biedrošanās ar karjeristiem noteikti bija viltība, lai mani pasargātu. Izrādās, ka no Pītas nevajadzēja baidīties.

To iedomājoties, es pasmaidu. Nolaižu rokas un paceļu seju, lai to apspīd mēnesnīca un lai kameras to noteikti nofilmētu.

Tātad – no kā vēl būtu jābaidās? No Lapsas? Zēns no viņas apgabala ir pagalam. Viņa darbojas viena un naktī. Un līdz šim viņas stratēģija ir izvairīties, nevis uzbrukt. Man nezin kāpēc nešķiet, ka viņa kaut ko pasāktu pat tad, ja izdzirdētu manu balsi. Viņa tikai cerētu, ka mani nogalinās kāds cits.

Vēl ir Trešs. Ar viņu gan pilnīgi noteikti ir jārēķinās. Bet kopš Spēļu sākuma es viņu ne reizes neesmu redzējusi. Es atceros, kā Lapsa kļuva piesardzīga, sprādziena vietā izdzirdējusi kādu troksni. Bet viņa nepagriezās pret mežu, viņa pagriezās uz pretējo pusi. Uz to arēnas daļu, kur ir krauja un aiz tās – man nezināmi plašumi. Es esmu gandrīz pārliecināta, ka viņa bēga no Treša un ka tur ir viņa valstība. No turienes viņš nemūžam mani nebūtu nevarējis sadzirdēt, un, pat ja sadzirdēja, es esmu pārāk augstu, lai mani aizsniegtu viņa auguma puisis.

Tātad atliek Kāto un meitene no Otrā apgabala. Viņi tagad noteikti līksmo par jauno noteikumu. Izņemot Pītu un mani, viņi ir vienīgie, kuri no tā vēl gūtu kādu labumu. Vai man bēgt uzreiz, ja viņi gadījumā būtu sadzirdējuši mani saucam Pītas vārdu? *Nē*, es nodomāju.

Lai tik panāk šurp. Lai tik nāk ar savām naktsbrillēm un smagajiem ķermeņiem, zem kuriem lūst zari. Lai nāk tieši pretī manām bultām. Bet es zinu, ka viņi nenāks. Ja viņi neatnāca dienas laikā, redzot manu ugunskuru, tad naktī neriskēs iekļūt slazdā. Viņi nāks, kad paši gribēs, un nevis tāpēc, ka es pavēstīšu savu atrašanās vietu.

Savācies un guli, Katnis, es sev pavēlu, kaut arī gribu tūlīt dzīt pēdas Pītam. *Rīt tu viņu atradīsi.*

Es tiešām paguļu, bet no rīta esmu īpaši piesardzīga, jo man šķiet, ka karjeristi varbūt neuzbruks man tieši kokā, bet noteikti būtu varējuši ierīkot slēpni. Pirms kāpt lejā, es rūpīgi sagatavojos – krietni pabrokastoju, droši uzlieku mugurā somu un paņemu ieročus. Bet lejā viss ir mierīgi un pa vecam.

Šodien man jābūt ārkārtīgi uzmanīgai. Karjeristi zinās, ka es mēģinu atrast Pītu. Noteikti var būt arī tā, ka viņi gribēs nogaidīt, kamēr viņu atradīšu, un tad uzbrukt. Ja viņš ir tik smagi ievainots, kā domā Kāto, tad man nāktos vienai pašai aizstāvēt mūs abus. Bet, ja viņš tiešām ir tā ievainots, kā viņam ir izdevies palikt dzīvam? Un kā es viņu atradīšu?

Es mēģinu atcerēties visu, ko Pīta jebkad ir teicis, meklējot kaut ko, kas norādītu uz viņa paslēptuvi, bet nekas neliekas noderīgs. Tad es atsaucu atmiņā pēdējo reizi, kad viņu redzēju, – viņš mirguļoja saules staros un kliedza, lai es bēgu. Parādījās Kāto ar paceltu zobenu. Un tad, kad es biju prom, viņš ievainoja Pītu. Bet kā Pītam izdevās aizbēgt? Varbūt viņš labāk panesa sekotājdzēlēju kodienus nekā Kāto. Varbūt tāpēc viņam izdevās paglābties. Bet arī viņu sadzēla. Cik ļoti viņš varēja būt ievainots un saindēts? Un kā viņš ir izdzīvojis vairākas dienas līdz šim brīdim? Ja viņu nenogalināja ievainojums un dzēlieni, tad to noteikti būtu izdarījušas slāpes.

Un man ataust pirmā nojausma, kur viņš varētu būt. Bez ūdens viņš neizdzīvotu. To es zinu pēc pirmajām te pavadītajām dienām. Viņš noteikti ir paslēpies kaut kur pie ūdens. Arēnā ir ezers, bet man nešķiet ticami, ka viņš slēptos pie tā, jo ezers atrodas ļoti tuvu karjeristu galvenajai apmetnei. Vēl ir daži dīķi, kuros ūdens ieplūst no strautiem. Bet tādā dīķī viņš būtu viegls mērķis. Un vēl ir upe. Tā pati, kas sākas tur, kur apmetāmies mēs ar Rū, un plūst līdz ezeram un vēl tālāk. Ja Pīta turētos pie upes, viņš varētu mainīt atrašanās vietu un tomēr palikt ūdens tuvumā. Viņš varētu iet pa gultni un izdzēst pēdas. Varbūt viņam pat izdotos noķert kādu zivi.

Nu vismaz varu meklēt.

Lai samulsinātu ienaidniekus, es iekuru ugunskuru no krietnas kaudzes zaļas malkas. Es ceru: pat tad, ja karjeristi domās, ka tā ir kāda viltība, vienalga viņi nospriedīs, ka esmu kaut kur tuvumā. Bet patiesībā es meklēšu Pītu.

Saule gandrīz uzreiz izklīdina rīta dūmaku, un es jaušu, ka diena būs karstāka nekā parasti. Ejot lejup pa straumi, ap manām basajām pēdām patīkami skalojas vēsais ūdens. Mani māc kārdinājums saukt Pītu balsī, bet es izlemju tā nedarīt. Man būs viņš jāatrod ar acīm un vienu dzirdīgo ausi. Vai arī viņam būs jāatrod mani. Viņš taču zinās, ka es meklēju, vai ne? Viņš nebūs par mani tik sliktās domās, lai nospriestu, ka es ignorēšu jauno noteikumu un turēšos savrup. Vai ne? Viņa domas ir ļoti grūti paredzēt. Citādos apstākļos varētu būt interesanti, bet pašlaik tas sagādā papildu neērtības.

Pēc neilga laika es nokļūstu vietā, kur iznācu no upes un devos uz karjeristu apmetni. No Pītas nav ne miņas, bet tas mani nepārsteidz. Kopš sekotājdzēlēju uzbrukuma es te esmu gājusi turp un atpakaļ trīs reizes. Ja viņš būtu tuvumā, es noteikti to kaut kā pamanītu. Straume sāk mest līkumu pa kreisi un ved mani svešos mežos. Izburbušie krasti, ko klāj ūdensaugu sakņu mezglojums, pāriet klintīs, kas kļūst arvien augstākas, un beidzot es sāku justies kā ieslodzīta. Tagad nebūtu tik vienkārši tikt laukā no ūdens. Un vēl rāpjoties atvairīt Kāto vai Trešu. Es jau izlemju, ka esmu uz pilnīgi nepareiza ceļa un ka ievainots puisis te nespētu tikt klāt pie ūdens un atkal prom, kad ieraugu uz klints asiņainu švīku. Tā jau sen ir nožuvusi, bet netīrās svītras tai blakus liek domāt: kāds – kurš, iespējams, nebija gluži pie pilnas apziņas – ir mēģinājis to notīrīt.

Turēdamās pie klintīm, es lēnām eju asins švīkas virzienā un meklēju Pītu. Atrodu vēl dažas asins piles, un pie vienas ir pielipuši pāris diegu, bet nekādas dzīvības pazīmes nav manāmas. Zaudēju savaldīšanos un klusinātā balsī pasaucu viņa vārdu: – Pīta! Pīta! – Uz kāda netīra koka nolaižas zobgaļsīlis un sāk vidžināt manā balsī, tāpēc es apklustu. Es padodos un nokāpju atpakaļ pie upes, domādama: *viņš ir devies tālāk. Vēl tālāk lejup pa straumi.*

Tikko mana kāja pieskaras ūdenim, es izdzirdu balsi.

– Vai tu nāc mani piebeigt, sirsniņ?

Es apcērtos. Balss atskanēja no kreisās puses, tāpēc es to tik labi nesadzirdēju. Un balss bija piesmakusi un vārga. Un tomēr tas noteikti bija Pīta. Kurš cits mani arēnā sauktu par sirsniņu? Ar acīm pārmeklēju krastu, bet tur nekā nav. Tikai dubļi, augi un klintis.

– Pīta? – es čukstu. – Kur tu esi? – Atbildes nav. Vai es būtu balsi iztēlojusies? Nē, es esmu pārliecināta, ka dzirdēju to pa īstam un turklāt pavisam tuvu. – Pīta? – Es rāpoju pa krastu.

– Neuzkāp man virsū.

Es atsprāgstu atpakaļ. Viņa balss atskanēja man tieši zem kājām. Joprojām neko neredz. Tad brūnajos dubļos un zaļajās lapās atklājas viņa raksturīgi zilās acis. Es ierauju elpu, bet viņš iesmejas, nomirdzinādams baltus zobus.

Tā tik ir paslēptuve. Pie velna svarcelšanu. Pītam būtu vajadzējis parādīt Spēļu rīkotājiem, kā viņš nozūd kādā kokā. Vai klintī. Vai dubļainā, nezālēm noaugušā krastā.

– Aizver acis, – es pavēlu. Pīta tā izdara, un arī viņa mute pilnībā pazūd. Lielāko daļu vietas, kur, kā es lēšu, atrodas viņa ķermenis, klāj dubļi un augi. Seja un rokas ir tik mākslinieciski apkrāsotas, ka nav redzamas. Es nometos ceļos viņam blakus. – Laikam jau daudzās kūku rotāšanas stundas tagad atmaksājas.

Pīta pasmaida. – Jā, glazūra... Tā ir mirstošo pēdējais patvērums.

– Tu nemirsi, – es stingri noskaldu.

– Kurš to saka? – Viņa balss izklausās tik izmocīta.

– Es. Tagad mēs esam vienā komandā.

Viņš atver acis. – Es dzirdēju. Tas ir mīļi, ka tu mani atradi – to, kas no manis ir palicis pāri.

Es izvelku savu ūdens pudeli un iedodu viņam padzerties. – Vai Kāto tev iecirta? – es jautāju.

– Kreisajā kājā. Pavisam augstu, – viņš atbild.

– Iedabūsim tevi upē un nomazgāsim, lai redzu, kādi tev ir ievainojumi, – es mierinu.

– Vispirms uz mirkli pieliecies, – viņš lūdz. – Man tev ir kaut kas jāsaka. – Es noliecos un pielieku dzirdīgo ausi viņa lūpām. Man kut, kad viņš čukst: – Atceries, ka mēs esam neprātīgi iemīlējušies, tāpēc tu drīksti mani noskūpstīt, kad vien vēlies.

Es atrauju galvu un sāku smieties. – Paldies, es to atcerēšos. – Vismaz viņš vēl spēj pajokot. Cenšos palīdzēt viņam tikt līdz upei, un viss vieglprātīgais noskaņojums pazūd. Ūdens ir tikai divu pēdu attālumā. Tas taču nevar būt tik grūti? Bet tas ir ļoti grūti – kad es atklāju, ka Pīta pats nespēj izkustēties ne par collu. Viņš ir tik vārgs, ka vienīgais, ko viņš spēj, ir nepretoties. Es mēģinu viņu vilkt, bet viņam izlaužas asi sāpju kliedzieni, kaut arī ir skaidrs, ka viņš visiem spēkiem pūlas tos apspiest. Dubļi un augi ir viņu iesprostojuši, un beidzot man nākas viņu atbrīvot ar lielu rāvienu. Līdz ūdenim joprojām ir divas pēdas, taču Pīta guļ sakostiem zobiem un asaru tērcītes lauž ceļu netīrumos uz viņa sejas.

– Paklau, Pīta, es tevi ievelšu ūdenī. Te ir ļoti sekls, labi? – es ierosinu.

– Teicami, – viņš piekrīt.

Notupstos viņam blakus un piekodinu sev, ka nedrīkstu atstāties, kamēr viņš nebūs ūdenī. – Es skaitīšu līdz trīs, – brīdinu viņu. – Viens, divi, trīs! – Es apveļu viņu tikai vienu reizi, un tad ir jāliekas mierā, jo viņš izdveš drausmīgas skaņas. Tagad viņš ir upes malā. Varbūt tā ir pat labāk.

– Nu labi, man ir cits plāns. Es tevi nemērkšu ūdenī pavisam. – Kas zina, vai es vispār viņu pēc tam dabūšu laukā?

– Tu mani vairs nevelsi? – viņš prasa.

– Nē. Notīrīsim tevi. Tu paturi acīs mežu, labi? – Grūti saprast, ar ko lai sāk. Viņš ir tā aplipis ar dubļiem un lapām, ka es pat drēbes neredzu. Ja viņam vispār ir drēbes. No tādas domas es brīdi saminstinos, bet tad ķeros klāt. Arēnā kailums nav nekas sevišķs, vai ne?

Man ir divas ūdens pudeles un Rū blašķe. Es atbalstu traukus pret akmeņiem upē, lai divi piepildās, kamēr trešo es izleju pār Pītu. Paiet krietns laika sprīdis, tomēr es noskaloju gana dubļu, lai saskatītu viņa drēbes. Es uzmanīgi atveru jakas rāvējslēdzēju, atpogāju kreklu un novelku abus apģērba gabalus. Apakškrekls ir tā ielipis brūcēs, ka man tas jāpārgriež ar nazi un tad atkal jāizmērcē, lai to noņemtu. Pīta izskatās nelāgi. Viņam pār krūtīm stiepjas gara apdeguma švīka un četrās vietās ir sekotājdzēlēju kodumi, turklāt viens ir zem auss. Bet es sajūtos mazliet labāk. Tik daudz es varu saārstēt. Es izlemju vispirms parūpēties par ķermeņa augšdaļu, lai remdētu daļu sāpju, un tad pievērsties Kāto cirstajai brūcei.

Tā kā ir bezjēdzīgi ārstēt ievainojumus, kamēr Pīta guļ dubļainā lāmā, es ar piepūli atbalstu viņu pret klinti. Viņš sēž un nesūdzas, kamēr es izmazgāju netīrumus viņam no matiem un notīru ādu. Saules gaismā viņa āda ir ļoti gaiša, taču viņš vairs neizskatās stiprs un plecīgs.

Man ir jāizņem dzeloņi no sekotājdzēlēju kodumu vietām, un viņš saviebjas, bet es uzlieku dziedējošās lapas, un viņš atviegloti nopūšas. Viņš žāvējas saulē, tikmēr es izmazgāju un izklāju uz klintīm kreklu un jaku. Ar savu ziedi sasmērēju viņa apdegumu. Es pamanu, cik karsta ir viņa āda. Dubļu slānis un ūdens uz brīdi noslēpa to, ka viņš deg drudzī. Izrakņāju pirmās palīdzības somiņu, ko dabūju no Pirmā apgabala zēna, un atrodu tabletes pret paaugstinātu temperatūru. Mana māte dažreiz piekāpjas un tādas nopērk, kad viņas pašdarītās zāles nelīdz.

– Norij, – es pavēlu, un Pīta paklausīgi norij zāles.
– Tu noteikti esi izsalcis.

– Ne īpaši. Jokaini, es jau vairākas dienas nejūtu izsalkumu, – Pīta atzīstas. Kad es viņam piedāvāju zosli, viņš tiešām sarauc degunu un aizgriežas. Un tad es saprotu, cik viņam ir slikti.

– Pīta, tev ir kaut kas jāapēd, – es uzstāju.

– Es to uzreiz izvemšu, – viņš pretojas. Man izdodas viņam iebarot tikai pāris gabaliņus žāvētu ābolu. – Paldies. Man tiešām ir daudz labāk. Vai es tagad drīkstu pagulēt, Katnis? – viņš lūdzas.

– Drīz, – es apsolu. – Man vispirms ir jāapskata tava kāja. – Mēģinādama rīkoties pēc iespējas saudzīgāk, es novelku viņam zābakus, zeķes un tad pavisam lēni nostīvēju bikses. Kāto cirtienu es redzu uz auduma virs Pītas augšstilba, bet tas nekādi nesagatavo mani tam, ko ieraugu apakšā. Tur atklājas dziļa, iekaisusi brūce, no kuras sūcas asinis un strutas. Kāja ir uzpampusi. Un visļaunākais ir pūstošas miesas smaka.

Man gribas aizbēgt. Nozust mežā kā tajā dienā, kad uz mūsu mājām atveda apdegušo vīrieti. Iet medīt, kamēr māte un Prima parūpējas par to, kam man nepietiek ne prasmes, ne drosmes. Bet te nav neviena, tikai es. Mēģinu savaldīties tāpat kā mana māte, kad viņai jātiek galā ar īpaši smagiem gadījumiem.

– Diezgan traki, ko? – Pīta ierunājas, cieši mani uzlūkodams.

– Nu tā. – Es paraustu plecus, it kā tas nebūtu nekas liels. – Tev vajadzētu redzēt dažus pacientus, ko manai mātei ved no raktuvēm. – Es atturos piebilst, ka es parasti notinos, kad viņai jāārstē kaut kas smagāks par saaukstēšanos. Ja tā padomā, man pat nepatīk būt tuvumā, kad kāds klepo. – Vispirms viss ir kārtīgi jāiztīra.

Pītas apakšbikses es esmu atstājusi, jo tās nav sliktā stāvoklī, un es negribu tās vilkt pāri pietūkušajai kājai un... nu labi, var jau būt, ka doma par kailu Pītu liek man justies neērti. Arī tas manai mātei un Primai ir citādi. Kailums uz viņām neatstāj nekādu iespaidu un nekādi neliek kaunēties. Ironiski, bet šobrīd mana mazā māsa Pītam būtu daudz noderīgāka nekā es. Es pabāžu viņam apakšā savu plastmasas plēvi, lai varētu viņu pilnīgi nomazgāt. Ar katru ūdens pudeli, ko leju brūcei pāri, tā izskatās vēl ļaunāk. Citādi ar ķermeņa apakšdaļu nav tik slikti, tur ir tikai viens sekotājdzēlējas kodums un daži sīki apdegumi, ko es ātri saārstēju. Bet tā vāts viņa augšstilbā... Ko lai es, dieva dēļ, ar to daru?

– Varbūt brīdi atstāsim to mierā un tad... – Es apklustu.

– Un tad tu to salāpīsi? – Pīta jautā. Izskatās, ka viņam manis ir gandrīz vai žēl, it kā viņš nojaustu, kādā neziņā esmu.

– Tieši tā, – es piekrītu. – Pa to laiku apēd šitās. – Es ielieku viņam plaukstā dažas žāvēta bumbiera pusītes un atgriežos pie upes, lai izmazgātu pārējās drēbes. Kad tās ir izklātas žāvēties, es izpētu pirmās palīdzības somiņu. Tajā ir tikai pamats – apsēji, tabletes pret temperatūru, zāles gremošanas traucējumu novēršanai. Nekas tik spēcīgs, ar ko varētu izārstēt Pītu.

– Būs jāeksperimentē, – es atzīstos. Es zinu, ka lapas pret sekotājdzēlēju kodumiem ir pret iekaisumu, tāpēc sāku ar tām. Es ielieku brūcē riekšu sakošļātas, zaļas masas, un pēc dažām minūtēm pa Pītas kāju sāk tecēt strutas. Es sev iestāstu, ka tas ir labi, un stipri iekožu vaigā, jo baidos, ka varētu izvemt brokastis.

– Katnis? – Pīta mani uzrunā. Es palūkojos viņam acīs, zinādama, ka mana seja ir zaļgana. Viņš ar lūpām bez skaņas veido vārdus: – Kā būs ar to skūpstu?

Es sāku smieties, jo viss ir tik pretīgi, ka es nespēju to izturēt.

– Vai kaut kas nav labi? – viņš vaicā pārāk nevainīgi.

– Es... man tas nepadodas. Es neesmu mana māte. Man nav ne jausmas, ko es daru, un man riebjas strutas. Vēe! – Es atļaujos novaidēties, aizskalojot pirmo lapu porciju un uzliekot nākamo. – Vēeeeeee!

– Kā tu medī? – viņš pajautā.

– Nogalināt ir daudz vienkāršāk nekā darīt kaut ko šitādu, tici man – es atcērtu. – Kaut gan jāteic: es jau nezinu, vai tik tūlīt tevi nenogalināšu.

– Vai tu nevarētu pasteigties? – viņš izmoka.

– Nē. Aizveries un ēd bumbierus! – es uzbrēcu.

Pēc trim piegājieniem un laikam kāda spaiņa strutu brūce sāk izskatīties labāk. Tagad, kad pampums ir pārgājis, es redzu, cik dziļš ir Kāto cirtiens. Līdz pašam kaulam.

– Un tagad, daktere Everdīna? – Pīta prasa.

– Varbūt es uzziedīšu mazliet pretapdeguma ziedes. Man liekas: tai tomēr būtu jāpalīdz pret iekaisumu. Pēc tam apsiešu, – es runāju. Tā arī izdaru, un zem balta kokvilnas apsēja viss šķiet daudz vienkāršāk. Bet pret sterilo apsēju Pītas apakšbikšu mala izskatās netīra, un tur droši vien čum un ņudz mikrobi. Es izvelku Rū mugursomu. – Še, piesedzies, un es izmazgāšu tavus šortus.

– Ai, man nav nekas pretī, ja tu mani redzēsi, – Pīta attrauc.

– Tu esi tāds kā mana ģimene, – es rājos. – Man gan ir kas pretī, skaidrs? – Es uzgriežu viņam muguru un lūkojos straumē, kamēr šorti ar plunkšķi iekrīt ūdenī. Ja jau viņš var mētāties, tad laikam jūtas labāk.

– Klau, zinot, cik tu esi bīstama, tu esi pārlieku jūtelīga, – Pīta zobojas, kamēr es dauzu bikses starp diviem akmeņiem, lai dabūtu tās tīras. – Kaut es tomēr būtu tev ļāvis mazgāt dušā Heimiču.

To atceroties, es saraucu degunu. – Ko viņš tev līdz šim ir atsūtījis?

– Neko. – Brīdi valda klusums, Pīta saprot. – Kāpēc tu jautā – vai tad tu kaut ko dabūji?

– Pretapdeguma zāles, – es gandrīz nokaunējusies atzīstos – Ā, un vēl maizi.

– Es zināju, ka tu esi viņa mīlule, – Pīta nosaka.

– Tu ko, viņš pat nespēj atrasties vienā telpā ar mani! – es izsaucos.

– Tāpēc, ka jūs esat vienādi, – Pīta nomurmina. Bet es neliekos ne zinis, jo šis tiešām nav īstais brīdis sekot pirmajam impulsam un apvainot Heimiču.

Es ļauju Pītam iesnausties, kamēr izžūst viņa drēbes, bet vēlā pēcpusdienā neuzdrošinos gaidīt vēl ilgāk. Es viegli sapurinu viņu aiz pleca. – Pīta, mums ir jāiet.

– Jāiet? – viņš liekas samulsis. – Kur tad?

– Prom. Varbūt lejup pa straumi. Kaut kur, lai mēs varētu tevi paslēpt, līdz atgūsi spēkus, – es paskaidroju. Palīdzu viņam apģērbties, atstājot pēdas basas, lai varētu iet pa ūdeni, un uzrauju viņu kājās. Kad viņš nostājas uz slimās kājas, viņa seja nobālē. – Nu nāc! Tu to vari!

Bet viņš nevar. Vismaz ne ilgi. Mēs tiekam apmēram piecdesmit jardus lejāk, Pīta balstās uz mana pleca, un es jaušu, ka viņš zaudēs samaņu. Apsēdinu viņu krastā, iestumju viņam galvu starp ceļiem un neveikli pliķēju pa muguru, pētīdama apkārtni. Man, protams, ļoti patiktu viņu uzdabūt kokā, bet tas nav iespējams. Bet varētu būt arī sliktāk. Dažas klintis apkārt veido nelielas alas. Nolūkoju vienu apmēram divdesmit jardus virs ūdens. Kad Pīta atkal var piecelties, es viņu pa pusei vedu, pa pusei stiepju uz alu. Man gribētos uzmeklēt labāku vietu, bet nāksies iztikt, jo mans biedrs ir uz spēku izsīkuma robežas. Viņš ir bāls kā krīts un elso, un dreb, kaut arī tikai nupat kļūst vēsāks.

Es noklāju alas grīdu ar priežu skujām, izritinu savu guļammaisu un ietinu tajā Pītu. Man izdodas viņam iebarot pāris tablešu un mazliet ūdens tā, ka viņš to pat nepamana, bet viņš atsakās no augļiem. Pīta guļ un lūkojas manī, kamēr es uzbūvēju tādu kā aizkaru no vīnstīgām, lai piesegtu alas izeju. Rezultāts nav labs. Dzīvnieks to varbūt arī nepamanītu, bet cilvēks ātri vien saprastu, ka aizsegs ir mākslīgs. Sapīkusi norauju veidojumu.

– Katnis, – Pīta ierunājas. Es pieeju pie viņa un atglaužu matus viņam no acīm. – Paldies, ka tu mani atradi.

– Tu arī būtu atradis mani, ja varētu, – es mierinu. Viņa piere deg kā ugunī. It kā zāles vispār neiedarbotos. Pēkšņi mani nez no kurienes pārņem bailes, ka viņš nomirs.

– Jā. Paklau, ja es netikšu atpakaļ... – viņš sāk.

– Nerunā tā. Es tās strutas neiztecināju par velti, – es pārtraucu.

– Zinu. Bet ja nu gadījumā... – viņš mēģina turpināt.

– Nē, Pīta, es negribu par to pat runāt. – Uzlieku pirkstus uz viņa lūpām, lai apklusinātu.

– Bet es... – viņš neliekas mierā.

Impulsīvi pieliecos un noskūpstu viņu, apturot vārdus. Droši vien skūpsts jau ir novēlots, jo Pītam bija taisnība – mēs taču it kā esam neprātīgi iemīlējušies. Es pirmo reizi skūpstu kādu puisi, un laikam man vajadzētu pārdzīvot kaut ko īpašu, bet es jūtu tikai, cik nedabiski karsti drudzī deg viņa lūpas. Atraujos un apspraudu ap viņu guļammaisa malu. – Tu nemirsi. Es tev to aizliedzu. Skaidrs?

– Skaidrs, – viņš nočukst.

Izeju rēnajā vakarā, un no debesīm nokrīt izpletnis. Es žigli atsienu auklu, cerēdama, ka tur būs īstas zāles Pītas kājai. Tā vietā es ieraugu katliņu ar buljonu.

Heimiča mājiens ir skaidrāks par skaidru. Viens skūpsts nozīmē podiņu buljona. Es gandrīz dzirdu viņu ņurdam: – Tu it kā esi iemīlējusies, sirsniņ. Tas puika mirst. Man vajag ēsmu!

Un viņam ir taisnība. Ja es gribu, lai Pīta paliek dzīvs, man ir skatītājiem jāparāda kaut kas aizkustinošāks. Nelaimīgi mīlētāji izmisīgi vēlas doties mājās kopā. Divas sirdis sitas kā viena. Mīlasstāsts.

Es vēl nekad neesmu bijusi iemīlējusies, tāpēc nebūs viegli. Es iedomājos savus vecākus. Tēvs nekad neaizmirsa atnest no meža kādu dāvanu mātei. Izdzirdot pie durvīm viņa soļus, māte sāka starot. Kad viņš nomira, viņa gandrīz aizgāja viņam līdzi.

– Pīta! – es saku, mēģinādama runāt tajā īpašajā balsī, kādu mana māte lietoja tikai sarunās ar tēvu. Viņš atkal ir iesnaudies, bet es viņu atmodinu ar skūpstu un laikam sabiedēju. Tad viņš pasmaida tā, it kā būtu laimīgs, ja vien varētu mūžīgi tā gulēt un vērties manī. Viņam tas lieliski padodas.

Es paceļu katliņu. – Pīta, paskaties, ko Heimičs tev atsūtīja.

Lai piedabūtu Pītu apēst buljonu, man veselu stundu ir viņš jāpierunā, jālūdzas, jādraud un, jā, arī jāskūpsta. Beidzot viņš tomēr malku pa malkam iztukšo katliņu. Nu es ļauju viņam gulēt un pievēršos sev – apriju zosli un saknes, vienlaikus noskatoties debesīs šodienas paziņojumus. Neviens nav miris. Tomēr mēs ar Pītu skatītājiem sagādājām diezgan interesantu dienu. Cerams, Spēļu rīkotāji naktī liks mūs mierā.

Es automātiski paskatos apkārt, meklēdama kādu labu koku, kurā iekārtoties, bet tad apjēdzu, ka to vairs nedrīkstu. Vismaz kādu laiku. Es nedrīkstu Pītu atstāt zemē neapsargātu. Viņa iepriekšējo paslēptuvi upes krastā es pametu neskartu – kā gan es būtu varējusi to noslēpt? –, un mēs esam tikai nieka piecdesmit jardus tālāk. Es uzlieku brilles, sagatavoju ieročus un iekārtojos sardzei.

Gaisa temperatūra strauji krītas, un drīz es esmu pārsalusi. Beidzot es padodos un ieslīdu guļammaisā blakus Pītam. Tur ir patīkami silti, un es pateicīgi saritinos, bet tad aptveru, ka ir vairāk nekā silti, pat karsti, jo guļammaisa drēbe atstaro viņa drudža karstumu. Es pārbaudu viņa pieri – tā ir sausa un kaist kā liesmās. Es nezinu, ko lai daru. Atstāt viņu guļammaisā un cerēt, ka karstums uzvarēs drudzi? Izvilkt viņu laukā un cerēt, ka nakts gaiss viņu atvēsinās? Beidzot es vienkārši samitrinu marles gabalu un uzlieku to viņam uz pieres. Tas neko daudz nelīdz, taču es baidos darīt kaut ko radikālu.

Tā pavadu nakti, pa pusei sēdēdama, pa pusei gulēdama blakus Pītam, atjaunoju apsēju un mēģinu nedomāt par to, ka, sabiedrojoties ar viņu, es esmu kļuvusi daudz ievainojamāka nekā tad, kad biju viena. Esmu piesaistīta zemei, man ir jāstāv sardzē un jāaprūpē slimnieks. Bet es zināju, ka viņš ir ievainots. Un tomēr nācu viņu meklēt. Man būs vien jātic, ka instinkts, kas sūtīja mani pēc viņa, bija labs.

Kad debesis atmirdz rožsārtos toņos, es pamanu sviedru rasu uz Pītas augšlūpas un saprotu, ka drudzis ir pārgājis. Temperatūra vēl nav normāla, tomēr ir dažus grādus zemāka. Vakar vakarā, vācot vīnstīgas, es pamanīju krūmāju ar Rū ogām. Salasu ogas un buljona podiņā samīcu tās ar aukstu ūdeni.

Kad es pārnāku, Pīta pūlas piecelties. – Es pamodos, un tevis nebija, – viņš saka. – Es par tevi uztraucos.

Iesmejos un palīdzu viņam atkal atgulties. – Tu uztraucies par mani? Vai pēdējā laikā esi uzmetis skatienu sev pašam?

– Es iedomājos, ka varbūt tevi atraduši Kāto un Klouva. Viņiem patīk medīt naktī. – Viņa balss joprojām skan nopietni.

– Klouva? Kas tā tāda? – pajautāju.

– Meitene no Otrā apgabala. Viņa joprojām ir dzīva, vai ne?

– Jā, ir palikuši tikai viņi un mēs, un Trešs, un Lapsa. Par Lapsu es iesaucu meiteni no Piektā. Kā tu jūties?

– Labāk nekā vakar. Salīdzinājumā ar gulēšanu dubļos ir daudz labāk, – viņš atzīst. – Tīras drēbes un zāles, un guļammaiss... un tu.

Ā, pareizi, mūsu mīlasstāsts. Pasniedzos, lai pieskartos viņa vaigam, bet viņš saķer manu roku un piespiež to pie lūpām. Atceros, kā mans tēvs tieši tā darīja ar māti, un prātoju, kur gan Pīta to ir noskatījies. Ne jau no sava tēva un nešpetnās mātes.

– Nekādas bučošanās, kamēr nebūsi paēdis, – es izvairos.

Palīdzu viņam atbalstīties pret sienu, un viņš paklausīgi norij samīcītās ogas, ko es iebaroju ar karoti. Bet no zošļa viņš atkal atsakās.

– Tu negulēji, – Pīta konstatē.

– Tas nekas, – es attraucu. Bet patiesībā es esmu pārgurusi.

– Guli. Es pasargāšu. Es tevi pamodināšu, ja kaut kas notiks, – viņš mudina. Es vilcinos. – Katnis, tu nevari mūžīgi palikt nomodā.

Tur nu viņam ir taisnība. Kaut kad man būs jāguļ. Un droši vien labāk to darīt tagad, kad Pīta ir samērā možs un mūsu pusē ir dienasgaisma. – Nu labi, – es piekrītu. – Bet tikai dažas stundas. Un tad tu mani pamodini.

Ir pārāk silti, lai līstu guļammaisā. Es to izklāju uz alas grīdas un atguļos ar vienu roku uz uzvilktā loka, ja nu uzreiz būtu jāšauj. Pīta sēž man blakus, atspiedies pret sienu, un lūkojas ārā. – Guli, – viņš klusi saka un atglauž man no pieres atrisušās matu šķipsnas. Atšķirībā no mākslotajiem skūpstiem un glāstiem iepriekš šis žests ir dabisks un mierinošs. Man negribas, lai viņš pārtrauc, un viņš to nedara. Viņš turpina glāstīt man matus, līdz es iemiegu.

Pārāk ilgi. Es guļu pārāk ilgi. Atvērusi acis, es tūlīt redzu, ka ir jau pēcpusdiena. Pīta sēž man blakus tādā pašā pozā kā iepriekš. Pieceļos sēdus mazliet sapīkusi, bet tik atpūtusies, kā neesmu jutusies jau vairākas dienas.

– Pīta, tev vajadzēja mani pamodināt pirms pāris stundām, – es pārmetu.

– Kālab? Te nekas nenotiek, – viņš atsaka. – Un man patīk skatīties, kā tu guli. Tad tu neesi tik nomākta. Tā tu izskaties daudz labāk.

To dzirdot, es drūmi paglūnu, bet viņš pasmaida. Ievēroju, ka viņa lūpas ir apkaltušas. Es pieskaros viņa vaigam. Tas ir karsts kā ogļu krāsns. Viņš apgalvo, ka esot dzēris, bet man liekas, ka pudeles vēl ir pilnas. Es iedodu viņam vēl tabletes pret temperatūru un stāvu klāt, kamēr viņš izdzer vienu kvartu ūdens un vēl otru. Apkopju mazākās brūces. Apdegumi un dzēlieni izskatās labāk. Ievelku elpu un noņemu apsēju no kājas.

Mana dūša saplok. Ir sliktāk, daudz sliktāk. Strutu nav, bet kāja ir vēl vairāk piepampusi un cieši nostieptā, spīdīgā āda ir iekaisusi. Nu es pamanu, ka pa kāju augšup snaicās sarkanas svītras. Asinssaindēšanās. Tā viņu noteikti nogalinās, ja neko nedarīšu. Manas sakošļātās lapas un ziede neko nelīdzēs. Pret infekciju vajadzīgas stipras Kapitolija zāles. Es nespēju iztēloties, cik tādas varētu maksāt. Ja Heimičs savāktu kopā ziedojumus no visiem atbalstītājiem – vai ar to pietiktu? Šaubos.

Jo ilgāk Spēles turpinās, jo dārgākas kļūst dāvanas. Par naudu, ko pirmajā dienā maksā vesela maltīte, divpadsmitajā var nopirkt vienu sausiņu. Un tādas zāles, kādas nepieciešamas Pītam, jau pašā sākumā būtu kaut kas ekskluzīvs.

– Uztūkums ir lielāks, bet strutu nav, – es drebošā balsī saku.

– Es zinu, kas ir asinssaindēšanās, Katnis, – Pīta saka. – Kaut arī mana māte nav dziedniece.

– Tev vienkārši būs jānodzīvo ilgāk par pārējiem, Pīta. Kad mēs uzvarēsim, to izārstēs Kapitolijā.

– Jā, tas ir labs plāns, – viņš piekrīt, bet es saprotu, ka to viņš dara manis dēļ.

– Tev ir jāpaēd. Jāatgūst spēki. Es tev uztaisīšu zupu, – es piesakos.

– Nekurini uguni, – viņš iebilst. – Tas nav tā vērts.

– Tad jau redzēsim, – es atsaku. Nesot katliņu pie upes, es satriekta sajūtu, ka ir nežēlīgi karsti. Esmu gatava apzvērēt, ka Spēļu rīkotāji pa dienu paaugstina gaisa temperatūru un naktī strauji to pazemina. Toties, redzot saulē kaistošos akmeņus pie upes, man iešaujas prātā kāda doma. Varbūt uguni nemaz nevajadzēs.

Pusceļā starp upi un alu nolieku lielu, plakanu akmeni. Attīrījusi puskatliņu ūdens, es nolieku katliņu tieši saules staros un iemetu ūdenī vairākus olas lieluma akmeņus. Es vienmēr esmu atzinusi, ka neesmu nekāda labā pavāre. Bet, tā kā zupu var uzvārīt, tikai sametot visu katlā un nogaidot, tad tā ir viens no ēdieniem, kas man padodas labāk. Es kapāju gabaliņos zosli, līdz gaļa kļūst gandrīz mīksta, un samīcu mazliet Rū vākto sakņu. Par laimi, tas viss jau ir bijis izcepts, tāpēc ēdienu vajag tikai uzsildīt. Saulē un ar karstajiem akmeņiem iekšā ūdens jau ir uzsilis. Es ielieku katlā gaļu un saknes, ielieku jaunus akmeņus un eju sameklēt kādus zaļumus, lai ēdiens būtu garšīgāks. Drīz vien es atklāju pie klints pamatnes augošu maurloku puduri. Lieliski. Sagriežu lokus pavisam smalki un iesviežu katlā, tad atkal apmainu akmeņus, uzlieku vāku un ļauju visam sautēties.

Šajā apkārtnē esmu redzējusi ļoti maz dzīvnieku pēdu, bet es arī nejustos labi, ja atstātu Pītu un aizietu medīt, tāpēc vienkārši izlieku pusduci cilpu un ceru, ka paveiksies. Ieprātojos par atlikušajiem pārstāvjiem. Kā viņi tagad iztiek, kad galvenais pārtikas avots ir uzspridzināts? Vismaz trīs no viņiem – Kāto, Klouva un Lapsa – uz tiem paļāvās. Bet Trešs gan laikam ne. Man ir aizdomas, ka viņam ir līdzīgas iemaņas kā Rū – kā iegūt pārtiku no zemes. Vai viņi cīnās savā starpā? Vai meklē mūs? Varbūt viens no viņiem ir mūs atradis un tikai gaida īsto brīdi, lai uzbruktu. To iedomājusies, es steidzos atpakaļ uz alu.

Pīta guļ izstiepies uz guļammaisa klinšu paēnā. Kaut arī viņš mazliet atplaukst, ieraugot mani, ir redzams, ka viņš jūtas slikti. Es uzlieku vēsu drāniņu uz viņa pieres, bet tā sasilst gandrīz uzreiz, tiklīdz pieskaras viņa ādai.

– Vai tu kaut ko gribētu? – pajautāju.

– Nē. Paldies. Pagaidi, tomēr – jā. Pastāsti man stāstu.

– Stāstu? Par ko tad? – es nesaprotu. Man diez ko nepadodas stāstīt stāstus. Tāpat kā dziedāt. Bet laiku pa laikam Prima no manis kaut ko izspiež.

– Par kaut ko priecīgu. Pastāsti man par laimīgāko dienu, kādu atceries, – Pīta lūdz.

Man izlaužas kaut kas starp nopūtu un izmisīgu ņurdienu. Priecīgu stāstu? Tas būs daudz grūtāk nekā pagatavot zupu. Es pārroku smadzenes, meklējot labās atmiņas. Lielākā daļa ir saistīta ar mani un Geilu, un medībām, tāpēc man nešķiet, ka tas atstās labu iespaidu uz Pītu un skatītājiem. Tātad paliek Prima.

– Vai esmu tev stāstījusi, kā dabūju Primai kazu? – es prasu. Pīta papurina galvu un nogaidoši lūkojas manī. Sāku stāstīt. Bet piesardzīgi. Jo manus vārdus dzirdēs visā Panemā. Un, kaut arī visi noteikti jau tāpat ir sapratuši, ka es nodarbojos ar malumedniecību, negribu nodarīt pāri Geilam vai Taukajai Sē, vai miesniecei, vai pat maniem klientiem Miera sargiem, publiski paziņojot, ka arī viņi pārkāpj likumu.

Īstais stāsts par to, kā es dabūju naudu Primas kazai Lēdijai, ir šāds. Bija piektdienas vakars dienu pirms Primas desmitās dzimšanas dienas maija beigās. Mēs ar Geilu uzreiz pēc skolas devāmies uz mežu, jo es gribēju sadabūt gana pārtikas, lai ietirgotu naudu Primas dāvanai. Varbūt nopirkšu drēbi jaunai kleitai vai ķemmi. Ar cilpām mums bija veicies labi, un mežos bagātīgi auga zaļumi, bet kopā visa nebija diez ko vairāk kā parasti piektdienās. Atpakaļ es gāju vīlusies, kaut arī Geils sacīja, ka nākamajā dienā mums noteikti veikšoties labāk. Brīdi atpūtušies pie upes, mēs kaut ko ieraudzījām. Jaunu briedi, spriežot pēc izmēra, kādu gadu vecu. Viņam tik tikko dīga ragi, un tos vēl klāja samtaina vilna. Briedis bija sagatavojies bēgt, bet vilcinājās, jo vēl nepazina cilvēkus. Viņš bija skaists.

Kad viņa kaklā un krūtīs ieurbās divas bultas, viņš laikam vairs nebija tik skaists. Mēs ar Geilu bijām izšāvuši vienlaikus. Briedis mēģināja skriet, bet paklupa, un Geils ar nazi pārgrieza tam rīkli, pirms dzīvnieks atskārta, kas noticis. Mirkli mani pārņēma vainas apziņa, ka esam nogalinājuši tik jaunu, nevainīgu dzīvnieku. Bet, iedomājoties maigo gaļu, man ierūcās vēders..

Briedis! Mums ar Geilu kopā bija izdevies nošaut tikai trīs briežus. Pirmo – kādu stirnu, kas bija savainojusi kāju, pat īsti nevar tiem pieskaitīt. Taču pēc tās reizes mēs zinājām, ka nedrīkst dzīvnieku stiept uz Centru. Toreiz izcēlās gatavā jezga, ļaudis centās pārsolīt dažādas medījuma daļas un pat paši mēģināja kaut ko nogriezt. Taukā Sē iejaucās un aizsūtīja mūs ar visu stirnu pie miesnieces, bet dzīvnieks jau bija krietni apskādēts – vairāki gabali bija nogriezti un āda bija vienos caurumos. Kaut arī visi godīgi samaksāja, tas pazemināja medījuma kopējo vērtību.

Šoreiz mēs nogaidījām tumsas iestāšanos un aiznesām briedi pa caurumu žogā netālu no skārņa. Kaut bija zināms, ka esam mednieki, nebūtu labi stiept pa Divpadsmitā apgabala ielām brieža rumpi dienas laikā – it kā mēs turklāt vēl bāztu to amatpersonām degunā.

Mēs pieklauvējām, un miesniece – drukna, īsa auguma sieviete, vārdā Rūba, – pienāca pie pagalma durvīm. Ar Rūbu nevar kaulēties. Viņa nosaka savu cenu, un tai var piekrist vai nepiekrist. Bet cena ir taisnīga. Mēs par briedi pieņēmām viņas piedāvāto naudu, un viņa vēl piemeta pāris medījuma steiku, ko varēsim paņemt pēc kaušanas. Pat tad, kad guvums bija sadalīts uz pusēm ne man, ne Geilam vēl nekad nebija bijis tik daudz naudas vienā reizē. Mēs izlēmām notikušo paturēt noslēpumā un nākamās dienas beigās pārsteigt savas ģimenes ar gaļu un naudu.

Tā es naudu kazai dabūju patiesībā, bet Pītam es stāstu, ka pārdevu vecu mātes sudraba medaljonu. Tas nevienam nekaitēs. Es atsāku stāstīt – no Primas dzimšanas dienas pēcpusdienas.

Mēs ar Geilu aizgājām uz tirgu galvenajā laukumā, lai es varētu nopirkt audumu kleitai. Es taustīju baķi biezas, zilas kokvilnas drānas, bet tad man kaut kas iekrita acīs. Vīles otrā galā mitinās kāds vecs vīrs, kam pieder kazu ganāmpulks. Viņa īsto vārdu es nezinu, visi viņu dēvē vienkārši par Kazu vīru. Viņam ir pietūkušas, kropli izliekušās locītavas un sēcošs kāss, kas pierāda, ka viņš gadiem ir strādājis raktuvēs. Bet viņam ir paveicies. Viņam kaut kā izdevās sakrāt gana naudas kazām, un tagad viņam vecumdienās ir kaut kas darāms un nav jāmirst bada nāvē. Viņš pats ir noplucis un īdzīgs, bet kazas ir tīras un piens ir barojošs, ja var atļauties to nopirkt.

Viņa ratos gulēja kāda balta kaza ar melniem plankumiem. Uzreiz varēja saprast, kāpēc viņai tur jāguļ. Plecā bija iekodis kāds zvērs, droši vien suns, un bija sācies iekaisums. Ar kazu nebija lāgā, un Kazu vīram nācās viņu pieturēt, lai varētu izslaukt. Bet es iedomājos, ka zinu, kurš to varētu labot.

– Geil, – es čukstēju. – Es gribu to kazu Primai.

Divpadsmitajā apgabalā slaucama kaza var izmainīt
cilvēka dzīvi. Kazas ēd gandrīz visu, Pļava ir nevaino-

jamas ganības, un kazas dienā dod četras kvartas piena. Pienu var dzert tāpat, taisīt no tā sieru, pārdot. Tas pat nav nelikumīgi.

– Viņa ir diezgan smagi ievainota, – Geils šaubījās.

– Palūkosim tuvāk.

Mēs piegājām klāt un uz pusēm nopirkām krūzīti piena, un tad stāvējām un skatījāmies uz kazu, izlikdamies vienkārši ziņkārīgi.

– Lieciet viņu mierā, – Kazu vīrs gaiņāja mūs prom.

– Mēs tikai skatāmies, – Geils iebilda.

– Nu tad skatieties ātrāk. Šamo drīz vedīs uz skārni. Viņas pienu gandrīz neviens nepērk un, ja pērk, – dod tikai puscenu, – vīrs sūrojās.

– Cik tad skārnī par viņu dod? – es pajautāju.

Vīrs paraustīja plecus. – Palieciet un paskatieties. – Es pagriezos un ieraudzīju pāri laukumam nākam Rūbu.

– Labi gan, ka tu atnāci, – Kazu vīrs uzrunāja pienākušo miesnieci. – Tas skuķis ir nolūkojis tavu kazu.

– Nē, ja jau tā ir aizrunāta, – es bezrūpīgi iejaucos.

Rūba mani noskatīja no galvas līdz kājām un ar sarauktu pieri paskatījās uz kazu. – Tā nav vis aizrunāta. Paskat vien to plecu! Varu derēt, ka puse būs pārāk izpuvusi pat desām.

– Ko? – iebrēcās Kazu vīrs. – Mums bija noruna!

– Mums bija noruna par dzīvnieku ar pāris zobu pēdām. Ne jau par šito te. Pārdod šo skuķim, ja šī ir gana glupa, lai to ņemtu, – Rūba noskaldīja. Tad viņa devās prom, un es pamanīju, ka viņa man piemiedz ar aci.

Kazu vīrs bija pārskaities, tomēr gribēja tikt no kazas vaļā. Pagāja pusstunda, kamēr mēs vienojāmies par 277 cenu. Uz beigām jau bija savācies krietns pūlis un katrs izteica savu viedokli. Ja kaza dzīvos, es būšu noslēgusi lielisku darījumu. Ja tā nosprāgs, es būšu aplaupīta. Ļaudis vēl strīdējās, bet es tikmēr pievācu kazu.

Geils piedāvājās kazu nest. Man šķiet, ka viņš tikpat ļoti kā es gribēja redzēt Primas sejas izteiksmi. Vieglprātības uzplūdā es vēl nopirku rozā lenti un apsēju to kazai ap kaklu. Tad mēs steidzāmies uz manām mājām.

Vajadzēja tikai redzēt Primu, kad mēs ienācām ar kazu! Jāatceras, ka tā bija tā pati meitene, kura raudāja, cerēdama izglābt to drausmīgo veco kaķi Gundegu. Viņa tā satraucās, ka sāka vienlaikus raudāt un smieties. Mana māte ieraudzīja kazas brūci un gluži tik priecīga nebija, bet abas ķērās pie darba – samala zālītes un ielēja brūvējumu dzīvniekam mutē.

– Izklausās, ka viņas ir tādas pašas kā tu, – Pīta brīnās. Viņu es biju gandrīz piemirsusi.

– Ak nē, Pīta. Viņas ir īstas burves. Tā kaza gribēdama nebūtu nosprāgusi, – es atsaucos. Bet tad es iekožu mēlē, aptverdama, kā to uztver Pīta, kurš mirst manās neprasmīgajās rokās.

– Neuztraucies. Es mirt negribu, – viņš pajoko. – Pabeidz stāstu.

– Nu tas jau arī ir viss. Es tikai atceros, kā Prima tovakar uzstāja, ka gulēs blakus Lēdijai uz segas pie pavarda. Un tad, pirms viņas iemiga, kaza nolaizīja Primai vaigu. Varēja domāt, ka tā viņu noskūpsta uz nakti, vai. Jau tad tā bija kā samīlējusies.

– Vai kazai joprojām bija ap kaklu tā lente? – Pīta pajautā.

– Laikam gan, – es prātoju. – Kāpēc jautā?

– Es tikai cenšos iztēloties. – Viņš ir domīgs. – Saprotu, kāpēc tu todien biji laimīga.

– Nujā, es zināju, ka kaza būs īsta zelta bedre, – es piekrītu.

– Jā, protams, es runāju tieši par to, nevis par bezgalīgo prieku, kādu tu sagādāji māsai. Māsai, kuru mīli tik ļoti, ka izlozē ieņēmi viņas vietu, – Pīta sausi nosaka.

– Tā kaza *ir* atmaksājusies. Vairākas reizes, – es pārākuma pilnā balsī noskaldu.

– Nujā, neko citu jau kaza neuzdrošinātos darīt – pēc tam kad izglābi tās dzīvību, – Pīta piekrīt. – Es esmu nodomājis darīt tāpat.

– Tiešām? Un ko tad tu man esi maksājis?

– Lielas neērtības. Neuztraucies. Es visu atlīdzināšu, – viņš apsolās.

– Tu nu runā galīgi šķērsām, – es saku un pārbaudu viņa pieri. Temperatūra tikai ceļas. – Bet tu vairs neesi tik karsts.

Es salecos, kad atskan trompetes. Vienā mirklī pielecu kājās un izmetos no alas, negribēdama palaist garām ne zilbi. Runā mans jaunais labākais draugs Klaudijs Templsmits, un viņš, kā jau gaidīju, aicina mūs uz dzīrēm. Nu ko, mēs neesam tik izsalkuši. Es jau vienaldzīgi pavēcinu roku, atgaiņājot piedāvājumu, bet viņš pavēsta. – Un tagad klausieties. Varbūt daži no jums jau atsakās no mana aicinājuma. Bet tās nav parastas dzīres. Katram no jums kaut kas ir izmisīgi vajadzīgs.

Man tiešām kaut ko izmisīgi vajag. Kaut ko, kas izārstētu Pītas kāju.

– Saullēktā katrs no jums to atradīs pie Pārpilnības Raga – mugursomā ar jūsu apgabala numuru. Labi apdomājiet, vai tiešām neatnākt. Dažiem no jums tā būs pēdējā iespēja, – Klaudijs pabeidz.

Neko vairāk viņš nesaka, bet vārdi paliek karājamies gaisā. Es satrūkstos, kad Pīta no aizmugures sagrābj manu plecu. – Nē! Tu manis dēļ neriskēsi ar dzīvību.

– Kurš teica, ka es taisos to darīt?

– Tu tātad neiesi?

– Protams, ne. Nedomā taču, ka esmu tik ķerta. Ka es taisnā ceļā skriešu uz kaut kādu kopīgu pasākumu ar Kāto un Klouvu, un Trešu? Neesi muļķis, – es runāju, palīdzēdama viņam tikt atpakaļ gultā. – Es ļaušu viņiem izkauties, tad paskatīsimies, ko rītvakar rādīs debesis, un pēc tam izdomāsim plānu.

– Tu esi tik slikta mele, Katnis. Nesaprotu, kā tu tik ilgi esi izdzīvojusi. – Viņš sāk mani atdarināt. – *Es zināju, ka tā kaza būs īsta zelta bedre. Tu vairs neesi tik karsts. Protams, es neiešu.* – Viņš papurina galvu. – Nekad nespēlē kārtis. Tu zaudēsi pēdējo grasi, – Pīta pamāca.

Es dusmās pietvīkstu. – Jā, pareizi, es iešu, un tu mani neaizkavēsi!

– Es tev sekošu. Vismaz kādu ceļa gabalu. Es varbūt netikšu līdz Pārpilnības Ragam, bet, ja izkliegšu tavu vārdu, kāds mani noteikti atradīs. Un tad es noteikti būšu pagalam.

– Ar to kāju tu netiksi uz priekšu ne simt jardus, – atcērtu.

– Nu tad es rāpošu, – Pīta dod pretī. – Ja tu iesi, tad iešu arī es.

Viņš ir pietiekami stūrgalvīgs un varbūt arī jau tik stiprs, lai tieši tā arī darītu. Lai mežā gaudotu manu vārdu. Pat tad, ja viņu neatrastu neviens pārstāvis, to varētu izdarīt kāds cits. Viņš nespēj aizstāvēties. Droši vien man būtu viņš jāiemūrē alā, lai es varētu iet viena. Un kas zina, ko viņam nodarīs pārpūle?

– Ko tad lai es daru? Vai man sēdēt ar klēpī saliktām rokām un noskatīties, kā tu mirsti? – es jautāju. Viņš noteikti apjēdz, ka tas nav iespējams. Ka skatītāji mani par to ienīstu. Un, godīgi sakot, arī es pati sevi ienīstu, ja pat nemēģinātu.

– Es nemiršu. Apsolu. Ja tu apsoli neiet, – viņš lūdzas.

Mēs esam strupceļā. Nedrīkstu ar viņu strīdēties, tāpēc pat nemēģinu. Es izliekos, ka negribīgi piekrītu. – Nu tad tev ir jādara tas, ko es lieku. Jādzer ūdens, jāmodina mani tad, kad esmu noteikusi, un jāapēd zupa līdz pēdējam, lai cik pretīga tā būtu! – es uzskaitu noteikumus.

– Sarunāts. Vai zupa ir gatava? – viņš jautā.

– Pagaidi. – Ir auksti, kaut arī saule vēl nav norietējusi. Man ir taisnība: Spēļu rīkotāji tiešām kontrolē temperatūru. Interesanti, vai kādam izmisīgi vajadzīga pamatīga sega. Zupa metāla katlā joprojām ir patīkami silta. Un patiesībā negaršo nemaz slikti.

Pīta ēd nesūdzēdamies un pat izkasa katlu, lai izrādītu savu entuziasmu. Viņš pļāpā par to, cik garda ir zupa, un tas skanētu pat uzmundrinoši, ja es nezinātu, ko cilvēkiem spiež sarunāt drudzis. Viņš izklausās pēc Heimiča, pirms alkohols viņu pataisa pilnīgi nesakarīgu.

Iedodu Pītam vēl vienu devu zāļu pret temperatūru, iekams viņš galīgi nav zaudējis galvu.

Aizeju pie upes izmazgāt katlu, bet spēju domāt tikai par to, ka Pīta mirs, ja es netikšu uz dzīrēm. Es viņu noturēšu pie dzīvības vēl dienu vai divas, un tad iekaisums sasniegs viņa sirdi vai smadzenes, vai plaušas, un viņš būs pagalam. Un es būšu viena pati. Atkal. Un gaidīšu pārējos.

Esmu tā aizdomājusies, ka gandrīz nepamanu izpletni, kaut arī tas papeld man tieši garām. Es lecu pakaļ, izrauju to no ūdens un noplēšu sudrabaino audumu, atklādama pudelīti. Heimičam ir izdevies! Viņš ir dabūjis zāles, es nezinu, kā – varbūt viņš ir pārliecinājis kādu romantisku muļķu baru pārdot dārglietas, taču es varu glābt Pītu! Bet pudelīte ir tik maziņa! Zālēm jābūt ļoti stiprām, lai izārstētu tik smagi slimu cilvēku. Mani pārņem šaubas. Es atkorķēju pudelīti un paošņāju. Sajūtot šķebīgo saldo smaku, man noplok dūša. Katram gadījumam es uzlieku pilienu uz mēles. Šaubu nav, tas ir miega sīrups. Divpadsmitajā apgabalā tās ir parastas zāles. Tās ir lētas, bet izraisa atkarību. Kādu devu savu reizi ir dabūjis gandrīz katrs. Mums mājās ir vesela pudele. Māte dod sīrupu histēriskiem pacientiem, lai viņi atslēgtos, kamēr sašuj nelāgu brūci, vai arī lai viņus nomierinātu, vai vienkārši palīdzētu pārlaist nakti kādam, kuru moka sāpes. Vajag pavisam maz. Šāda pudelīte Pītu iemidzinātu uz veselu dienu, bet kāds no tā labums? Es tā pārskaišos, ka gandrīz iemetu Heimiča dāvanu ūdenī, bet tad manī ataust pareizā doma. Veselu dienu? Tas ir

vairāk, nekā man vajag.

Es samīcu sauju ogu, lai garša nebūtu tik jūtama un katram gadījumam pielieku dažas piparmētru lapas. Tad dodos atpakaļ uz alu. – Es tev atnesu kaut ko garšīgu. Mazliet lejāk es atradu jaunus ogulājus.

Pirmo kumosu Pīta paņem nevilcinoties. Viņš norij un sarauc pieri. – Tās nu gan ir saldas.

– Jā, tās ir cukurogas. Mana māte no tām taisa ievārījumu. Vai tu agrāk neesi tādas ēdis? – es čaloju, iestumdama viņam mutē nākamo karoti.

– Nē. – Viņš ir gandrīz pārsteigts. – Bet garšo pazīstami. Cukurogas?

– Nujā, tirgū tās parasti nevar nopirkt, tās aug tikai savvaļā, – es meloju. Vēl viena karote. Un paliek tikai viena.

– Tās ir saldas kā sīrups, – viņš secina, izēzdams pēdējo karoti. – Sīrups! – Viņš iepleš acis, aptvēris patiesību. Es cieši piespiežu roku viņa mutei un degunam, piespiezdama viņu norīt, nevis izspļaut. Pīta mēģina visu izvemt, bet ir par vēlu, un viņš jau zaudē samaņu. Viņam iemiegot, es no skatiena noprotu, ka esmu izdarījusi kaut ko nepiedodamu.

Atbalstos pret papēžiem un palūkojos viņā ar skumjām un apmierinājumu. Viņam uz zoda ir uzkritusi oga, un es to aizslauku. – Kurš te neprot melot, Pīta? – es vaicāju, kaut arī zinu, ka viņš mani nedzird.

Tas nekas. Mani toties dzird visa Panema.

Līdz tumsai atlikušajās stundās es savācu akmeņus un, cik nu varu, apslēpju ieeju alā. Tas nav ne viegli, ne ātri, bet pēc lielas svīšanas un krāmēšanas es ar savu veikumu esmu visai apmierināta. Tagad ala izskatās kā daļa no prāvāka akmeņu krāvuma, kādu te, apkārtnē, ir ļoti daudz. Pa nelielu spraugu es joprojām varu tikt pie Pītas, bet no ārpuses to nevar pamanīt. Tas ir labi, jo šonakt man atkal būs jāguļ guļammaisā kopā ar viņu. Un, ja es neatgriezīšos no dzīrēm, tad Pīta būs paslēpts, bet nebūs pilnīgi ieslodzīts. Es gan šaubos, ka viņš bez zālēm ilgi izvilks. Ja es miršu dzīrēs, tad diez vai Spēlēs uzvarēs kāds no Divpadsmitā apgabala.

Es ieturos ar mazajām, asakainajām zivīm, kādas šaudās upē, piepildu visus ūdens traukus, attīru ūdeni un noberžu savus ieročus. Man vēl ir deviņas bultas. Es apsveru, vai neatstāt Pītam nazi, lai viņš varētu aizstāvēties, kamēr būšu prom, bet tam nav jēgas. Viņam bija taisnība, sakot, ka maskēšanās būs viņa pēdējais patvērums. Bet man nazis varētu noderēt. Kas zina, ko es satikšu?

Vismaz viens ir skaidrs. Kad sāksies dzīres, Kāto, Klouva un Trešs noteikti būs klāt. Neesmu pārliecināta, ka tur būs Lapsa, jo tieša konfrontācija nav viņas stilā un nav arī viņas stiprā puse. Lapsa augumā ir vēl sīkāka par mani un nav apbruņota, ja vien nav sameklējusi kaut kādus ieročus. Viņa droši vien būs kaut kur tuvumā un lūkos, ko varētu pievākt no atliekām. Bet pārējie trīs... Man būs darba pilnas rokas. Mana lielākā priekšrocība ir spēja nogalināt no attāluma, bet es zinu, ka, lai dabūtu mugursomu ar sava apgabala numuru, par ko stāstīja Klaudijs Templsmits, man būs jābūt tieši turpat kur pārējiem.

Es noskatos ziņojumu debesīs, cerēdama, ka rītausmā man būs par vienu pretinieku mazāk, bet nevienu neparāda. Rīt noteikti būs redzama kāda seja. Dzīrēs vienmēr kāds mirst.

Es ielienu alā, uzlieku brilles un saritinos blakus Pītam. Labi gan, ka es šodien dabūju izgulēties. Man ir jāpaliek nomodā. Es gan nedomāju, ka šonakt kāds uzbruks mūsu alai, bet nevaru riskēt nokavēt rītausmu.

Šonakt ir tik auksti, tik speldzīgi auksti. Varētu domāt, ka Spēļu rīkotāji ir arēnā ielaiduši ledainu gaisu. Varbūt tā arī ir. Es guļu blakus Pītam guļammaisā, alkaini sildīdamās viņa drudža karstumā. Ir savādi – būt fiziski viņam tik tuvu, kad viņš drudža murgos ir tik tāls. Pašlaik Pīta ir tikpat nesasniedzams kā tad, ja viņš būtu atpakaļ Kapitolijā vai Divpadsmitajā apgabalā, vai pat uz mēness. Kopš Spēļu sākuma es vēl ne reizi neesmu jutusies tik vientuļa.

Samierinies ar to, ka šī būs nelāga nakts, es sev pavēlu. Mēģinu, tomēr nespēju nedomāt par savu māti un Primu, un to, vai viņas šonakt spēs aizvērt acis. Nu jau tuvojas Spēļu noslēgums, un dzīres ir svarīgs notikums, tāpēc uz skolu droši vien nebūs jāiet. Mana ģimene var izvēlēties starp graudainu attēlu mūsu vecajā, nobružātajā televizorā un lielajiem, skaidrajiem ekrāniem galvenajā laukumā. Tur ļaudis viņām pateiks kādu laipnu vārdu un iedos mazliet ēdiena, ja varēs to atļauties. Es prātoju, vai beķeris ir viņas ir apciemojis – jo vairāk tādēļ, ka mēs ar Pītu esam komanda, – un izpildījis solījumu gādāt, lai mana māsa pieēstu pilnu vēderu.

Divpadsmitajā apgabalā noteikti valda liels satraukums. Tuvojoties Spēļu noslēgumam, mums tik reti ir kāds, ko atbalstīt. Visi noteikti ļoti satraucas par mani un Pītu, īpaši tagad, kad esam kopā. Aizverot acis, varu iztēloties, kā viņi sauc uzmundrinājumus. Es redzu sejas – Tauko Sē un Medžu, un pat Miera sargus, kas pirka manu gaļu. Visi mums uzgavilē.

Un Geils. Es viņu pazīstu. Viņš neklaigā un nesajūsminās. Bet viņš uzmanīgi skatās ikvienu mirkli un pavērsienu, un sarežģījumu un vēlas, kaut es pārnāktu mājās. Interesanti: vai viņš cer arī, ka pārnāks Pīta? Geils nav mans puisis, bet vai viņš būtu, ja es to ļautu? Viņš runāja par bēgšanu kopā. Vai tas bija tikai praktisku apsvērumu dēļ, jo mums ārpus apgabala būtu labākas iespējas izdzīvot? Vai arī tas bija kas vairāk?

Nez ko viņš domā par mūsu bučošanos.

Pa spraugu akmeņos es vēroju, kā debesīs slīd mēness. Kad man šķiet, ka līdz ausmai varētu būt kādas trīs stundas, es sāku posties ceļā. Rūpīgi nolieku Pītam blakus ūdeni un zāļu somiņu. Ja es neatgriezīšos, nekam citam tāpat nebūs jēgas, un pat ūdens un zāles viņa dzīvi paildzinās tikai īsu laiku. Brīdi apdomājusies, novelku

viņam jaku un uzrauju to virs savējās. Pītam to nevajag,

kad viņš drudzī karst guļammaisā. Un pa dienu, ja ne-
būs manis, kas jaku novilktu, viņš tajā izcepsies. Man no
aukstuma jau stingst rokas, tāpēc paņemu Rū zeķu pāri,
izgriežu caurumus pirkstiem un īkšķim un uzvelku ze-
ķes rokās. Tas palīdz. Es salieku Rū mazajā somā mazliet
pārtikas, ūdens pudeli un apsējus, iebāžu aiz jostas nazi
un paņemu loku un bultas. Es jau grasos iet projām,
kad atceros, cik svarīgi ir saglabāt nelaimīgas mīlētājas
tēlu, un noliekusies lēni un ilgi skūpstu Pītu. Es iztēlo-
jos kapitoliešu asarainās nopūtas un izliekos, ka arī pati
notraušu asaru. Tad es pa spraugu izlienu ārā naktī.

Mana elpa gaisā veido mazus, baltus mutulīšus. Ir tik
auksti kā mājās novembra naktī. Naktī, kad es izlavos
mežā ar laternu rokā un satiekos ar Geilu, un mēs sē-
žam, saspiedušies kopā un ietinušies pledā, un malko-
jam zāļu tēju no sudrabainiem termosiem, un ceram, ka
rītausmā garām ies medījums. *Ak, Geil,* es domāju. *Ja
vien tu mani tagad piesegtu...*

Es eju tik ātri, cik vien uzdrošinos. Brilles ļoti palīdz,
bet mani tomēr dzen izmisumā kurlā kreisā auss. Es ne-
zinu, ko tieši sprādziens tai ir nodarījis, bet tas kaut ko
dziļi un nelabojami iedragājis. Nekas. Ja es tikšu mājās,
tad būšu tik sasodīti bagāta, ka varēšu kādam samaksāt,
lai viņš klausās manā vietā.

Naktī mežs izskatās citādi. Pat ar brillēm viss ir nepa-
zīstams. It kā dienā redzētie koki un puķes, un akmeņi
būtu aizgājuši gulēt un nolikuši savā vietā mazliet bie-
dējošus dubultniekus. Es nemēģinu nekādus pārāk sa-
režģītus manevrus kā, piemēram, jaunu maršrutu. Eju
pa veco ceļu augšup pa upi un pa pazīstamo taku uz

Rū paslēptuvi netālu no ezera. Pa ceļam no pārstāvjiem nav ne miņas. Nemana elpas garaiņus, nedzird brīkšķam zarus. Vai nu es esmu atnākusi pirmā, vai arī pārējie ir ieņēmuši vietas jau vakar vakarā. Laika vēl ir atlicis vairāk par stundu, varbūt divas. Ielienu pamežā un gaidu, kad sāks līt asinis.

Es pakošļāju dažas piparmētru lapiņas. Neko vairāk mans vēders neņem pretī. Labi gan, ka man ir gan savējā, gan Pītas jaka. Ja tā nebūtu, man vajadzētu kustēties, lai sasildītos. Debesis ataust palsā rīta pelēkumā, bet pārējos pārstāvjus joprojām nemana. Tas gan nav nekāds pārsteigums. Ikviens ar kaut ko izceļas – vai nu ar spēku, vai asinskāri, vai arī viltību. Varbūt viņi spriež, ka Pīta ir kopā ar mani? Diez vai Lapsa un Trešs vispār zina, ka viņu ievainoja. Jo labāk – kad iešu pēc mugursomas, viņi domās, ka viņš mani piesedz.

Bet kur tā ir? Arēnā ir jau pietiekami gaišs, lai es varētu noņemt brilles. Es dzirdu putnu rīta treļļus. Vai nu jau nav laiks? Mirkli es pārbīstos, ka esmu atnākusi uz nepareizo vietu. Bet – nē, es taču atceros, ka Klaudijs Templsmits minēja tieši Pārpilnības Ragu. Un te tas ir. Un te esmu es. Kur tad ir manas dzīres?

Tajā pašā mirklī, kad uz Pārpilnības Raga zeltainās virsmas atmirdz pirmais saules stars, klajumā kaut kas sakustas. Zeme pie raga mutes paveras, un arēnā paceļas ar sniegbaltu galdautu apklāts apaļš galds. Uz galda ir četras mugursomas: divas lielas, melnas ar numuru "2" un "11", vidēja izmēra zaļa soma ar numuru "5" un vēl oranža – tik maziņa, ka es varētu to uzmaukt uz

plaukstas locītavas – uz tās jābūt rakstītam "12".

Kad galds apstājas, no Pārpilnības Raga kāds izšaujas, paķer zaļo mugursomu un steidzas prom. Lapsa! Kurš cits izdomātu tik gudru un riskantu plānu! Mēs, pārējie, joprojām sēžam gatavībā ap klajumu un novērtējam situāciju, bet viņa savu jau ir dabūjusi. Viņa ir arī sasaistījusi iespējamos vajātājus, jo neviens negrib dzīties viņai pakaļ, kad paša soma pilnīgi neaizsargāta stāv uz galda. Lapsa noteikti speciāli atstāja pārējās somas, zinot: ja nozags kādu ar citu numuru, tad viņai dzīsies pakaļ. Tādam vajadzēja būt manam plānam! Kamēr es vāros pārsteigumā, apbrīnā, dusmās, skaudībā un niknā izmisumā, Lapsas sarkanīgie mati jau nozūd kokos krietni par tālu, lai šautu. Ha. Es visu laiku baidos no pārējiem, bet varbūt īstā pretiniece ir Lapsa.

Viņas dēļ es arī esmu zaudējusi laiku. Man pie galda ir jābūt nākamajai. Katrs, kas būs tur pirms manis, pavisam viegli pagrābs manu somu un nozudīs. Es nevilcinādamās metos skriet. Briesmas es sajūtu ātrāk nekā ieraugu. Par laimi, pirmais nazis iesvelpjas man labajā pusē, bet es paspēju to atvairīt ar loku. Apcērtos, uzvelku loku un izšauju bultu Klouvai tieši sirdī. Viņa paraujas nost tieši tik daudz, lai bulta neķertu nāvējoši, bet tā ieurbjas viņas kreisajā augšdelmā. Nažus viņa diemžēl met ar labo roku, tomēr ar bultu pietiek, lai uz dažiem mirkļiem viņu aizkavētu, jo ir jāizvelk bulta un jānovērtē, cik nopietns ir ievainojums. Es turpinu ceļu un sagatavoju nākamo bultu, pat nedomājot, ka to spēj tikai cilvēks ar gadiem ilgu medību pieredzi.

Es jau esmu pie galda un paķeru sīciņo, oranžo mugursomu. Es ieslidinu plaukstu starp lencēm un uzrauju somu uz delma, jo tā ir pārāk maza, lai uzvilktu kaut kur citur, un jau pagriežos, lai atkal izšautu, kad otrais nazis ietriecas man pierē. Tas pāršķeļ ādu virs manas labās uzacs, un man pār seju izšļācas asins straume, padarot aklu, un piepilda muti ar asu, metālisku asiņu garšu. Es atsprāgstu atpakaļ, bet man izdodas uzbrucēja virzienā raidīt sagatavoto bultu. Jau tad, kad tā pamet stiegru, es zinu, ka netrāpīšu. Un tad Klouva metas man virsū un notriec mani uz muguras, ar ceļiem piespiezdama manus plecus pie zemes.

Tās ir beigas, es nodomāju un Primas dēļ ceru, ka nāve būs ātra. Bet Klouva ir nodomājusi izbaudīt mirkli. Viņai pat šķiet, ka tam ir laiks. Kāto, bez šaubām, ir kaut kur tuvumā un gaida Trešu un varbūt Pītu.

– Kur tad tavs draudziņš, Divpadsmito apgabal? Vai šis vēl velk dzīvību? – viņa šņāc.

Vismaz kamēr mēs runājam, es esmu dzīva. – Viņš ir tuvumā. Un medī Kāto, – es ieņurdos. Un tad pilnā rīklē iebrēcos: – Pīta!

Klouva triec dūri pret manu rīkli, ļoti iedarbīgi mani apklusinot. Bet viņa groza galvu, un es saprotu: viņa vismaz mirkli ir noticējusi, ka varbūt es saku patiesību. Tā kā Pīta nenāk mani glābt, viņa atkal pievēršas man.

– Mele. – Viņa smīn. – Viņš ir gandrīz pagalam. Kāto atceras, kur viņam iecirta. Tu droši vien esi šamo iesprādzējusi kādā kokā un mēģini noturēt pie dzīvības. Un kas ir tajā smukajā somiņā? Zāles mīlniekam? Žēl gan, ka viņš tās nedabūs.

Klouva atver jaku. Tās iekšpusē ir iespaidīga nažu kolekcija. Viņa uzmanīgi izvēlas gandrīz vai gleznu nazi ar nežēlīgu, izliektu asmeni. – Es apsolīju Kāto: ja viņš man ļaus tevi piebeigt, es skatītājiem pagādāšu labu izrādi.

Es cīnos, mēģinādama pretinieci novelt, bet tas ir bezcerīgi. Viņa ir pārāk smaga, un tvēriens ir pārāk ciešs. – Liecies mierā, Divpadsmitais apgabal. Mēs tevi nogalināsim. Tāpat kā tavu sīko, nožēlojamo sabiedroto... kā viņu tur sauca? To, kas lēkāja pa kokiem? Rū? Nuja, vispirms Rū, tad tevi, un par mīlnieku mēs ļausim parūpēties dabai. Kā tev šķiet? – Klouva tērgā. – Ar ko lai sāk?

Ar jakas piedurkni viņa rūpīgi noslauka asinis no manas brūces. Brīdi viņa nopēta manu seju, piešķiebdama galvu te uz vienu, te otru pusi, it kā mana seja būtu koka gabals un viņa domātu, ko tieši no tā izgrebt. Es mēģinu iekost viņai rokā, bet viņa sagrābj mani aiz matiem un piespiež galvu pie zemes. – Man šķiet... – viņa gandrīz murrā. – Man šķiet, ka mēs sāksim ar tavu muti. – Es sakožu zobus, kad viņa ķircinot velk man pa lūpām naža galu.

Es neaizvēršu acis. Viņas izteikums par Rū ir piepildījis mani ar dusmām, saniknojis tik ļoti, lai es izlemtu mirt ar godu. Tas būs mans pēdējais izaicinājums. Es skatīšos uz Klouvu, kamēr vēl varēšu redzēt. Tas droši vien vairs nebūs ilgi, bet es skatīšos viņai taisni virsū, es nekliegšu, es savā niecīgumā miršu neuzvarēta.

– Jā, man šķiet, ka no lūpām tev vairs nebūs liela labuma. Vai gribi savam mīlniekam sūtīt pēdējo skūpstu? – viņa prašņā. Es sakopoju mutē asinis un siekalas un iespļauju viņai sejā. Viņa dusmās piesarkst. – Nu labi. Sāksim.

Es sagatavojos mokām, kas tagad noteikti sekos. Bet tajā pašā brīdī, kad jūtu, kā asmens pāršķeļ lūpu, kaut kāds spēks norauj Klouvu no manis un viņa sāk kliegt. Sākumā esmu pārāk apstulbusi un nesaprotu, kas notiek. Vai Pīta būtu kaut kādā veidā atnācis mani glābt? Vai Spēļu rīkotāji ir atsūtījuši kādu plēsoņu, lai būtu vēl interesantāk? Vai viņu nez kāpēc pacēla helikopters?

Bet tad es paslienos uz notirpušajām rokām un ieraugu, ka nekas tamlīdzīgs nav noticis. Klouva karājas pēdu no zemes Treša rokās. Redzot viņu paceļamies man pāri un turam Klouvu kā tādu lupatu lelli, man aizcērtas elpa. Atceros, ka viņš bija liels, bet nu viņš liekas vēl masīvāks, vēl spēcīgāks nekā manās atmiņās. Viņš arēnā ne tikai nav novājējis, viņš ir uzbarojies. Viņš pagriež Klouvu un nosviež viņu zemē.

Kad viņš iekliedzas, es nodrebu, jo vēl neesmu viņu dzirdējusi runājam skaļāk kā tikai murminot. – Ko tu izdarīji ar mazo meiteni? Tu viņu nogalināji?

Klouva tupus rāpus raušas prom atmuguriski kā pārbiedēts kukainis, pārāk šokēta, lai sauktu Kāto. – Nē! Nē, es tā nebiju!

– Tu nosauci viņas vārdu. Es dzirdēju. Tu viņu nogalināji? – Viņa vaibsti satumst dusmās, iedomājoties vēl kaut ko. – Tu viņu sagriezi tāpat, kā gribēji sagriezt šito meiteni?

– Nē! Nē, es... – Klouva pamana Treša rokā akmeni neliela maizes klaipa lielumā un zaudē savaldīšanos. – Kāto! – viņa ieaurojas. – Kāto!

– Klouva! – Es dzirdu Kāto atsaucamies, bet saprotu, ka viņš ir pārāk tālu, lai viņai kaut kā palīdzētu. Ko viņš darīja? Mēģināja noķert Lapsu vai Pītu? Vai arī viņš slēpnī gaidīja Trešu un nepareizi noteica tā atrašanās vietu?

Trešs smagi triec akmeni pret Klouvas deniņiem. Brūce neasiņo, bet es redzu ieliekumu galvaskausā un saprotu: viņa mirs. Pagaidām viņa gan vēl ir dzīva, viņas krūtis strauji cilājas un pār lūpām izlaužas kluss vaids.

Kad Trešs ar paceltu akmeni apsviežas pret mani, es aptveru, ka nav jēgas bēgt. Un mans loks ir tukšs, pēdējā ielādētā bulta aizlidoja uz Klouvas pusi. Mani sastindzina viņa savādo, zeltaini brūno acu niknā glūna. – Ko viņa tur saka? Ka Rū bija tava sabiedrotā?

– Es... es... mēs apvienojāmies. Mēs uzspridzinājām pārtikas krājumus. Es mēģināju viņu glābt, tiešām. Bet viņš tur bija pirmais. Pirmais apgabals, – es murminu. Ja viņš zinās, ka palīdzēju Rū, varbūt vismaz nenogalinās mani lēni un sadistiski.

– Un tu šo nogalināji? – viņš prasa.

– Jā. Es viņu nogalināju. Un es izrotāju Rū ar ziediem. Un nodziedāju šūpuļdziesmu iemigšanai, lai viņa iemigtu.

Man acīs sariešas asaras. Visa spriedze un cīņasgars sajaucas ar atmiņām. Un mani pilnīgi sagrābj savā varā domas par Rū un sāpes pierē, un bailes no Treša, un mirstošās meitenes kunksti tikai dažas pēdas tālāk.

– Lai iemigtu? – Trešs pikti pārjautā.

– Lai nomirtu. Es dziedāju, kamēr viņa nomira, – es stāstu. – Tavs apgabals... man atsūtīja maizi. – Es paceļu roku, nevis lai tvertu pēc bultas, ko es nemūžam neaizsniegtu, bet lai tikai noslaucītu degunu. – Izdari to ātri, labi, Treš?

Treša sejā mijas pretrunīgas jūtas. Viņš nolaiž akmeni un gandrīz apsūdzoši norāda uz mani. – Es tev ļaušu iet. Tikai šoreiz. Mazās dēļ. Un tad mēs būsim kviti. Es vairs nebūšu parādā. Saprati?

Es pamāju, jo es saprotu. Par parādu. Es apzinos: ja Trešs uzvarēs, viņam būs jāatgriežas apgabalā, kas jau ir pārkāpis tradīciju, sūtot man dāvanu, un arī viņš pats pārkāpj noteikumus, man pateikdamies. Un es saprotu, ka vismaz šobrīd Trešs nesašķaidīs man galvaskausu.

– Klouva! – Tagad Kāto balss skan daudz tuvāk. No sāpēm balsī es jaušu, ka viņš redz meiteni uz zemes.

– Tu labāk laidies lapās, Ugunsmeitene, – Trešs dod padomu.

Man tas nav jāsaka divreiz. Es apcērtos, atsperos pret cieti nomīdīto zemi un metos bēgt no Treša un Klouvas, un Kāto balss. Tikai sasniegusi mežu, es uz mirkli atskatos. Trešs ar abām lielajām mugursomām nozūd pāri kraujai man nepazīstamajā apgabalā. Kāto ar šķēpu rokā nometas ceļos blakus Klouvai un lūdzas, lai viņa nemirst. Pēc mirkļa viņš sapratīs, ka tas ir veltīgi, ka meiteni nevar izglābt. Es metos starp kokiem, visu laiku slaucīdama acī plūstošās asinis, un bēgu kā ievainots savvaļas dzīvnieks. Es arī esmu ievainots dzīvnieks. Pēc dažām minūtēm dzirdu lielgabala dārdu un nojaušu, ka Klouva ir mirusi un Kāto sekos vienam no mums. Vai nu Trešam, vai man. Mani sagrābj šausmas, un brūces novājinātais ķermenis sāk kratīties drebuļos. Uzvelku bultu, bet Kāto spēj mest šķēpu gandrīz tikpat tālu, kā es varu izšaut.

Mani mierina tikai viens. Trešam ir Kāto mugursoma ar to, ko viņam izmisīgi vajag. Ja būtu jāslēdz derības, es teiktu, ka Kāto devās pakaļ Trešam, nevis man. Bet, sasniedzot upi, es tomēr nepalēninu tempu. Es ielecu ūdenī ar zābakiem kājās un brienu pa straumi. Norauju Rū zeķes, ko lietoju kā cimdus, un piespiežu tās pie pieres, mēģinādama apturēt asinis, bet zeķes jau pēc dažām minūtēm ir caurcaurēm izmirkušas.

Kaut kā man izdodas tikt līdz alai. Pa spraugu ielienu iekšā. Nespodrajā gaismā novelku no rokas mazo, oranžo mugursomu, pārgriežu aizdari un izpurinu tās saturu zemē. Somā ir viena garena kārbiņa ar šļirci. Nevilcinādamās ieduru adatu Pītam rokā un lēnām izspiežu šķidrumu.

Es pielieku rokas pie galvas, un tās atkrīt man klēpī viscaur glumās asinīs.

Pēdējais, ko atceros, ir glezns, smalks, sudrabaini zaļš naktstauriņš, kas nolaižas uz manas plaukstas locītavas.

Es lēnām atgūstu samaņu un dzirdu, kā pa mūsu mitekļa jumtu bungā lietus lāses. Pūlos atkal iemigt un guļu, silti satīstīta segās. Drošībā, mājās. Neskaidri jaušu, ka man sāp galva. Droši vien man ir gripa, un tāpēc es drīkstu palikt gultā, kaut arī jūtu, ka esmu gulējusi jau ilgi. Mātes roka noglāsta manu vaigu, un es to neatstumju, kā darītu nomodā, negribēdama, lai viņa zina, cik ļoti es ilgojos pēc maiga pieskāriena. Cik ļoti man viņas pietrūkst, kaut arī es joprojām viņai neuzticos. Uzreiz atskan kāda balss. Balss nav īstā, tā nav manas mātes balss, un es satrūkstos.

– Katnis, – balss sauc. – Katnis, vai tu mani dzirdi?

Es atveru acis, un drošības sajūta pagaist. Es neesmu mājās, neesmu kopā ar savu māti! Es esmu krēslainā, aukstā alā, manas kājas salst pat zem segas, un gaisā skaidri jaušas asiņu dvaka. Manā redzes lokā parādās izmocīta, bāla puiša seja, un es pēc pirmā izbīļa sajūtos labāk. – Pīta.

– Ei, priecājos atkal redzēt tavas acis.

– Cik ilgi es biju atslēgusies? – es pajautāju.

– Es īsti nezinu. Es pamodos vakar vakarā, un tu gulēji man blakus šaušalīgā asiņu peļķē, – viņš stāsta. – Man šķiet, ka asinis vairs netek, bet es tavā vietā neceltos un nepiepūlētos.

Es piesardzīgi paceļu roku pie galvas un sataustu, ka tā ir apsaitēta. Jau no tik vienkāršas kustības man sareibst galva un pārņem vārgums. Pīta pieliek man pie lūpām pudeli, un es kāri dzeru.

– Tev ir labāk, – es secinu.

– Daudz labāk. Tas, ko tu man iešpricēji rokā, iedarbojās, – viņš saka. – Šorīt no rīta mana kāja gandrīz nemaz nebija piepampusi.

Neizskatās, ka viņš dusmotos, ka es viņu piemānīju, sazāļoju un aizšmaucu uz dzīrēm. Varbūt es tagad esmu pārāk nomocīta un vēlāk, kad būšu stiprāka, vēl dabūšu pa kaklu. Bet šobrīd viņš ir pats maiguma iemiesojums.

– Vai tu paēdi? – es prasu.

– Man žēl, bet jāatzīstas, ka es apriju trīs gabalus zošļa, pirms aptvēru, ka ar to varbūt bija jāpietiek ilgākam laikam. Neuztraucies, tagad es atkal ieturu stingru diētu, – viņš taisnojas.

– Nē, tas ir labi. Tev ir jāēd. Drīz es došos medībās, – es solos.

– Bet ne pārāk drīz, vai ne? – viņš iebilst. – Ļauj man kādu laiku par tevi parūpēties.

Man laikam nav izvēles. Pīta mani baro ar zošļa gabaliņiem un rozīnēm un liek dzert daudz ūdens. Viņš rīvē manas pēdas, kamēr tās mazliet atsilst, ietin savā jakā un atkal apsprauda guļammaisu man līdz zodam.

– Tavi zābaki un zeķes vēl ir slapji, un laiks neko daudz nepalīdz, – Pīta teic. Atskan pērkona dārds, un es pa plaisu klintīs redzu, kā debesis izgaismo zibens. Pa vairākiem caurumiem griestos alā pil ūdens, bet Pīta man pār galvu un ķermeņa augšdaļu ir izveidojis tādu kā pārsegu, iespiežot starp akmeņiem plastmasas plēvi.

– Interesanti, kam par godu ir sacelta tāda vētra? Kurš ir tās mērķis? – Pīta prāto.

– Kāto un Trešs, – es nedomādama attraucu. – Lapsa noteikti ir kaut kur kādā paslēptuvē, un Klouva... viņa man iegrieza un tad... – Man sadreb balss.

– Es zinu, ka Klouva ir mirusi. Vakar vakarā es viņu redzēju debesīs. Vai tu viņu nogalināji?

– Nē. Trešs ar akmeni ielauza viņai galvaskausu, – es atbildu.

– Labi, ka viņš nenoķēra arī tevi, – Pīta šausminās.

Es pēkšņi pilnīgi skaidri atceros dzīres, un man sametas nelabi. – Viņš noķēra. Bet viņš palaida mani vaļā. – Un man, protams, ir jāizstāsta. Viss, ko es paturēju pie sevis, jo Pīta bija pārāk slims, lai jautātu, un es nebiju gatava to izdzīvot vēlreiz. Par sprādzienu un par manu ausi, un Rū nāvi, un zēnu no Pirmā apgabala, un maizi. Tas viss noveda pie notikuma ar Trešu un tā, kā viņš savā ziņā atmaksāja parādu.

– Viņš palaida tevi vaļā, jo negribēja palikt parādā? – Pīta netic.

– Jā. Nedomāju, ka tu to sapratīsi. Tev vienmēr ir bijis gana. Bet, ja tu būtu dzīvojis Vīlē, man tas nebūtu jāpaskaidro, – es atsaku.

– Un nemēģini arī. Es noteikti esmu pārāk neaptēsts, lai to saprastu, – viņš novelk.

– Tas ir tāpat kā ar to maizi. Es visu laiku jūtos tā, it kā būtu tev parādā, – es paskaidroju.

– Maizi? Kādu tad? Tu domā to reizi, kad mēs vēl bijām mazi? – viņš brīnās. – Man šķiet, ka to mēs varam aizmirst. Tu taču tikko piecēli mani no miroņiem.

– Bet tu mani toreiz nepazini. Mēs nebijām pārmijuši ne vārda. Un pirmo velti vienmēr ir visgrūtāk atmaksāt. Ja tu toreiz nebūtu man palīdzējis, es tagad nebūtu varējusi palīdzēt tev, jo manis te nemaz nebūtu, – es runāju. – Kāpēc tu vispār to izdarīji?

– Kāpēc? Tu zini, kāpēc, – Pīta nosaka. Es viegli, sāpīgi pašūpoju galvu. – Heimičs jau teica, ka tevi būs grūti pārliecināt.

– Heimičs? – es nesaprotu. – Kāda viņam tur daļa?

– Nekādas, – Pīta attrauc. – Tu saki, ka vētra ir Kāto un Trešam par godu, ja? Laikam jau būtu par daudz cerēts, ka viņi nožmiegs viens otru?

Bet tāda doma mani tikai sarūgtina. – Man šķiet, ka mums Trešs patiktu. Es domāju, ka Divpadsmitajā apgabalā viņš būtu mūsu draugs, – es spriedelēju.

– Nu tad cerēsim, ka viņu nogalinās Kāto, lai tas nebūtu jādara mums, – Pīta drūmi saka.

Es nepavisam negribu, lai Kāto nogalina Trešu. Es negribu, lai kāds mirtu. Bet uzvarētāji arēnā neko tādu nedrīkst teikt. Jūtu, ka, par spīti visiem pūliņiem valdīties, man acīs saskrien asaras.

Pīta norūpējies lūkojas manī. – Kas notika? Vai tev ļoti sāp?

Es viņam nepasaku īsto iemeslu, tomēr atbildu patiesi, lai skatītāji domātu, ka mani ir pārņēmis tikai mirkļa vājums. – Man gribas mājās, Pīta, – saku lūdzoši – kā mazs bērns.

– Tu tiksi mājās. Es apsolu. – Viņš pieliecas mani noskūpstīt.

– Es gribu mājās tagad, – lūdzos.

– Paklausies. Tagad guli un sapņo par mājām. Un tu tur būsi ātrāk nekā pagūsi attapties. Labi?

– Labi, – es čukstu. – Pamodini mani, ja vajag pasargāt.

– Pateicoties tev un Heimičam, es esmu spirgts un atpūties. Turklāt kas zina, cik ilgi tā turpināsies? – viņš nosaka.

Ko viņš ar to domā? Negaisu? Tā nodrošināto īso atelpu? Pašas Spēles? Es nezinu, bet esmu pārāk noskumusi un gurda, lai jautātu.

Kad Pīta mani atkal pamodina, ir jau vakars. Tagad lietus gāž kā ar spaiņiem, un tur, kur no alas griestiem pirmīt tikai pilēja, tagad tek straume. Pīta zem lielākās ir pabāzis buljona katliņu un pārlicis plastmasas plēvi tā, lai es būtu gandrīz pasargāta. Jūtos mazliet labāk, un, pieceļoties sēdus, man vairs galva tā nereibst, un es esmu izbadējusies kā vilks. Pīta arī. Kļūst skaidrs, ka viņš ar ēšanu ir cieties, kamēr pamodīšos es, un tūlīt grib ķerties klāt.

Daudz ēdamā nav palicis. Divi zošļa gabali, nedaudz sakņu un sauja žāvētu augļu.

– Vai mums nevajadzētu pārtiku iedalīt porcijās? – Pīta vaicā.

– Nē, ēdam tik nost. Zoslis jau sāk palikt vecs, un saindēšanās ar ēdienu mums nepavisam nav vajadzīga, – es attraucu un sadalu ēdamo divās vienādās kaudzītēs. Mēs pūlamies ēst lēnām, bet abi esam tik izbadējušies, ka pēc pāris minūtēm ar ēšanu ir cauri. Mans izsalkums nekādi nav apmierināts.

– Rīt būs jāmedī, – es nolemju.

– Es neko daudz nevarēšu palīdzēt, – Pīta saskumst. – Es vēl nekad agrāk neesmu medījis.

– Es medīšu, tu gatavosi, – es mierinu. – Un vēl – tu vari kaut ko ievākt.

– Kaut nu te būtu kādi maizes krūmi, – Pīta prāto.

– Tā maize, ko man atsūtīja no Vienpadsmitā apgabala, vēl bija silta, – nopūzdamās atceros. – Še, pakošļā šitās. – Es pasniedzu puisim pāris piparmētru lapu un arī pati dažas iemetu mutē.

Attēlu debesīs ir grūti pat saskatīt, tomēr ir skaidrs, ka šodien neviens nav miris. Tātad Kāto un Trešs vēl nav nokārtojuši rēķinus.

– Kur Trešs aizgāja? Kas ir klajuma tālākajā galā? – es jautāju Pītam.

– Lauks. Tur – cik vien tālu sniedzas skatiens – aug zāle man līdz pleciem. Nezinu, varbūt tur ir kādi graudaugi. Tur ir arī laukumi dažādās krāsās. Bet nav taku, – Pīta pastāsta.

– Varu derēt, ka tai laukā ir arī labība. Un varu derēt arī, ka Trešs zina, kura tā ir. Vai tu tur iegāji?

– Nē. Nevienam īpaši negribējās tajā zālē meklēt Trešu. Tā izskatās nelāgi. Katru reizi, kad es paskatos uz to lauku, man prātā nāk visādi slazdi. Čūskas, traki dzīvnieki un plūstošās smiltis, – Pīta atbild. – Tur varētu būt jebkas.

Es to nesaku, bet Pītas teiktais man atgādina brīdinājumus Divpadsmitajā apgabalā – kāpēc nevajag iet aiz žoga. Mirkli es nespēju viņu nesalīdzināt ar Geilu, kurš tajā laukā saskatītu ne tikai draudus, bet arī iespējamu pārtikas avotu. Trešs to noteikti redzēja. Nav jau tā, ka

Pīta būtu kāds memmesdēliņš, un viņš ir pierādījis, ka nav ģļēvulis. Bet laikam jau, ja māja allaž smaržo pēc svaigi ceptas maizes, cilvēks nemaz neiedomājas pārbaudīt, cik brīdinājumi ir patiesi, turpretī Geils pārbauda pilnīgi visu. Ko Pīta domātu, dzirdot zobgalības, ar kādām mēs apmaināmies, ik dienas pārkāpdami likumu? Vai viņu šokētu tas, ko mēs sakām par Panemu? Un Geila lamas par Kapitoliju?

– Varbūt tajā laukā aug maizes krūmi, – es prātuļoju. – Varbūt tāpēc Trešs tagad izskatās labāk paēdis nekā Spēļu sākumā.

– Vai nu tā, vai arī viņam ir ļoti dāsni atbalstītāji, – Pīta piekrīt. – Nez kas mums būtu jādara, lai Heimičs mums atsūtītu maizi.

Es paceļu uzacis, bet tad atceros, ka viņš neko nezina par mājienu, ko Heimičs mums deva pirms pāris naktīm. Viens skūpsts ir viens katliņš buljona. To es nedrīkstu stāstīt. Pasakot to skaļi, es ļautu skatītājiem nojaust, ka mūsu mīlestība ir izdomāta, lai spēlētu uz viņu jūtām, un tad mēs vispār nedabūtu neko ēdamu. Man ir kaut kādā ticamā veidā viss jāiekustina. Sākumam vajag kaut ko vienkāršu. Es pasniedzos un saņemu Pītas roku.

– Viņš droši vien iztērēja daudz līdzekļu, palīdzot man tevi sazāļot, – es nebēdnīgi ierunājos.

– Jā, starp citu... – Pīta iesāk, savīdams pirkstus ar manējiem. – Nekad vairs neko tādu nemēģini.

– Vai arī...? – es painteresējos.

– Vai... vai... – Viņš neko labu nevar izdomāt. – Es

vēl drusku padomāšu.

– Kas par lietu? – es smīkņāju.

– Lieta tāda, ka mēs abi joprojām esam dzīvi. Un tas tikai nostiprina tavu pārliecību, ka tu darīji pareizi, – viņš sapīkst.

– Tā jau arī bija, – es piekrītu.

– Nē! Nedari tā, Katnis! – Viņa tvēriens kļūst ciešāks, un man jau sāk sāpēt roka, bet viņa balsī skan īstas dusmas. – Nemirsti manis dēļ. Tu vairs neko nedarīsi manis dēļ. Labi?

Es iztrūkstos no tādas dedzības, bet jaušu lielisku izdevību tikt pie ēdamā, tāpēc mēģinu neatstāties. – Varbūt es to darīju pati sevis dēļ, Pīta, vai tas tev nemaz nav iešāvies prātā? Varbūt tu neesi vienīgais, kurš... kurš uztraucas par to... par to, kā būtu, ja...

Man ķeras mēle. Man vārdi neraisās tik gludi kā Pītam. Un runājot mani atkal satriec atziņa, ka es tiešām varētu zaudēt Pītu, un es atskāršu, cik ļoti nevēlos, ka viņš mirst. Un nav runas par atbalstītājiem. Un nav runas par to, kas notiks mājās. Un nav runas tikai par to, ka es negribu būt viena. Runa ir par viņu. Es negribu zaudēt zēnu, kas man iedeva maizi.

– Ja... kas, Katnis? – viņš klusi jautā.

Es vēlos, kaut varētu aizvilkt slēģus un paslēpt šo mirkli no Panemas urbīgajām acīm. Pat tad, ja tas nozīmētu zaudēt ēdienu. Manas izjūtas ir tikai manis pašas darīšana.

– Tas ir tieši tāds temats, par kādu Heimičs man neļautu runāt, – es izvairos, kaut arī Heimičs nekad neko tādu nav teicis. Patiesībā viņš pašlaik mani droši vien lamā ārā no panckām par to, ka tādā jūtu piesātinātā

brīdī esmu atkal noraustījusies. Bet Pītam to kaut kā iz-
dodas labot.

– Nu tad man klusums būs jāaizpilda pašam, – viņš
saka un pievirzās man tuvāk.

Tas ir pirmais skūpsts, ko mēs abi pilnībā apzināmies.
Neviens no mums nav apdullis no slimības vai sāpēm,
un neviens nav bezsamaņā. Mūsu lūpas nedeg drudzī un
nav ledus aukstas. Tas ir pirmais skūpsts, no kura man
tiešām krūtīs kaut kas silti un zinātkāri sakustas. Tas ir
pirmais skūpsts, kas liek man ilgoties pēc vēl viena.

Bet es to nedabūju. Tas ir, es dabūju vēl vienu skūp-
stu, bet tā ir tikai maza buča uz deguna, jo kaut kas no-
vērš Pītas uzmanību. – Man šķiet, ka tava brūce atkal
asiņo. Nāc, apgulies, nu jau tik un tā ir gulētējamais
laiks, – viņš mudina.

Nu jau manas zeķes ir gana sausas, lai vilktu tās kājās.
Es piespiežu Pītu uzvilkt atpakaļ viņa jaku. Miklais sal-
tums šķiet graužamies man līdz kaulam, tā ka viņš no-
teikti ir pārsalis. Uzstāju arī, ka sargāšu pirmā, kaut arī
neviens no mums nedomā, ka tādā laikā kāds te nāks.
Bet Pīta ir ar mieru tikai tad, ja arī es lienu guļammaisā,
un es tā drebu, ka nav jēgas iebilst. Mani pārsteidz Pī-
tas tuvums – spilgtā pretstatā aizpagājušajai naktij, kad
man bija sajūta, it kā viņš būtu miljoniem jūdžu attā-
lumā. Kad mēs iekārtojamies, viņš noliek manu galvu
uz savas rokas kā uz pagalvja. Otru roku viņš pat miegā
sargājoši tur man pāri. Jau tik ilgi neviens nav mani tā
turējis. Kopš mans tēvs nomira un es pārstāju uzticē-
ties mātei, nevienas rokas nav man likušas justies tik
droši.

Es ar brillēm uz deguna vēroju, kā ūdens pilieni sa-šķīst uz alas grīdas. Ritmiski, iemidzinoši. Vairākas rei-zes es īsi iesnaužos un atkal uztrūkstos, juzdamās vainīga un dusmodamās uz sevi. Pēc trim vai četrām stundām es vairs nevaru izturēt, man ir jāmodina Pīta, jo es nespēju noturēt acis vaļā. Viņam nav nekas pretī.

– Rīt, kad būs sauss, es mums atradīšu vietu tik aug-stu kokos, ka abi varēsim gulēt mierīgi, – es iemigdama apsolu.

Bet nākamajā dienā laikapstākļi neuzlabojas. Ūdens plūdi turpinās, it kā Spēļu rīkotāji būtu nolēmuši mūs visus noskalot no zemes virsas. Pērkona dārdi ir tik skaļi, ka satricina zemi. Pīta domā, ka varētu iet meklēt ēdamo, bet es iebilstu, teikdama, ka tādā negaisā tam nebūs jēgas. Viņš neredzēs tālāk par trim pēdām un, par spīti pūliņiem, tikai izmirks līdz ādai. Viņš zina: man ir taisnība, bet žņaudzošā sajūta mūsu vēderos jau kļūst sāpīga.

Diena velkas un pamazām satumst vakarā, un laiks nemainās. Mūsu vienīgā cerība ir Heimičs, bet nekas ne-pienāk: vai nu naudas trūkuma dēļ – viss noteikti maksā šaušalīgas summas –, vai arī tāpēc, ka viņš nav apmie-rināts ar mūsu sniegumu. Droši vien otrais iemesls. Es pati atzīstu, ka šodien mēs neesam īpaši interesanti. Mēs esam izbadējušies, vārgi no ievainojumiem un mēģinām neatplēst brūces no jauna. Jā, mēs sēžam, saspiedušies kopā guļammaisā, bet galvenokārt tāpēc, lai sasildītos. Mūsu aizraujošākais numurs ir neliela iesnaušanās.

Es īsti nezinu, kā lai piesaista skatītājus. Skūpsts va-kar vakarā bija patīkams, bet, lai tiktu līdz nākamajam, vajadzēs sagatavoties. Ir dažas meitenes Vīlē un vēl arī dažas tirgotāju meitenes, kas šādās situācijās jūtas kā zivis ūdenī. Bet man nekad tam nav bijis ne laika, ne pielietojuma. Un vienkārši ar skūpstu arī acīmredzot vairs nepietiek. Ja pietiktu, tad mēs jau vakar vakarā būtu dabūjuši kaut ko ēdamu. Mana nojauta saka priekšā: Heimičs negrib tikai fizisku mīļumu, viņš grib kaut ko personiskāku. Kaut ko tādu, ko viņš, gatavojot mani intervijai, centās izvilkt. Man tas galīgi nepadodas, bet Pītam gan. Varbūt vislabāk būtu piedabūt viņu runāt.

– Pīta, – es klusi iesāku. – Intervijā tu teici, ka vienmēr esi bijis manī iemīlējies. Kad tas "vienmēr" sākās?

– Ā, pagaidi, jāpadomā. Laikam pirmajā skolas dienā. Mums bija pieci gadi. Tev mugurā bija sarkana kleita ar ielocēm, un tavi mati... tie bija sapīti divās bizēs, nevis vienā. Mans tēvs uz tevi norādīja, kad mēs gaidījām, lai sastātos rindā.

– Tavs tēvs? Kāpēc? – es nesaprotu.

– Viņš sacīja: "Vai redzi to meitenīti? Es gribēju precēt viņas māti, bet viņa aizbēga ar ogļraci," – Pīta stāsta.

– Ko? Tu to nupat izdomāji! – es iebrēcos.

– Nē, tas ir tiesa, – Pīta pretojas. – Un es jautāju: "Ar ogļraci? Kāpēc viņa gribēja ogļraci, ja varēja dabūt tevi?" Un viņš atbildēja: "Jo tad, kad viņš dzied... tad pat putni apklust un klausās."

– Tas gan ir tiesa. Tā ir. Tas ir – bija, – es nomurminu. Iedomājoties, ka maiznieks to stāsta Pītam, es jūtos satriekta un arī pārsteidzoši aizkustināta. Mani satriec šī atskārsme: varbūt tas, ka es negribu dziedāt un noliedzu mūziku, nav tāpēc, ka man tā liktos velta laika izšķiešana. Varbūt man tas vienkārši pārāk atgādina tēvu.

– Tā nu tajā dienā mūzikas stundā skolotāja pajautāja, kurš prot ielejas dziesmu. Tava roka pacēlās uzreiz. Viņa uzcēla tevi uz ķebļa, un tev bija tā mums jānodzied. Un es zvēru, ka ārā visi putni apklusa, – Pīta apgalvo.

– Nu izbeidz! – Es sāku smieties.

– Tā tiešām bija! Un tai brīdī, kad tu beidzi dziedāt, es zināju, ka esmu neglābjami iemīlējies – tāpat kā tava māte, – Pīta atzīstas. – Un tad es nākamos vienpadsmit gadus centos saņemt dūšu tevi uzrunāt.

– Bez panākumiem, – es iemetu starpā.

– Bez panākumiem. Tā ka mana vārda izlozēšana bija īsta veiksme, – Pīta pabeidz.

Mirkli es sajūtos gandrīz muļķīgi laimīga, bet mani pārņem mulsums. Jo mums vajadzētu visu sadomāt, izlikties, ka esam iemīlējušies, nevis tiešām iemīlēties. Taču Pītas stāsts izklausās patiess. Tas – par manu tēvu un putniem. Un es tiešām pirmajā skolas dienā dziedāju, kaut arī neatceros, kas tā bija par dziesmu. Un tā sarkanā kleita ar ielocēm... tāda tiešām bija, to mēs vēlāk atdevām Primai un pēc tēva nāves nomazgājām līdz skrandām.

Tas izskaidrotu arī vēl kaut ko. Kāpēc tajā briesmīgajā, drūmajā dienā Pīta bija ar mieru paciest sitienus, lai iedotu man maizi. Ja patiesi ir tādi sīkumi... vai patiess varētu būt pilnīgi viss?

– Tev... tev ir ļoti laba atmiņa, – es vilcinādamās saku.

– Par tevi es atceros visu, – Pīta piekrīt, saglauzdams man aiz auss atrisušu matu šķipsnu. – Tu jau te esi tā, kas man nepievērsa nekādu uzmanību.

– Bet tagad es pievēršu, – iebilstu.

– Nujā, te man nav lielas konkurences, – viņš attrauc.

Man gribas atrauties un atkal aizvērt slēģus, bet es zinu, ka to nevaru. Ir tāda sajūta, ka dzirdu Heimiču čukstam ausī: "Saki! Saki!"

Es ar grūtībām noriju siekalas un izmoku: – Tev nekur nav lielas konkurences. – Un šoreiz pirmā pieliecos es.

Mūsu lūpas tikko saskaras, kad mēs abi salecamies no būkšķa ārpusē. Es izrauju loku ar sagatavotu bultu, bet neko vairāk nedzird. Pīta palūr ārā un iegavilējas. Pirms es pagūstu viņu aizkavēt, viņš jau ir izlēcis no alas lietū un man tagad kaut ko pasniedz. Sudrabainu izpletni, pie kura karājas grozs. Es nekavēdamās atrauju to vaļā, un iekšā mūs gaida mielasts – svaigas maizītes, kazas siers, āboli un pats labākais – terīne nepārspējamā jērgaļas sautējuma ar savvaļas rīsiem. Tieši tas ēdiens, par ko es Cēzaram Flikermanam pateicu, ka tas Kapitolijā uz mani atstājis vislielāko iespaidu.

Pīta iespraucas atpakaļ, un viņa seja staro kā pati saule. – Laikam Heimičam beidzot apnika noskatīties, kā mēs mirstam badā.

– Laikam gan, – es piekrītu.

Bet domās es dzirdu apmierināto un varbūt drusku aizkaitināto Heimiča balsi: – Jā, *tieši to* es gribēju, sirsniņ.

23

Es nevēlos neko citu kā uzreiz ķerties klāt sautēju-
mam un riekšām bāzt to mutē. Bet Pīta mani aptur.

– Ar to sautējumu labāk uzmanīsimies. Vai atceries
pirmo vakaru vilcienā? Man no tik sātīga ēdamā palika
slikti, un toreiz es pat nebiju izbadējies.

– Tev taisnība. Bet es to visu varētu apēst uz līdzenas
vietas! – es žēli izsaucos. Bet es tā nedaru. Mēs rīkoja-
mies prātīgi. Katrs apēdam pa maizītei, pusi ābola un
olas lieluma porciju sautējuma un rīsu. Mums ir atsūtīti
pat sudraba galda piederumi un šķīvji, un es piespiežos
ņemt sautējumu karotē tikai pa mazītiņam kumosiņam,
izbaudot katru kripatiņu. Kad esam beiguši maltīti, es
ilgpilni lūkojos uz ēdienu. – Man gribas vēl.

– Man arī. Vai zini, ko? Mēs stundu pagaidīsim un,
ja viss būs labi, tad dabūsim vēl vienu porciju, – Pīta
ierosina.

– Sarunāts. Tā būs gara stunda.

– Varbūt ne tik ļoti gara, – Pīta iebilst. – Ko tu tur
teici, pirms uzradās ēdiens? Kaut ko par mani... par sān-
censības neesamību... labāko, kas ar tevi jebkad ir noti-
cis...

– To pēdējo es neatceros, – es izvairos, cerēdama, ka
ir pārāk tumšs, lai ekrānā redzētu manu pietvīkumu.

– Ā, pareizi. To domāju *es*, – viņš piekrīt. – Pavirzies, man salst.

Es atbrīvoju viņam vietu guļammaisā. Mēs atbalstāmies pret alas sienu, es nolieku galvu viņam uz pleca, un viņš apskauj mani. Jūtu, kā Heimičs mani domās biksta, lai turpinu spēli. – Tātad tu kopš piecu gadu vecuma neievēroji nevienu citu meiteni? – es jautāju.

– Nē, es ievēroju gandrīz visas meitenes, bet neviena neatstāja uz mani paliekošu iespaidu, – Pīta izlabo.

– Tavi vecāki noteikti nebūtu sajūsmā, ka tev patīk meitene no Vīles, – turpinu iztaujāt.

– Diez vai. Bet man ir vienalga. Un vienalga: ja mēs tiksim mājās, tu nebūsi meitene no Vīles, tu būsi meitene no Uzvarētāju ciema.

Pareizi. Ja mēs uzvarēsim, tad katrs dabūsim pa mājai tajā pilsētas daļā, kas ir paredzēta Bada Spēļu uzvarētājiem. Toreiz, kad Spēles sāka rīkot, Kapitolijs katrā apgabalā uzbūvēja duci lielisku māju. Mūsu apgabalā, protams, aizņemta ir tikai viena. Lielākajā daļā pārējo vispār neviens nekad nav dzīvojis.

Man prātā ienāk nelāga doma. – Bet tad jau mūsu vienīgais kaimiņš būs Heimičs!

– O, tas būs jauki! – Pīta apskauj mani ciešāk. – Ļoti omulīgi. Mēs kopā dosimies piknikos, svinēsim dzimšanas dienas un garos ziemas vakaros sēdēsim pie kamīna uguns un stāstīsim senus stāstus par Bada Spēlēm.

– Es jau tev teicu, ka viņam riebjos! – es izsaucos, bet nespēju nesmieties, iedomājoties, ka Heimičs būs mans jaunais draugs.

– Tikai dažreiz. Nekad neesmu dzirdējis, ka viņš skaidrā būtu pateicis par tevi kaut ko sliktu, – Pīta nepiekrīt.

– Viņš nekad nav skaidrā! – es protestēju.

– Tas tiesa. Vai es būtu domājis kādu citu? Ā, zinu. Tas ir Sinna, kam tu patīc. Bet galvenokārt tāpēc, ka tu nemēģināji bēgt, kad viņš tevi aizdedzināja, – Pīta pļāpā. – Taču Heimičs... nujā, es tavā vietā no viņa izvairītos. Viņš tevi ienīst.

– Tu taču teici, ka es esmu viņa mīlule, – es pārtraucu.

– Mani viņš ienīst vēl vairāk, – Pīta paskaidro. – Nedomāju, ka viņam vispār īpaši patīk cilvēki.

Es zinu, ka skatītājiem ļoti patiks, kā mēs uzjautrināmies par Heimiču. Viņš Spēlēs ir parādījies tik daudzas reizes, ka dažiem jau liekas kā sens draugs. Un pēc nogāšanās no skatuves izlozes laikā viņu pazīst visi. Šobrīd viņu jau noteikti ir izvilkuši no kontroltelpas, lai viņš sniegtu interviju par mums. Diezin kādus melus šis būs sadomājis. Viņš ir mazliet neizdevīgākā situācijā nekā citu apgabalu padomdevēji, jo lielākajai daļai pārējo palīdz partneris – vēl viens uzvarētājs, bet Heimičam vienam ir jābūt gatavam jebkurā brīdī. Apmēram kā man, kad biju arēnā viena. Nez kā viņam tagad klājas, kad ir vienlaikus jādzer, jāiztur tik liela uzmanība un jāpanāk, lai mēs paliktu dzīvi.

Jokaini. Mēs ar Heimiču nepavisam nesaprotamies, bet varbūt Pītam ir taisnība, ka mēs esam līdzīgi, jo Heimičs spēj ar mani sazināties, izvēloties laiku, kad sūtīt dāvanas. Piemēram, kad viņš man nesūtīja ūdeni, es nojautu, ka esmu tam pavisam tuvu, un es zināju, ka miegazāles nav domātas Pītas sāpju remdēšanai, un tagad es zinu, ka ir jātēlo mīlētāja. Viņš nav papūlējies sazināties ar Pītu. Varbūt viņš domā, ka Pītam bļodiņa buljona nozīmētu tikai bļodiņu buljona, savukārt es tajā saskatīšu zīmi.

Man iešaujas prātā vēl kāda doma, un es pabrīnos, ka tāds jautājums nav radies jau agrāk. Varbūt tāpēc, ka es tikai nesen esmu sākusi interesēties par Heimiču. – Kā tev šķiet, kā viņam tas izdevās?

– Kam tad? Kas izdevās? – Pīta nesaprot.

– Heimičam. Kā tu domā, kā viņš uzvarēja Spēlēs? – es prasu.

Pīta atbild tikai pēc krietnām pārdomām. Heimičs ir druknas miesas būves, bet nav tik iespaidīgs kā Kāto vai Trešs. Viņš nav īpaši izskatīgs. Ne jau tik izskatīgs, lai saņemtu neskaitāmas veltes no atbalstītājiem. Un viņš ir tik īdzīgs, ka es nespēju iztēloties, ka ar viņu kāds būtu varējis sadarboties. Heimičs varēja uzvarēt tikai vienā veidā, un pie secinājuma nonāku tajā pašā brīdī, kad Pīta to pasaka skaļi.

– Viņš bija gudrāks par pārējiem, – Pīta noteic.

Es pamāju un par to vairs nerunāju. Bet klusībā prātoju, vai Heimičs savācās gana ilgi, lai mums ar Pītu palīdzētu, tāpēc ka domāja: mēs esam gana gudri, lai uzvarētu. Varbūt vienmēr viņš nav bijis dzērājs. Varbūt sākumā viņš mēģināja pārstāvjiem palīdzēt. Bet tad tas kļuva nepanesami. Tā noteikti ir īsta elle, kad ir jāapmāca divi bērni un pēc tam jānoskatās, kā viņi mirst. Gadu pēc gada. Es atskāršu: ja tikšu no šejienes prom, tas būs arī mans darbs. Apmācīt meiteni no Divpadsmitā apgabala. Šāda doma ir tik pretīga, ka es to izstumju
no apziņas.

Paiet apmēram pusstunda, un es izlemju, ka ir atkal jāpaēd. Pīta pats ir pārāk izsalcis, lai strīdētos. Kamēr es lieku šķīvjos divas nelielas porcijas jērgaļas sautējuma un rīsu, mēs dzirdam, kā sākas himna. Pīta piespiež pieri spraugai klintīs un vēro debesis.

– Šovakar tur nebūs, ko redzēt, – es nosaku, daudz vairāk interesēdamās par sautējumu nekā debesīm. – Nekas nav noticis, citādi mēs būtu dzirdējuši lielgabalu.

– Katnis, – Pīta mani klusi uzrunā.

– Kas ir? Vai mums sadalīt vēl vienu maizīti? – es jautāju.

– Katnis, – viņš atkārto, bet man nez kādēļ ļoti gribas viņā neklausīties.

– Es vienu sadalīšu. Bet sieru pietaupīšu rītdienai, – es vīteroju. Es pamanu, ka Pīta lūkojas manī. – Kas ir?

– Trešs ir miris.

– Nevar būt, – es iesaucos.

– Lielgabala šāviens laikam noskanēja pērkona laikā, tāpēc mēs to vienkārši palaidām garām, – Pīta saka.

– Vai tu esi pārliecināts? Ārā taču gāž kā ar spaiņiem. Nesaprotu, kā tu kaut ko vari redzēt. – Es neticu. Pastūmusi viņu nost no klints, es samiegtām acīm lūkojos tumšajās lietus debesīs. Apmēram desmit sekundes es vēl pamanu izplūdušu Treša attēlu, un tad tas izgaist. Un viss.

Es atslīgstu pret akmeņiem, uzreiz aizmirsdama darāmo. Trešs ir miris. Man vajadzētu priecāties, vai ne? Ir taču par vienu pretinieku mazāk. Turklāt viņš bija spēcīgs pretinieks. Bet es nepriecājos. Es spēju domāt tikai par to, kā Trešs ļāva man iet, ļāva man izbēgt Rū dēļ – Rū, kura mira ar šķēpu vēderā...

– Vai viss kārtībā? – Pīta jautā.

Es tikai paraustu plecus, ar plaukstām aptveru elkoņus un piespiežu tos cieši sev klāt. Man ir jānoslēpj patiesās sāpes, jo kurš tad liks savu naudu uz pārstāvi, kas visu laiku pinkšķ par pretinieku nāvi. Rū bija pavisam kas cits. Mēs bijām sabiedrotās. Viņa bija vēl tik jauna. Bet neviens nesapratīs, kāpēc es sēroju par Treša slepkavību. Vārds mani sabiedē. Slepkavība! Labi, ka nepateicu to skaļi. Tas man arēnā par labu nenāks. Bet skaļi es pasaku: – Vienkārši... ja mēs neuzvarētu... man būtu gribējies, lai uzvar Trešs. Jo viņš mani palaida. Un Rū dēļ.

– Jā, zinu. Bet tas nozīmē, ka mēs esam soli tuvāk Divpadsmitajam apgabalam. – Viņš iestumj man rokās šķīvi ar ēdienu. – Ēd. Sautējums vēl ir silts.

Es paņemu kumosu sautējuma, lai parādītu, ka patiesībā man ir gluži vienalga, bet mutē ēdiens liekas kā līme un es tikai ar grūtībām noriju. – Tas nozīmē arī, ka Kāto atsāks medīt mūs.

– Un ka viņam atkal ir viss vajadzīgais.

– Varu derēt, ka viņš ir ievainots, – es prātoju.

– Kāpēc tu tā domā? – Pīta brīnās.

– Jo Trešs nemūžam nebūtu padevies bez cīņas. Viņš ir tik stiprs. Tas ir – bija. Un viņi bija Treša teritorijā, – es paskaidroju.

– Tas ir labi, – Pīta nopriecājas. – Jo smagāk Kāto ir ievainots, jo labāk. Interesanti, kā klājas Lapsai.

– O, viņai klājas lieliski, – es sapīkstu. Es joprojām dusmojos, ka viņa iedomājās par Pārpilnības Ragu, bet es ne. – Droši vien būtu vieglāk notvert Kāto nekā viņu.

– Varbūt viņi notvers viens otru, un mēs varēsim vienkārši doties mājās, – iesakās Pīta. – Bet mums ļoti jāuzmanās ar sargāšanu. Es dažas reizes iemigu.

– Es arī, – atzīstos. – Bet šonakt tā nenotiks.

Mēs klusēdami pabeidzam ēst, un tad Pīta piedāvājas sargāt pirmais. Es ieritinos guļammaisā viņam blakus un uzvelku pāri sejai kapuci, lai paslēptos no kamerām. Man vajag dažus mirkļus vienatnes, lai varētu neļaut visām izjūtām parādīties sejā un neviens to neredzētu. Kapucē es klusītēm atvados no Treša un pateicos viņam par savu dzīvību. Es nosolos viņu neaizmirst un, ja spēšu, tad izdarīt kaut ko, lai palīdzētu viņa un Rū ģimenēm. Ja es uzvarēšu. Mani nomierina pilnais vēders un Pītas siltums, un es paglābjos miegā.

Kad Pīta mani vēlāk pamodina, es uzreiz sajūtu kazas siera smaržu. Viņš pastiepj man pusi maizītes ar krēmīgo, balto masu un ābola šķēlītēm virsū. – Nedusmojies, man gribējās vēlreiz paēst. Te būs tava puse.

– O, cik labi! – Es priecājos un uzreiz nokožu lielu kumosu. Asais, treknais siers garšo tāpat kā tas, ko taisa Prima, un āboli ir saldi un kraukšķīgi. – Mmm...

– Maiznīcā mēs cepam kazas siera un ābolu kūku, – Pīta atceras.

– Varu derēt, ka tā ir dārga.

– Pārāk dārga, lai mēs to ēstu paši. Ja vien kūka nav jau galīgi apkaltusi. Mūsu ēdamais gan gandrīz vienmēr ir apkaltis, – Pīta piebilst, ievīstīdamies guļammaisā. Jau pēc nepilnas minūtes viņš sāk krākt.

Ha. Man vienmēr likās, ka veikalu īpašniekiem ir salda dzīve. Un ir jau taisnība, ka Pītam vienmēr ir pieticis ēdamā. Bet visu dzīvi ēst apkaltušu maizi – cietos, saziedējušos klaipus, ko neviens cits nav gribējis, – tas ir diezgan nomācoši. Vismaz vienā ziņā mums ir labāk – es pārtiku gādāju katru dienu un lielākā daļa maltīšu ir svaigākas par svaigu.

Vienu brīdi manas sardzes laikā lietus mitējas – nevis pakāpeniski, bet kā ar nazi nogriezts. Lietavas beidzas, un var dzirdēt tikai pakšķam piles no koku zariem un krācam pārplūdušo upi zem mums. Aust skaists pilnmēness, un ārā visu var redzēt pat bez brillēm. Es nespēju saprast, vai mēness ir īsts vai arī tikai Spēļu rīkotāju projekcija. Es zinu, ka īsi pirms tam, kad pametām mājas, tas tiešām bija pilns. Mēs ar Geilu vērojām to uzlecam, kad medījām vēlu vakarā.

Cik ilgi es esmu prom? Es minu, ka arēnā esmu kādas divas nedēļas un vēl nedēļu mēs gatavojāmies Kapitolijā. Varbūt mēness cikls ir noslēdzies. Nez kāpēc ļoti vēlos, kaut tas būtu mans mēness – tas pats, ko redzu no meža Divpadsmitajā apgabalā. Tad man arēnas sirreālajā pasaulē, kur ir jāšaubās par visu, būtu kaut kas īsts, kam pieķerties.

Mēs esam palikuši četri.

Pirmo reizi es atļaujos nopietni apsvērt iespēju, ka varbūt pārnākšu mājās. Būšu slavena. Bagāta. Man būs pašai sava māja Uzvarētāju ciematā. Mana māte un Prima tur dzīvos kopā ar mani. Vairs nebūs jābaidās no bada. Tā būs vēl nepieredzēta brīvība. Bet tad... ko tad? Kāda būs mana ikdienas dzīve? Līdz šim manas dienas lielā mērā aizņēma pūliņi sagādāt pārtiku. Ja pienākumu vairs nebūs, es vairs īsti nezināšu, kas esmu, kāda ir mana identitāte. Tāda doma mani biedē. Es iedomājos

Heimiču un viņa naudu. Kāda ir viņa dzīve? Viņš dzīvo viens, bez sievas un bērniem, un lielāko daļu nomoda stundu ir skurbulī. Es negribu būt tāda.

Bet tu nebūsi viena, es sevi čukstus mierinu. Man ir māte un Prima. Vismaz pagaidām. Un tad... man negribas domāt, kas būs tad, kad Prima būs pieaugusi, bet māte mirusi. Es esmu nosolījusies nekad neprecēties, nekad neriskēt laist pasaulē bērnu. Jo ir kaut kas, ko uzvara negarantē, – bērnu drošība. Mani bērni piedalītos izlozē tieši tāpat kā visi pārējie. Un es sev apzvēru, ka to nemūžam nepieļaušu.

Beidzot uzlec saule, un gaisma ielaužas pa alas plaisām un izgaismo Pītas seju. Kā viņš pārvērtīsies, kad mēs atgriezīsimies mājās? Šis pārsteidzošais, labsirdīgais puisis, kam melot padodas tik veikli, un visa Panema tagad tic, ka viņš ir manī neprātīgi iemīlējies un... jāatzīst, ka brīžiem es pati arī tam noticu... *Vismaz mēs būsim draugi*, es nodomāju. Nekas nemainīs faktu, ka mēs šeit izglābām viens otram dzīvību. Un viņš vienmēr būs zēns, kas man iedeva maizi. *Labi draugi*. Un viss turpmākais... es jūtu, kā tālumā, no Divpadsmitā apgabala, mani un Pītu vēro Geila pelēkās acis.

Neērtais stāvoklis liek man pievirzīties Pītam klāt. Papurinu viņa plecu. Viņš miegaini paver acis, un, kad skatiens pievēršas man, viņš pievelk mani klāt un ilgi skūpsta.

– Mēs izšķiežam laiku, ko varētu izmantot medībām, – es ierunājos, kad beidzot atraujos no viņa.

– Es to nesauktu par laika izšķiešanu, – viņš nepiekrīt, pieceldamies sēdus un krietni izstaipīdamies. – Vai mēs medīsim ar tukšu vēderu, lai būtu modrāki?

– Nē, nē, – es izsaucos. – Mēs pieēdīsimies, lai būtu spēks kaulos.

– Es piedalos. – Pīta priecājas. Bet es redzu, ka viņš ir pārsteigts, redzot, kā es sadalu atlikušo sautējumu un rīsus un pasniedzu viņam krietni piekrautu šķīvi. – To visu?

– Šodien mēs to atgūsim, – es apsolu, un mēs abi ķeramies klāt. – Pat aukstā veidā sautējums ir viens no gardākajiem ēdieniem, kādu jebkad esmu baudījusi. Nometu dakšiņu un ar pirkstu savācu pēdējās mērces paliekas. – Es pilnīgi jūtu, kā Efija Trinketa šermuļojas par manām manierēm.

– Ei, Efij, paskaties! – Pīta aizmet dakšiņu pār plecu un burtiski izlaiza šķīvi, izdvešot skaļus, apmierinātus ņurdienus. Tad viņš pamet gaisa skūpstu apmēram kameru virzienā un uzsauc: – Mums tevis pietrūkst, Efij!

Es aizšauju viņa mutei priekšā plaukstu, bet smejos. – Izbeidz! Kāto varētu būt tepat pie alas.

Pīta notrauc manu roku. – Vai nav vienalga? Tagad mani sargā tu! – viņš klaigā, pievilkdams mani klāt.

– Nu nāc taču, – es izmisusi mudinu un izlokos no viņa tvēriena. Bet tas izdodas, pēc tam kad viņš dabū vēl vienu skūpstu.

Sakravājuši mantas un iznākuši no alas, mēs kļūstam nopietni. Ir tāda pārliecība, ka pēdējās dienas mūs glāba akmeņi un lietus, un Kāto bija aizņemts ar Trešu. Mums bija dota atelpa, savā ziņā brīvdienas. Tagad, kaut arī diena ir saulaina un silta, mēs jūtam, ka atkal piedalāmies Spēlēs pa īstam. Pīta ieslidina aiz jostas manis pasniegto nazi, jo visi ieroči, kādi viņam bija pašam, jau sen ir pazuduši. Manas pēdējās septiņas bultas – no duča es trīs ziedoju, lai sarīkotu sprādzienu, un divas iztērēju dzīrēs – mazliet vaļīgi grab bultu makā. Es nevaru atļauties zaudēt vēl kādu.

– Nu jau viņš dzen mums pēdas, – Pīta spriež. – Kāto nav no tiem, kas gaida, kad medījums atnāks pats.

– Ja viņš ir ievainots... – es sāku.

– Tam nebūs nozīmes, – Pīta pārtrauc. – Ja viņš vispār var pakustēties, tad meklē.

Pēc lietavām upe abās pusēs ir par vairākām pēdām izkāpusi no krastiem. Mēs apstājamies, lai papildinātu ūdens krājumus. Es pārbaudu pirms dažām dienām izliktās cilpas, bet tajās nekā nav. Tādos laikapstākļos tas nav nekāds brīnums. Turklāt šajā apkaimē es neesmu redzējusi daudz dzīvnieku un pat pēdas ne.

– Ja mēs gribam pārtiku, tad būs labāk doties augšup pa straumi uz manām vecajām medību vietām, – es ierosinu.

– Kā vēlies. Tikai pasaki, kas man jādara.

– Turi acis vaļā, – es pamācu. – Cik vien iespējams, ej pa akmeņiem, nebūtu prātīgi atstāt pēdas, kam viņš varētu sekot. Un klausies par mums abiem. – Nu jau ir skaidrs, ka sprādziens manu kreiso ausi ir sagandējis uz visiem laikiem.

Es labprāt ietu pa ūdeni, lai pilnīgi noslēptu mūsu pēdas, bet neesmu pārliecināta, vai ar Pītas ievainoto kāju var pārvietoties tādā straumē. Kaut arī zāles ir izārstējušas infekciju, viņš joprojām ir diezgan vārgs. Griezuma vietā man sāp piere, bet asiņošana pirms trim dienām ir beigusies. Es tomēr paturu apsēju, ja nu fiziska piepūle brūci atkal atvērtu.

Dodoties augšup pa straumi pa upes krastu, mēs paejam garām vietai, kur es atradu nezālēs un dubļos nomaskējušos Pītu. Vismaz viens labums no lietusgāzēm un pārplūdušās upes – ir pagaisušas visas zīmes, ka tur ir bijusi paslēptuve. Tas nozīmē, ka mēs vajadzības gadījumā varam atgriezties savā alā. Citādi es ar šo neriskētu, kad mums pakaļ dzenas Kāto.

Klinšu bluķi kļūst mazāki, un beigās no akmeņiem vairs ir tikai oļi, un mēs, man par atvieglojumu, atkal ejam pa priežu skujām un lēzeno nogāzi mežā. Pirmo reizi es aptveru, ka mums ir sarežģījumi, ka ar klibu kāju, ejot pa akmeņainu virsmu, rodas troksnis. Bet Pīta iet skaļi pat pa gludo, skujām klāto zemi. Un viņa gadījumā skaļi ir *skaļi*, varētu domāt, ka viņš speciāli sit kājas. Es pagriežos un palūkojos uz viņu.

– Kas ir?

– Tev ir jāiet klusāk, – es iesaku. – Ne tikai Kāto dēļ, tu arī aizbaidi visus trušus desmit jūdžu rādiusā.

– Tiešām? – viņš brīnās. – Piedod, es to nezināju.

Mēs atsākam iet, un nu jau ir mazdrusciņ labāk, bet viņa soļi liek man sarauties, kaut arī dzirdu tikai ar vienu ausi.

– Vai tu varētu novilkt zābakus? – ierosinu.

– Šeit? – viņš neticēdams jautā, it kā es šim pavēlētu staigāt pa karstām oglēm vai kaut ko tamlīdzīgu. Man ir sev jāatgādina, ka viņš joprojām nav pieradis pie meža, ka viņam tā ir biedējoša aizliegtā teritorija aiz žoga Divpadsmitajā apgabalā. Es iedomājos Geilu un viņa samtaini klusos soļus. Reizēm baisi, cik maz trokšņa viņš rada pat tad, kad krīt lapas un medījumu var aizbaidīt visniecīgākā kustība. Es domāju, ka viņš tagad mājās smejas.

– Jā, – es pacietīgi saku. – Es arī novilkšu. Tā mēs abi iesim klusāk. – It kā es trokšņotu. Tā nu mēs abi novelkam zābakus un zeķes, bet kaut arī tas mazliet palīdz, es tomēr varētu apzvērēt, ka Pīta speciāli brīkšķina katru zaru mūsu ceļā.

Protams, vairākās stundās, līdz sasniedzam manu un Rū apmetni, es neko neesmu nomedījusi. Ja upe norimtos, varētu cerēt uz zivīm, bet straume vēl ir pārāk stipra. Kad mēs apstājamies atpūsties un padzerties, es mēģinu izdomāt risinājumu. Vislabāk būtu atstāt Pītu tepat un uzdot viņam kādu vienkāršu darbiņu, teiksim, vākt saknes, bet tad viņš pret spēcīgo, ar šķēpu apbruņoto Kāto varētu aizstāvēties tikai ar nazi. Man gribētos Pītu noslēpt kādā drošā vietā, tad aiziet pamedīt un atgriežoties viņu savākt. Bet man ir aizdomas, ka viņa ego neļaus piekrist tādam piedāvājumam.

– Katnis, – Pīta ierunājas. – Mums ir jāsadalās. Es zinu, ka aizbiedēju medījumu.

– Tikai tāpēc, ka tev ir ievainota kāja, – es cēlsirdīgi atsaku, jo patiesībā jau var redzēt, ka tā vēl ir mazākā bēda.

– Zinu, – viņš piekrīt. – Varbūt ej tālāk? Parādi man, kādus augus lai savācu, tad mēs abi izdarīsim kaut ko noderīgu.

– Ne šobrīd, kad Kāto var uzrasties un tevi nogalināt. – Es mēģinu to pateikt maigi, bet vienalga izklausās, ka uzskatu viņu par vārguli.

Pīta pārsteidzošā kārtā tikai pasmejas. – Paklau, ar Kāto es varu tikt galā. Iepriekš taču es ar viņu cīnījos, vai ne tā?

Jā, un tas beidzās brīnišķīgi. Pēc tam tu pusdzīvs gulēji dubļos. Man gribas to pateikt, bet es nespēju. Galu galā, uzbrukdams Kāto, viņš izglāba man dzīvību. Es izmēģinu citu taktiku. – Varbūt uzkāp kokā un izlūko apkārtni, kamēr es medīšu? – es ierosinu, mēģinādama to pasniegt kā ļoti svarīgu pienākumu.

– Varbūt parādi man, kas te apkārtnē ir ēdams un ej sadabū mums gaļu, – viņš atdarina manu toni. – Bet neaizej par tālu, ja nu tev būs vajadzīga palīdzība.

Es nopūšos un ierādu viņam dažas saknes, kuras var sarakt. Ēdienu mums vajag, tas nu ir skaidrs. Ar vienu ābolu, divām maizītēm un siera pikuci plūmes lielumā ilgi nepietiks. Es iešu pavisam netālu un cerēšu, ka Kāto atrodas krietnā attālumā.

Iemācu Pītam putnu dziesmu, ne veselu melodiju kā Rū, bet vienkāršu svilpienu no divām skaņām, lai mēs varētu viens otram pavēstīt, ka viss kārtībā. Svilpošana viņam, par laimi, labi padodas. Atstāju viņam somu un dodos prom.

Man ir tāda izjūta, it kā man atkal būtu vienpadsmit gadu, tikai šoreiz mani valgā tur nevis drošais žogs, bet Pīta. Medījot es uzdrošinos aiziet apmēram divdesmit trīsdesmit jardus. Toties mežs atdzīvojas skaņās. Mani iedrošina laiku pa laikam dzirdamie svilpieni, un es atļaujos aizklīst tālāk un drīz dabūju divus trušus un brangu vāveri. Izlemju, ka ar tiem pietiks. Varu vēl izlikt cilpas un varbūt noķert kādu zivi. Kopā ar Pītas savāktajām saknēm pagaidām būs gana.

Iedama īso gabaliņu atpakaļ, atskāršu, ka jau kādu laiku neesam sazinājušies. Kad manam svilpienam neviens neatbild, es metos skriet. Pavisam drīz es atrodu somu un tai blakus – kārtīgu sakņu kaudzīti. Plastmasas plēve ir izklāta zemē, un saules stari apspīd ogu klājienu. Bet kur ir Pīta?

– Pīta! – es pārbijusies saucu – Pīta! – Es iebrāžos krūmu biežņā un gandrīz izšauju uz viņu bultu. Par laimi, pēdējā brīdī pagriežu loku un bulta ieurbjas ozola stumbrā pa kreisi no viņa. Viņš atsprāgst atpakaļ un izber lapotnē sauju ogu.

Manas bailes izlaužas dusmās. – Ko tu dari? Tev ir jābūt te, nevis jāskraida pa mežu!

– Es pie upes atradu ogas, – viņš paskaidro, pārsteigts par manu izvirdumu.

– Es svilpoju. Kāpēc tu neatsaucies? – noprasu.

– Es nedzirdēju. Laikam straume ir pārāk skaļa, – viņš taisnojas, pienāk man klāt un uzliek man uz pleciem rokas. Sajūtu, ka drebu.

– Es domāju, ka Kāto tevi ir nogalinājis! – es gandrīz kliedzu.

– Nē, viss ir labi. – Pīta mani apskauj, bet es neatsaucos. – Katnis?

Es viņu atgrūžu, mēģinādama izprast savas jūtas. – Ja divi cilvēki vienojas par signālu, tad viņi paliek dzirdamības attālumā. Jo, tiklīdz viens neatbild, tas jau nozīmē nepatikšanas, skaidrs?

– Skaidrs! – viņš noskalda.

– Skaidrs. Jo tā notika ar Rū, un es biju spiesta noskatīties, kā viņa mirst! – es brēcu. Aizgriezusies aizeju pie somas un atveru jaunu pudeli, kaut arī manējā vēl ir mazliet ūdens. Bet es neesmu gatava viņam piedot. Pamanu ēdienu. Maizītes un āboli nav aiztikti, bet kāds pavisam noteikti ir paņēmis drusku siera. – Un tu ēdi bez manis! – Patiesībā man tas ir gluži vienalga, es tikai gribu dusmoties.

– Ko? Nē, tā nebija! – Pīta iebilst.

– Jā, jā, sieru laikam gan aprija ābols! – es šņācu.

– Es nezinu, kas apēda sieru, – Pīta saka lēni un skaidri, it kā valdīdams dusmas, – bet es tas nebiju. Es biju pie upes un lasīju ogas. Vai tu gribēsi?

Vispār es gribētu gan, taču es negribu tik ātri padoties. Bet es pieeju un paskatos uz ogām. Tādas es vēl nekad neesmu redzējusi. Nē, esmu gan. Bet ne arēnā. Tās nav Rū ogas, lai arī izskatās tādas pašas. Tās arī nelīdzinās nevienām, ko redzēju apmācībā. Es pieliecos un dažas paņemu, un pavirpinu pirkstos.

Man domās ieskanas tēva balss. – Tās ne, Katnis. Nekad. Tās ir naktenes. Tu mirsi, pirms vēl tās būs tev vēderā.

Tai mirklī nodārd lielgabals. Es apcērtos, domādama, ka ieraudzīšu Pītu saļimstam zemē, bet viņš tikai paceļ uzacis. Kādus simt jardus priekšā parādās helikopters. Gaisā paceļas Lapsas izkāmējušais ķermenis. Es redzu, kā saulē atmirdz viņas sarkanie mati.

Man vajadzēja iedomāties uzreiz, kad ieraudzīju, ka trūkst siera...

Pīta sagrābj manu delmu un velk uz koku. – Kāp. Viņš tūlīt būs klāt. Mums būs labākas izredzes, ja cīnīsimies no augšienes.

Es viņu apturu, pēkšņi kļuvusi pavisam mierīga. – Nē, Pīta, viņu nogalināji tu, nevis Kāto.

– Ko? Es viņu kopš pirmās dienas vispār neesmu redzējis, – Pīta netic. – Kā es būtu varējis viņu nogalināt?

Par atbildi es pastiepju ogas.

24

Paiet kāds brīdis, kamēr es Pītam visu izskaidroju. Kā Lapsa zaga ēdienu no krājumu kaudzes, pirms es to uzspridzināju, kā viņa mēģināja paņemt tik daudz, lai izdzīvotu, bet ne tik daudz, lai kāds to pamanītu, kā viņa nešaubījās, ka ir droši ēst ogas, ko gatavojāmies ēst mēs paši.

– Brīnos, kā viņa mūs atrada, – Pīta prāto. – Laikam jau tā ir mana vaina, ja es uzvedos tik skaļi, kā tu saki.

Mūs izsekot būtu tikpat grūti kā dzīt pēdas liellopu ganāmpulkam, bet es cenšos būt saprotoša. – Un viņa ir ļoti gudra, Pīta. Bija... Tomēr tu izrādījies gudrāks.

– Ne jau ar nodomu. Tas kaut kā neliekas godīgi. Mēs abi taču arī būtu pagalam, ja viņa pirmā nebūtu apēdusi tās ogas. – Tad viņš sevi izlabo. – Nē, protams, ka tā nebūtu. Tu tās ogas zini, vai ne?

Es pamāju. – Mēs tās saucam par naktenēm.

– Jau vārds vien izklausās nāvējošs, – Pīta noteic. – Piedod, Katnis. Man tiešām likās, ka tās ir tās pašas, ko lasīji tu.

– Neatvainojies. Tas nozīmē tikai to, ka mēs esam soli tuvāk mājām, vai ne?

– Es izmetīšu pārējās. – Pīta paceļ zilo plastmasas gabalu, ielocīdams malas, lai ogas paliktu iekšā, un iet tās izmest mežā.

– Pagaidi! – es uzsaucu. Es sameklēju ādas tarbiņu, kas piederēja puisim no Pirmā apgabala, un ieberu tajā dažas riekšas ogu. – Ja jau tās apmānīja Lapsu, tad varbūt apmānīs arī Kāto. Ja viņš mums dzīsies pakaļ, mēs varam izlikties, ka nejauši nometam tarbu, un, ja viņš tās apēdīs...

– ...tad esi sveicināts, Divpadsmitais apgabal! – Pīta pabeidz.

– Tieši tā. – Piestiprinu tarbiņu pie jostas.

– Nu viņš zinās, kur mēs esam, – Pīta noteic. – Ja viņš bija kaut kur tuvumā un redzēja to helikopteru, tad zinās, ka mēs nogalinājām Lapsu, un nāks mums pakaļ.

Pītam ir taisnība. Tā varētu būt tieši tāda izdevība, kādu Kāto bija gaidījis. Bet pat tad, ja mēs bēgtu, mums vajadzēs cept gaļu, un ugunskurs atkal pavēstīs, kur esam. – Iekursim uguni. Tūlīt. – Es sāku vākt kopā zarus un kūlu.

– Vai esi gatava stāties viņam pretī? – Pīta pajautā.

– Es esmu gatava ēst. Labāk uztaisīšu ēdamo, kamēr vēl varam. Ja viņš zina, ka esam te, tad lai jau zina. Bet viņš zina arī, ka mēs esam divatā, un droši vien spriež, kā mēs noķērām Lapsu. Tas nozīmē, ka tu esi atguvies. Un ugunskurs nozīmē, ka mēs neslēpjamies, mēs aicinām viņu pie sevis. Vai tu viņa vietā nāktu šurp? – es klāstu.

– Varbūt arī ne...– viņš aizdomājas.

Pīta ar uguni rīkojas kā īsts burvis un no slapjas malkas izvilina liesmu. Jau pavisam drīz truši un vāvere cepas un lapās ievīstītās saknes karsējas oglēs. Mēs pa kārtai vācam zaļumus un uzmanīgi lūkojamies pēc Kāto, bet viņš, kā jau biju domājusi, neparādās. Kad ēdiens ir izcepts, es lielāko daļu iepakoju līdzņemšanai un atstāju mums katram žaķa cisku, ko krimst pa ceļam.

Es gribu paieties augstāk pa mežaino nogāzi, uzkāpt krietnā kokā un iekārtoties naktij, bet Pīta pretojas. – Es nevaru kāpt kokos tā kā tu, Katnis, īpaši kājas dēļ, turklāt es neticu, ka spētu aizmigt piecdesmit pēdas virs zemes.

– Palikt atklātā laukā nav droši, Pīta, – es protestēju.

– Vai mēs nevarētu iet atpakaļ uz alu? – viņš ierosina. – Tā ir pie ūdens, un to ir viegli sargāt.

Es nopūšos. Vēl vairāku stundu gājiens – vai drīzāk stampāšana – pa mežu, lai nonāktu vietā, ko mums no rīta tāpat nāksies pamest, lai medītu. Bet Pīta jau neprasa daudz. Viņš visu dienu klausa maniem rīkojumiem, un es esmu pārliecināta: ja mēs būtu mainītās lomās, tad viņš neliktu man pavadīt nakti kokā. Es apķeros, ka šodien neesmu izturējusies pret Pītu diez cik jauki. Piesējos viņam par to, cik viņš ir skaļš, un sakliedzu par pazušanu. Savvaļā karstajā saulē, baidoties kuru katru brīdi satikt Kāto, alas rotaļīgā romantika ir pagaisusi. Heimičam es droši vien esmu līdz kaklam. Un, kas attiecas uz skatītājiem...

Es pasniedzos un noskūpstu Pītu. – Labi. Ejam atpakaļ uz alu.

Viņa sejā parādās apmierinājums un atvieglojums. – Tas nu gan bija vienkārši.

Es uzmanīgi izrauju no ozola bultu tā, lai nesabojātu aso galu. Tagad manas bultas nozīmē ēdienu, drošību un dzīvību.

Mēs piemetam ugunī vēl klēpi malkas. Tas vēl dažas stundas dūmos, bet es šaubos, ka šobrīd Kāto vispār kaut ko vēl plāno. Kad mēs nonākam pie upes, ir redzams, ka ūdens līmenis ir krietni nokrities un straume atkal plūst veco, laisko gaitu, tāpēc es ierosinu atpakaļ iet pa ūdeni. Pīta ar prieku piekrīt, un, kas vēl labāk, ūdenī viņš ir daudz klusāks, nekā ejot pa zemi. Bet ceļš uz alu tomēr ir garš, kaut arī lejā no kalna, bet zaķa gaļa dod mums spēku. Mūs abus ir nogurdinājis šodienas gājiens, un mēs abi pēdējā laikā esam pārāk slikti ēduši. Es turu loku uzvilktu gan Kāto, gan zivju dēļ, bet upe ir savādi tukša.

Sasniedzam alu, tik tikko vilkdami kājas, kad saule jau karājas zemu virs apvāršņa. Mēs piepildām savas ūdens pudeles un pa nelielo nogāzi uzrāpjamies paslēptuvē. Ala nav nekāda izcilā, bet te, mežos, mums nav nekā līdzīgāka mājām. Te arī būs siltāk nekā kokā, jo ala sniedz aizvēju pret brāzmām, kas sparīgi pūš no rietumiem. Es savīkšu krietnas vakariņas, bet Pīta maltītes vidū sāk klanīt galvu. Pēc daudzām nekustīgi pavadītām dienām medības ir viņu nokausējušas. Lieku viņam rāpties guļammaisā un nolieku ēdienu brīdim, kad viņš pamodīsies. Viņš uzreiz iemieg. Uzvelku guļammaisu viņam līdz zodam un noskūpstu viņa pieri – nevis skatītāju, bet pati sevis dēļ. Jo es esmu tik pateicīga: viņš joprojām ir te un nav piepildījušās manas bailes, ka viņš nomirs pie upes. Es tā priecājos, ka man nav vienai jāstājas pretī Kāto.

Brutālajam, nežēlīgajam Kāto, kurš var pārlauzt sprandu, mazliet pakustinot delmu, kurš bija gana spēcīgs, lai uzveiktu Trešu, kuram uz mani ir zobs jau no pam.

328 paša sākuma. Droši vien viņš mani baigi ienīst, tāpēc ka

dabūju vairāk punktu apmācībā. Tāds puisis kā Pīta to vienkārši norītu. Bet man ir aizdomas, ka Kāto tas pamatīgi saniknoja. Viņu sadusmot nemaz nav tik grūti. Atceros smieklīgo uzvedību, kad viņš ieraudzīja uzspridzinātos krājumus. Pārējie, protams, bija satraukti, bet viņa dusmas bija pilnīgi pārspīlētas. Iedomājos, ka varbūt Kāto ir kāda garīga kaite.

Debesīs iegaismojas zīmogs, un es noskatos, kā debesīs atmirdz un uz visiem laikiem izzūd Lapsas seja. Pīta neko nav teicis, bet man šķiet, ka viņš jūtas slikti, tāpēc ka Lapsu noindēja, kaut arī tas bija ļoti svarīgi. Neizlikšos, sakot, ka man viņas pietrūks, jo viņa bija apbrīnas cienīga. Es domāju: ja mums būtu iedots kaut kāds tests, viņa no visiem pārstāvjiem izrādītos gudrākā. Varu derēt: ja mēs būtu gatavojuši viņai īstas lamatas, viņa to nojaustu un ogas neņemtu. Viņu nogalināja Pītas neziņa. Es visu laiku tā nopūlos nenovērtēt savus pretiniekus par zemu, ka esmu piemirsusi, cik bīstami ir viņus novērtēt par augstu.

Tas man liek atkal iedomāties Kāto. Lapsu es nedaudz izpratu – gan viņas rīcību, gan būtību –, ar Kāto ir grūtāk. Viņš ir spēcīgs un labi trenēts, bet vai viņš ir gudrs? Nezinu. Ne jau tik gudrs kā viņa. Un viņam pilnīgi noteikti nav ne kripatas no tās savaldības, kādu rādīja Lapsa. Manuprāt, Kāto viegli varētu zaudēt galvu dusmu lēkmē. Šajā ziņā es gan nejūtos diez ko pārāka. Atminos, kā es pārskaitusies iešāvu bultu tajā ābolā sivēna mutē. Varbūt es Kāto saprotu labāk, nekā man šķiet.

Mans prāts ir modrs, par spīti nogurušajam ķermenim, tāpēc es ļauju Pītam gulēt daudz ilgāk nekā līdz parastās maiņas beigām. Kad es papurinu viņu aiz pleca, jau sāk svīst pelēcīgs rīts. Viņš gandrīz sabijies paskatās ārā.

– Es nogulēju visu nakti! Tā nav godīgi, Katnis, tev vajadzēja mani pamodināt!

Es izstaipos un ierokos guļammaisā. – Gulēšu tagad. Pamodini, ja notiek kaut kas interesants.

Acīmredzot nekas interesants tomēr nav noticis, jo, kad es atveru acis, caur klinšu spraugām alā iespīd spoža, karsta pēcpusdienas gaisma. – Vai mūsu draugs nav parādījies? – es jautāju.

Pīta purina galvu. – Nē, viņš uzvedas aizdomīgi klusi.

– Kā tu domā, cik ilgs laiks paies, līdz Spēļu rīkotāji mūs atkal sadzīs kopā?

– Nu, Lapsa nomira gandrīz pirms veselas diennakts, tā ka skatītājiem bija pilnīgi pietiekami laika noslēgt jaunas derības un sagarlaikoties. Laikam jau tas var notikt kuru katru brīdi, – Pīta spriež.

– Aha, man arī šķiet, ka šodien tas brīdis pienāks, – es piekrītu. Pieceļos sēdus un palūkojos rāmajā ainavā. – Interesanti, kā viņi to izdarīs?

Pīta klusē. Uz to arī nevar īsti atbildēt.

– Nu labi, kamēr mēs gaidām, nav nekādas jēgas izniekot dienu – medīsim. Bet mums laikam vajadzētu pieēsties, cik varam, ja nu mēs gadījumā iekļūtu nepatikšanās, – izsaku priekšlikumu.

Pīta sakrāmē mūsu mantas, bet es tikmēr gatavoju bagātīgu maltīti. Atlikušo zaķa gaļu, saknes, zaļumus un maizītes ar pēdējām siera paliekām. Rezervē es atstāju vāveri un ābolus.

Kad esam paēduši, pāri paliek tikai kaudzīte zaķa kaulu. Manas rokas ir taukainas, un es sajūtos vēl netīrāka nekā vispār beidzamā laikā. Vīlē mēs gan arī nevannojamies katru dienu, bet esam tīrīgāki, nekā es esmu bijusi šajās dienās. Mani viscauri klāj netīrumu kārta, izņemot kājas, jo bridām pa ūdeni.

Atstājot alu, ir nojauta, ka to vairs neredzēsim. Man kaut kā neliekas, ka mēs piedzīvosim vēl vienu nakti arēnā. Tā vai citādi, es tikšu prom – vai nu dzīva, vai mirusi. Atvadoties paplikšķinu pa klinti, un mēs dodamies lejā uz upi nomazgāties. Jūtu, kā mana āda ilgojas pēc vēsa ūdens. Varētu izmazgāt matus un slapjus atkal sapīt. Es jau prātoju, vai nevarētu žigli izskalot arī drēbes, bet mēs jau esam nonākuši upes krastā. Vai vismaz vietā, kur kādreiz bija upe. Tagad te ir tikai izkaltusi gultne. Es pielieku tai plaukstu.

– Nav pat mitra. To būs nosusinājuši, kamēr mēs gulējām, – es secinu. Man prātā iezogas bailes, ka būs tā, kā tad, kad mans ķermenis atūdeņojās pirmo reizi, – ka man saplaisās mēle, sāpēs visas maliņas un reibs galva. Blašķe un pudeles ir gandrīz pilnas, bet tagad, kad esam divi dzērēji un saule tik karsti spiež, to iztukšošanai nevajadzēs ilgu laiku.

– Ezers. – Pīta saprot. – Viņi grib, lai dodamies turp.

– Varbūt dīķos vēl kaut kas ir, – es cerīgi iesakos.

– Varam jau pārbaudīt, – viņš piekrīt, bet tikai, lai man izdabātu. Mānu pati sevi, jo es zinu, ko mēs atradīsim pie dīķa, kur es mērcēju kāju, – tur pavērsies putekļains, dziļš caurums. Bet mēs vienalga turp aizejam, lai ieraudzītu to, ko jau paredzējām.

– Tev ir taisnība. Mūs dzen uz ezeru, – es nosaku. Turp, kur nav aizsega. Turp, kur garantēti norisināsies asiņaina cīņa uz dzīvību un nāvi un nekas neaizsegs skatu. – Vai gribi iet uzreiz vai arī pagaidīsim, kamēr izbeigsies ūdens?

– Iesim uzreiz, kamēr esam paēduši un atpūtušies. Iesim un visu izbeigsim! – viņš saka.

Es pamāju. Jokaini. Man ir gandrīz tāda izjūta, it kā atkal būtu Spēļu pirmā diena. Ka es esmu tādā pašā situācijā. Divdesmit viens pārstāvis ir pagalam, bet man joprojām ir jānogalina Kāto. Un vai patiesībā jau no paša sākuma nebija vissvarīgāk nogalināt tieši viņu? Tagad šķiet, ka pārējie pārstāvji bijuši tikai sīki šķēršļi, nelielas neērtības, kas mūs kavēja mesties Spēļu svarīgākajā cīņā. Kāto pret mani.

Bet – nē, man blakus gaida puisis. Viņš apskauj mani.

– Divi pret vienu. Tam vajadzētu būt pavisam vienkārši.

– Nākamo azaidu mēs ieturēsim Kapitolijā, – es piebilstu.

– Tieši tā, – viņš piekrīt.

Mirkli mēs stāvam apskāvušies un sajūtam otra augumu, saules starus un lapu čaboņu zem kājām. Tad klusēdami atraujamies viens no otra un dodamies uz ezeru.

Tagad man ir vienalga, ka no Pītas smagajiem soļiem uz visām pusēm pašķīst grauzēji un ka pat putni no trokšņa paceļas spārnos. Mums ir jācīnās ar Kāto, un es to tikpat labi varētu darīt gan mežā, gan klajumā. Bet šaubos, ka man būs izvēle. Ja Spēļu rīkotāji grib, lai mēs atrodamies atklātā laukā, tad cīņa arī notiks atklātā laukā.

Brītiņu mēs apstājamies atpūsties zem koka, kurā mani uzdzina karjeristi. Tā ir pareizā vieta, par to liecina sekotājdzēlēju pūznis, ko lietavas ir samīcījušas pelēkā masā un dedzinošie saules stari pēcāk sakaltējuši bezformīgā pikucī. Pabikstu pūzni ar zābaka purngalu, un tas sabirzt putekļos, ko žigli aiznes vējš. Es nespēju nepalūkoties augšā kokā, kur slepus tupēja Rū un gaidīja, lai izglābtu man dzīvību. Sekotājdzēlējas. Spīgalas uzburbušās miesas. Drausmīgās halucinācijas...

– Iesim tālāk, – es aicinu, gribēdama izbēgt no drūmās noskaņas, kas valda šajā vietā. Pīta neiebilst.

Tā kā mēs tik vēlu izgājām, tad sasniedzam klajumu tikai pievakarē. No Kāto nav ne miņas. Klajumā nav nekā, tikai slīpajos saules staros zeltaini mirdzošais Pārpilnības Rags. Varbūt nu Kāto būtu izdomājis mūs gaidīt Lapsas slēpnī, tāpēc mēs apmetam loku ragam un pārbaudām, vai tas ir tukšs. Pēc tam mēs paklausīgi, it kā sekojot kādam rīkojumam, aizejam līdz ezeram un piepildām savus ūdens traukus.

Es sarauktām uzacīm palūkojos rietošajā saulē. – Tumsā mums nevajadzētu ar viņu cīnīties. Ir tikai viens briļļu pāris.

Pīta uzmanīgi pilina ūdenī joda tinktūru. – Varbūt tieši to viņš gaida. Ko tu gribētu darīt? Iet atpakaļ uz alu?

– Vai nu uz alu, vai arī jāatrod kāds koks. Bet dosim viņam vēl pusstundu. Un tad mēs paslēpsimies, – es nolemju.

Mēs pilnīgi atklāti sēžam pie ezera. Tagad slēpties nav jēgas. Kokos klajuma malā es redzu šaudāmies zobgaļsīļus. Putni sadziedas dažādās balsīs, kas izgaist kā koši ziepju burbuļi. Paveru muti un nodziedu Rū motīvu. Es jūtu, kā putni, izdzirduši manu balsi, ziņkārīgi pieklust un gaida turpinājumu. Klusumā atkārtoju melodiju. Vispirms to atkārto viens sīlis, tad atsaucas vēl otrs. Un nu jau viss mežs atdzīvojas dziesmā.

– Gluži kā tavs tēvs, – nosaka Pīta.

Ar pirkstiem uzmeklēju piespraudi pie krekla. – Tā ir Rū dziesma, – es saku. – Man šķiet, ka putni to atceras.

Mūzika pieņemas spēkā, un es saprotu, cik brīniškīga ir šī melodija. Skaņas pārklājas cita citai, veidojot burvīgu harmoniju, kas liekas nākam ne no šīs pasaules. Tātad ar tādu dziesmu Rū ik vakarus ļāva doties mājās Vienpadsmitā apgabala dārzkopjiem. Kad viņa ir mirusi, nez vai kāds darba dienas beigās uzsāk dziesmu?

Es pieveru acis un klausos, dziesmas skaistuma apburta. Tad kaut kas aplauž melodiju. Skaņas pašķīst saraustītās, nepilnīgās pasāžās. Melodijā iejaucas disonance. Sīļu vidžināšana pāriet spalgā brīdinājuma saucienā.

Mēs pielecam kājās. Pīta izrauj nazi, un es uzvelku loku. No meža izšaujas Kāto un metas mums virsū. Viņam nav šķēpa. Viņa rokas ir pilnīgi tukšas, tomēr viņš skrien tieši pie mums. Mana pirmā bulta trāpa viņam krūtīs un nez kāpēc noslīd.

– Viņam ir kaut kādas bruņas! – es kliedzu Pītam.

Sauciens nāk tieši laikā, jo Kāto jau ir klāt. Es sagatavojos, bet viņš izšaujas starp mums, nemaz nemēģinādams palēnināt tempu. Pēc elsām un sviedriem, kas tek pār viņa tumšsārti sasarkušo seju, redzu, ka viņš jau labu brīdi skrien, ko kājas nes. Viņš mums neuzbrūk. Viņš no kaut kā bēg. Bet no kā?

Es nopētu mežu un pamanu klajumā izlecam pirmo neradījumu. Pagriežoties ieraugu, kā tam pievienojas vēl kāds pusducis. Un tad es kā neprātīga ņemu kājas pār pleciem pakaļ Kāto, domādama vairs tikai par savas dzīvības glābšanu.

Mutanti. Par to šaubu nav. Tādus mutantus es vēl nekad neesmu redzējusi, bet tie noteikti nav dabiski radušies dzīvnieki. Tie atgādina milzīgus vilkus, bet kurš vilks nostājas un viegli notur līdzsvaru uz pakaļkājām? Kurš vilks mudina pārējo baru uz priekšu, mājot ar priekšķepu, it kā tai būtu plaukstas locītava? To es redzu no attāluma. Un esmu pārliecināta, ka tuvumā atklāsies vēl biedējošākas iezīmes.

Kāto kā vējš nesas uz Pārpilnības Ragu, un es nedomādama viņam sekoju. Ja viņš domā, ka tur būs visdrošāk, kāpēc man to apšaubīt? Turklāt pat tad, ja es paspētu aizskriet līdz kokiem, Pīta ar klibo kāju no viņiem neaizbēgs... Pīta! Manas rokas jau pieskaras metālam Pārpilnības Raga smailajā galā, kad es atceros, ka man ir sabiedrotais. Pīta ir apmēram piecpadsmit jardus aiz manis un klibo, cik vien ātri spēj, bet mutanti nāk arvien tuvāk. Es izšauju bultu barā, un viens pakrīt, bet tur ir daudzi, kas ieņems tā vietu.

Pīta māj, lai rāpjos uz raga. – Kāp, Katnis, kāp!

Viņam ir taisnība. Uz zemes es nevaru nedz viņu aizstāvēt, nedz aizstāvēties pati. Es sāku kāpt, ar rokām un kājām ķerdamās pie raga. Virsma ir no tīra zelta, bet veidota tā, lai atgādinātu austo Pārpilnības Ragu, ko mēs piepildām ražas laikā, tāpēc tajā ir nelielas iedobes un izciļņi, pie kā pieturēties. Bet pēc karstās dienas arēnas saulē metāls ir tik karsts ka, šķiet, uz rokām uzmetīsies čūlas.

Kāto guļ uz sāniem pašā raga augšgalā divdesmit pēdas no zemes un lūr pāri malai, elsdams un pūlēdamies atgūt elpu. Tā ir mana izdevība viņu piebeigt. Es apstājos raga vidū un uzvelku jaunu bultu, bet brīdī, kad jau grasos to palaist vaļā, es izdzirdu Pītas kliedzienu. Es apcērtos apkārt un ieraugu Pītu pie Pārpilnības Raga pamatnes. Viņam uz papēžiem min mutanti.

– Kāp! – es iebrēcos. Pīta sāk rāpties augšā, bet viņu kavē klibā kāja un arī nazis rokā. Es iešauju bultu rīklē pirmajam mutantam, kurš uzliek ķepas uz metāla. Neradījums sāk plosīties agonijā un nejauši savaino vairākus sugasbrāļus. Tajā brīdī es pamanu nagus. Tie ir četras collas gari un acīmredzot asi kā žiletes.

Pīta ar rokām sasniedz manas kājas, un es sagrābju viņu aiz plaukstas un velku sev līdzi. Tad atceros, ka augšā gaida Kāto, un apcērtos otrādi, bet viņš raustās krampjos un acīmredzot vairāk satraucas par mutantiem nekā par mums. Viņš izmoka kaut ko nesaprotamu. Mutantu ošņāšanās un rūkšanas dēļ gandrīz neko nevar dzirdēt.

– Kas ir? – es viņam uzkliedzu.

– Viņš prasa: "Vai viņi prot kāpt?" – Pīta atbild, atkal pievērsdams manu uzmanību raga pamatnei.

Mutanti vācas vienkopus. Sapulcējušies viņi atkal pieceļas un viegli stāv uz pakaļkājām, izskatīdamies biedējoši cilvēciski. Visiem ir biezs kažoks, dažu spalva ir taisna un gluda, citu – sprogaina, un to krāsas ir no piķa melnas līdz tonim, ko varētu nosaukt tikai kā blondu. Viņos ir vēl kaut kas – kaut kas, no kā man šausmās mati ceļas stāvus, bet es nespēju uzķert, kas tieši.

Radījumi pieliek purnus ragam, ošņājas, nogaršo metālu, ar ķepām paskrāpē virsmu un spalgi sarejas cits ar citu. Tā viņi laikam sazinās, jo pēkšņi viss bars atkāpjas, it kā lai atbrīvotu vietu. Tad viens no viņiem, prāvs eksemplārs ar zīdaini viļņotu, gaišu spalvu ieskrienas un uzlec uz raga. Neradījumam laikam ir ārkārtīgi spēcīgas pakaļkājas, jo tas piezemējas nieka desmit pēdu attālumā no mums un atiež sārtās lūpas. Mirkli dzīvnieks tur karājas, un tad es saprotu, kas mani viņos darīja nemierīgu. Zaļās acis, kas dusmās deg man pretī, nelīdzinās neviena suņa vai vilka acīm, neviena suņveidīgā acīm, ko savā mūžā esmu redzējusi. Tās pilnīgi noteikti ir cilvēka acis. Tiklīdz es to esmu atskārtusi, pamanu arī kaklasiksnu, uz kuras ir ar dārgakmeņiem izlikts vieninieks, un mani pārņem šausmīga apjausma. Blondie mati, zaļās acis, numurs... Tā ir Spīgala.

Man izlaužas kliedziens, un man ir grūti noturēt taisni uzvilkto loku. Es visu laiku gaidīju un nešāvu, labi apzinādamās, cik maz bultu man ir atlicis. Gribēju redzēt, vai radījumi spēj rāpties. Bet tagad, kaut arī mutants jau sāk slīdēt atpakaļ, nespēdams noturēties uz metāla virsmas, kaut arī es dzirdu, kā lēnām čirkst nagi, es izšauju tam rīklē. Mutanta ķermenis nodreb un ar būkšķi nogāžas zemē.

– Katnis? – Jūtu, ka Pīta satver manu roku.

– Tā ir viņa! – es izmoku.

– Kas tad? – Pīta nesaprot.

Es strauji grozu galvu un aplūkoju baru, ievērodama dzīvnieku dažādo lielumu un atšķirīgās spalvas nokrāsas. Mazais ar sarkano kažoku un dzintarkrāsas acīm... Lapsa! Un tas tur ar pelnu pelēko spalvu un nespodri brūnajām acīm – tas ir Devītā apgabala puika, kurš mira, kad mēs cīkstējāmies par mugursomu! Un visbriesmīgākais ir mazākais mutants ar tumšu, spīdīgu spalvu, milzīgām, brūnām acīm un numuru "11" uz kaklasiksnas, kas veidota no salmu vijuma. Dzīvnieks naidā ņirdz zobus. Rū...

– Kas notika, Katnis? – Pīta mani purina aiz pleca.

– Tie ir viņi. Viņi visi. Pārējie. Rū un Lapsa, un... visi pārējie pārstāvji, – es izgrūžu.

Es dzirdu, kā Pītam aizcērtas elpa, dzīvniekus atpazīstot. – Ko ar viņiem izdarīja? Kā tu domā... tās taču nav viņu īstās acis?

Acis mani šobrīd galīgi neinteresē. Kas notiek viņu galvās? Vai viņiem ir kādas no īsto pārstāvju atmiņām? Vai viņi ir veidoti tā, lai ienīstu tieši mūsu sejas, jo esam izdzīvojuši, bet viņi – miruši nesaudzīgā nāvē? Un tie, kurus tiešām nogalinājām mēs... Vai viņi domā, ka tagad atriebj savu nāvi?

Pirms es pagūstu izteikt, ko domāju, mutanti atsāk uzbrukumu ragam. Tagad viņi ir sadalījušies divās grupās raga sānos un izmanto spēcīgās pakaļkājas, lai lēktu mums virsū. Viena zobi sacērtas tikai dažas collas no manas rokas, un es dzirdu, kā Pīta iekliedzas. Jūtu, ka viņu asi parauj, un puiša un mutanta smagums velk mani nost no raga. Ja Pīta neturētos pie manas rokas, tad tagad jau būtu zemē, un man ir jāpieliek visi spēki, lai noturētu mūs uz raga izliektā kupra. Bet tuvojas vēl vairāk pārstāvju.

– Nogalini viņu, Pīta! Nogalini viņu! – es kliedzu un, kaut arī īsti neredzu, kas notiek, viņš laikam iedur dzīvniekam, jo mana nasta paliek vieglāka. Man izdodas uzvilkt Pītu atpakaļ uz raga, un mēs abi rāpjamies uz augšu, kur gaida mazākais no diviem ļaunumiem.

Kāto vēl aizvien nespēj piecelties kājās, bet viņa elpa ir lēnāka, un es zinu, ka drīz vien viņš būs pietiekami atguvies, lai mestos mums virsū un nogrūstu pāri malai nāvē. Es uzvelku loku, bet bulta nonāvē mutantu, kas nevarētu būt neviens cits kā Trešs. Kurš vēl spētu tik augstu lēkt? Es mirkli sajūtu atvieglojumu, ka beidzot esam augstāk, nekā mutanti spēj uzlēkt, un griežos apkārt pret Kāto, kad Pītu atrauj no manis. Es domāju, ka viņu ir sagrābis bars, bet tad man sejā iešļācas viņa asinis.

Man priekšā, gandrīz pašā raga augšā stāv Kāto un žņaudz Pītu elkoņa līkumā, neļaujot viņam elpot. Pīta cīnās ar Kāto roku, bet pavisam vārgi, it kā nevarētu saprast, vai svarīgāk ir elpot vai arī mēģināt apturēt asins strūklu, kas šļācas no brūces, ko viņa stilbā iešņāpis mutants.

Es nomērķēju vienu no divām pēdējām bultām uz Kāto galvu, zinādama, ka rumpī vai locekļos tā neko nenodarīs. Tagad es redzu, ka viņa ķermeni klāj pieguļošs miesaskrāsas tīklojums. Tās ir kaut kādas smalkas bruņas no Kapitolija. Vai tās bija viņa somā dzīrēs? Bruņas, kas viņu pasargātu no manām bultām? Nu nekas, toties šie būs piemirsuši atsūtīt sejassegu.

Kāto zvaigā vien. – Nošauj mani, un viņš kritīs līdzi.

Viņam ir taisnība. Ja es viņu nogalināšu un viņš nokritīs pie mutantiem, Pīta noteikti mirs līdz ar viņu. Mēs esam strupceļā. Es nevaru nošaut Kāto, nenogalinot arī Pītu. Viņš nevar nogalināt Pītu, pats nesaņemot galvā bultu. Mēs abi stāvam stingi kā statujas, pūlēdamies atrast kādu izeju.

Mani muskuļi ir tā sasprindzināti, ka ir tāda sajūta – kuru katru brīdi tie pārplīsīs. Esmu tik cieši sakodusi zobus, ka tie draud izlūzt. Mutanti pieklust, un es dzirdu tikai asins dunu savā dzirdīgajā ausī.

Pītas lūpas pamazām iegūst zilganu nokrāsu. Ja es žigli kaut ko neizdarīšu, viņš nosmaks, un tad es būšu viņu zaudējusi, bet Kāto droši vien izmantos viņa ķermeni kā ieroci. Vispār es esmu pārliecināta, ka tāds ir Kāto plāns, jo viņš ir beidzis smieties un savelk lūpas triumfējošā smaidā.

It kā pēdējiem spēkiem Pīta paceļ pirkstus, kas ir asinīs no viņa kājas, un pieliek Kāto rokai. Tā vietā, lai pūlētos izrauties, viņš ar rādītājpirkstu uzvelk krustu uz Kāto delnas virspuses. Kāto saprot, ko tas nozīmē, mirkli vēlāk nekā es. To es redzu viņa izdziestošajā smaidā. Bet viņš attopas sekundi par vēlu, jo mana bulta jau ieurbjas viņam rokā. Viņš iekliedzas un instinktīvi palaiž vaļā Pītu, kurš pagrūž viņu ar visu svaru. Vienu briesmīgu mirkli man šķiet, ka kritīs viņi abi. Es metos uz priekšu un saķeru Pītu, bet Kāto zaudē līdzsvaru uz slidenās, asinīm nošķiestās virsmas un strauji gāžas lejup.

Mēs dzirdam, kā viņš atsitas pret zemi un kā viņam no trieciena aizcērtas elpa. Mutanti uzbrūk. Mēs ar Pītu turamies viens pie otra, gaidīdami lielgabala šāvienu, gaidīdami, kad sacensība beigsies, gaidīdami, kad mūs atbrīvos. Bet tas nenotiek. Vēl ne. Jo Bada Spēles ir sasniegušas kulmināciju un skatītāji gaida izrādi.

Es neskatos, bet dzirdu ņurdienus, rūcienus – gan cilvēka, gan zvēru sāpju kaucienus. Kāto metas virsū mutantu baram. Es nesaprotu, kā tas var būt, ka viņš vēl ir dzīvs, bet tad atceros bruņas, kas viņu sargā no potītēm līdz kaklam, un aptveru, ka šī varētu būt ļoti gara nakts. Kāto noteikti ir arī nazis vai zobens, vai kāds cits ierocis, kas bijis paslēpts viņa drēbēs, jo laiku pa laikam atskan kāda mutanta agonijas kauciens vai arī pret raga zelta virsmu kaut kas metāliski nošņirkst. Cīņas troksnis veļas apkārt Pārpilnības Ragam, un es nojaušu: Kāto mēģina vienīgo, kas varētu glābt viņa dzīvību, – nokļūt atpakaļ pie raga astes un pievienoties mums. Bet beigu beigās viņu pārmāc – par spīti viņa lielajam spēkam un izcilajai prasmei.

Es nezinu, cik daudz laika paiet, varbūt kāda stunda, līdz Kāto nokrīt zemē, un es dzirdu, kā mutanti velk viņu pa zemi un iestiepj atpakaļ iekšā Pārpilnības Ragā. *Tagad tie viņu piebeigs*, es nodomāju. Bet lielgabals joprojām klusē.

Iestājas nakts, un sākas himna, bet debesīs neparādās Kāto portrets. Cauri metālam zem mūsu kājām ir dzirdami vārgi kunkstieni. Ledainais vējš, kas pūš klajumā, man atgādina, ka Spēles nav beigušās un varbūt nebeigsies vēl sazin cik ilgi, un uzvara vēl nav droša.

Es pievēršos Pītam un pamanu, ka viņa kāja asiņo vēl stiprāk nekā iepriekš. Visi mūsu krājumi, mūsu somas ir pie ezera, kur mēs tās pametām, bēgot no mutantiem. Man nav apsēja, nav nekā, lai apturētu asins straumi, kas plūst no Pītas apakšstilba. Kaut arī asajā vējā mani krata drebuļi, es norauju jaku, novelku kreklu un, cik ātri spēdama, atkal uzvelku jaku atpakaļ. No īsās izģērbšanās mani zobi sāk nevaldāmi klabēt.

Pītas seja mēness gaismā izskatās pelēka. Es lieku viņam apgulties un pārbaudu brūci. Man pār pirkstiem nolīst siltas, slidenas asinis. Ar apsēju nepietiks. Es dažas reizes esmu redzējusi, kā mana māte liek žņaugu, un tagad mēģinu darīt tāpat. Es nogriežu savam kreklam piedurkni, divreiz aptinu to ap kāju tieši zem ceļa un sasienu mezglu. Man nav irbuļa, tāpēc es paņemu atlikušo bultu, iespraužu to mezglā un piegriežu tik cieši, cik vien uzdrošinos. Tas ir riskanti, var gadīties, ka Pīta zaudēs kāju, bet, ja ir jāizšķiras starp to un viņa nāvi, tad ko lai es citu daru? Es apsienu brūci ar atlikušo kreklu un atguļos viņam blakus.

— Neaizmiedz, — es lūdzu. Neesmu īsti pārliecināta, vai tas tiešām atbilst medicīnas noteikumiem, bet mani pārņem šausmas: ja viņš iemigs, tad varbūt nekad vairs nepamodīsies.

— Vai tev ir auksti? — Pīta jautā. Viņš atver jakas rāvējslēdzēju, es piespiežos viņam klāt, un viņš aizver to man aiz muguras. Mūsu ķermeņi piesilda dubulto jaku, un ir drusku siltāk, bet nakts vēl tikai sākas. Temperatūra kritīsies vēl. Jau tagad es jūtu, kā Pārpilnības Rags, kura virsma tā dedzināja, kad kāpām augšā, pamazām sasalst ledū.

— Varbūt Kāto vēl uzvarēs, — es pačukstu Pītam.

– Netici tam, – viņš sarāj, uzvilkdams man kapuci, bet pats dreb vēl vairāk nekā es.

Nākamās stundas ir ļaunākās manā dzīvē, un tas nozīmē, ka ir pa īstam slikti. Jau tikai aukstums būtu gana mokošs, bet visīstākais murgs ir noklausīties, kā Kāto kunkst, lūdzas un beidzot tikai ķilkst, kamēr mutanti viņu apstrādā. Jau pavisam drīz man ir gluži vienalga, kas viņš tāds un ko ir izdarījis, es tikai vēlos, kaut viņa ciešanas beigtos.

– Kāpēc tie viņu nenogalina? – es jautāju Pītam.

– Tu zini, kāpēc, – viņš atbild un apskauj mani ciešāk.

Un es zinu arī. Tagad neviens skatītājs ne par kādu naudu neatrautos no šova. No Spēļu rīkotāju viedokļa pašlaik ir pats izklaidējošākais brīdis visās Spēlēs.

Agonijas troksnis nebeidzas un nebeidzas, un nebeidzas, un beigās tas pilnīgi pārņem manas domas, izdzēš atmiņas un cerības uz rītdienu, aizslauka visu, izņemot tagadni, kas, man šķiet, nekad nemainīsies. Nekad nebūs nekā cita, būs tikai aukstums un bailes, un raga iekšpusē mirstošā puiša agonijas vaidi.

Pīta sāk iesnausties, un ikreiz, kad viņš aizmieg, es arvien skaļāk un skaļāk izkliedzu viņa vārdu: ja viņš tagad ņems un nomirs, es sajukšu prātā. Viņš cīnās, droši vien vairāk manis nekā pats sevis dēļ, un tas ir grūti, jo bezsamaņa būtu sava veida glābiņš. Bet manās dzīslās plūstošais adrenalīns nemūžam neļautu arī man krist bezsamaņā, tāpēc es nedrīkstu pieļaut, ka viņš mani pamet. Es to vienkārši nedrīkstu.

Vienīgais, kas liecina par laika ritumu, ir lēni slīdošais mēness disks debesīs. Pīta man to parāda un uzstāj, lai es atzīstu, ka tas kustas, un dažreiz es uz īsu mirkli jūtu vārgu cerību, bet mani atkal aprij nakts tumsa.

Beidzot es dzirdu Pītu čukstam, ka lec saule. Es atveru acis un ieraugu, ka zvaigznes bālē rītausmas palsajā gaismā. Redzu arī, cik bāla ir Pītas seja. Cik maz viņam ir atlicis. Un es zinu, ka man ir viņš jādabū uz Kapitoliju.

Lielgabals joprojām nav izšāvis. Es piespiežu veselo ausi ragam un pavisam klusi sadzirdu Kāto balsi.

– Man šķiet, ka viņš tagad ir tuvāk. Katnis, vai tu varētu viņu nošaut? – Pīta jautā.

Ja viņš būtu pie raga atveres, es varbūt varētu viņu nogalināt. Šobrīd tā būtu žēlsirdība.

– Mana pēdējā bulta ir tavā žņaugā, – es saku.

– Ņem ciet, – Pīta saka un atvelk jakas rāvējslēdzēju, palaizdams mani ārā.

Es izvelku bultu un sasienu žņaugu tik cieši, cik vien spēju ar aukstumā stingstošajiem pirkstiem. Saberzēju rokas, pūlēdamās piedabūt asinis riņķot, pierāpjos pie raga gala un pārkaros pāri malai, un jūtu, ka Pīta mani satver, lai pieturētu.

Paiet kāds brīdis, līdz es nespodrajā gaismā un asinīs ieraugu Kāto. Jēlais gaļas gabals, kas kādreiz bija mans ienaidnieks, izdveš skaņu, un es zinu, kur ir mute. Un man šķiet, viņš cenšas pateikt *lūdzu*.

Mana bulta ieurbjas viņa galvā žēluma, nevis atriebības vadīta. Pīta mani uzvelk atpakaļ. Man rokā ir loks un tukšais bultu maks.

– Vai tu trāpīji? – viņš čukst.

Par atbildi nodārd lielgabala šāviens.

– Tad jau mēs esam uzvarējuši, Katnis, – viņš drūmi nosaka.

– Lai dzīvojam mēs! – es izmoku, bet manā balsī nav nekāda uzvaras prieka.

Klajumā paveras caurums, un mutanti kā pēc pavēles metas tur iekšā un pazūd, un zeme aizveras viņiem pāri.

Mēs gaidām helikopteru, kas savāks Kāto līķi, un uzvaras trompetes, kas tam sekos, bet nekas nenotiek.

– Ei! – es iebrēcos. – Kas te notiek? – Vienīgā atbilde ir putnu čalas.

– Varbūt vaina ir līķī. Varbūt mums ir jābīdās tālāk, – Pīta cenšas uzminēt.

Es mēģinu atcerēties. Vai ir jāiet prom no pēdējā mirušā pārstāvja? Manas domas ir pārāk neskaidras, lai atcerētos skaidri, bet kāds gan cits varētu būt kavēšanās iemesls?

– Nu labi. Kā tu domā, vai tiksi līdz ezeram? – es jautāju.

– Laikam jau jāmēģina, – Pīta saka. Mēs lēnām noraušamies lejā pa ragu un nolecam zemē. Ja jau mani locekļi ir stīvi, kā Pīta vispār var pakustēties? Sākumā pieceļos, šūpoju un izloku rokas un kājas, kamēr jūtu, ka varu viņam palīdzēt. Kaut kā mēs tiekam atpakaļ līdz ezeram. Es pasmeļu saujā auksto ūdeni Pītam un tad padzeros pati.

Gari, klusi iesvilpjas zobgaļsīlis, un man acīs sariešas atvieglojuma asaras, kad parādās helikopters un aiznes Kāto līķi. Tagad savāks mūs. Tagad mēs varam doties mājās.

Bet joprojām nekas nenotiek.

– Ko viņi vēl gaida? – vārgi jautā Pīta. Bez žņauga un pēc gājiena uz ezeru viņa brūce atkal ir atvērusies.

– Nezinu... – Lai kāds būtu kavēšanās iemesls, es nevaru noskatīties, kā viņš zaudē vēl vairāk asiņu. Es pieceļos samaklēt kādu kociņu un gandrīz uzreiz atrodu savu bultu, kas atlēca no Kāto bruņām. Tā derēs tikpat labi kā pirmītējā. Pieliecos pacelt bultu, kad arēnā nodārd Klaudija Templsmita balss.

– Esiet sveicināti, Septiņdesmit ceturto Bada Spēļu pēdējie dalībnieki! Agrākie grozījumi ir atcelti. Rūpīgākā noteikumu pārbaudē ir atklājies, ka ir pieļaujams tikai viens uzvarētājs, – viņš pavēsta. – Labu veiksmi, un lai pārsvars vienmēr ir jūsu pusē!

Atskan skrapšķis, un iestājas klusums. Es neticīgi blenžu Pītā. Mēs abi atskāršam patiesību. Ne vienu brīdi nebija paredzēts, ka mēs abi paliktu dzīvi. To visu izplānoja Spēļu rīkotāji, lai sagādātu skatītājiem visu laiku dramatiskāko Spēļu noslēgumu. Un es kā muļķe uzķēros.

– Ja tā padomā, tas nav nekāds pārsteigums, – Pīta klusi noteic. Es skatos, kā viņš ar mokām pieceļas kājās. Kā palēninātā filmā viņš sper soli uz manu pusi, izvelk aiz jostas aizbāzto nazi...

Pat neapzinoties, ko daru, es jau paceļu pielādētu loku un tēmēju viņam tieši sirdī. Pīta paceļ uzacis, un es pamanu, ka nazis jau lido uz ezeru un ieplunkšķ ūdenī. Es nometu ieročus, pasperu soli atpakaļ, un man kaunā sāk svilt seja.

– Nē, – viņš saka. – Dari to. – Pīta klibo man pretī un iestumj ieročus atpakaļ manās rokās.

– Es nevaru! Es to nedarīšu!

– Dari gan. Pirms atkal uzrodas tie mutanti vai vēl nez kas. Es negribu mirt tā kā Kāto.

– Tad nošauj tu mani, – es pārskaitusies uzbrēcu, pagrūzdama ieročus viņam. – Nošauj mani un dodies mājās, un dzīvo laimīgi! – To izkliegusi, es apjaušu, ka nāve te un tūlīt būtu vieglākais ceļš.

– Tu zini, ka es nespēju. – Pīta nomet loku zemē. – Nu labi, es vienalga miršu pirmais. – Viņš pieliecas un norauj no kājas apsēju, un asinis sāk netraucēti plūst zemē.

– Nē, tu nedrīksti mirt, – es lūdzos un nometos ceļos, izmisīgi likdama apsēju atpakaļ uz brūces.

– Katnis, es to gribu.

– Tu nepametīsi mani vienu! – es drudžaini saucu. Ja viņš nomirs, es nekad pa īstam neatgriezīšos mājās. Es uz mūžu palikšu arēnā un mēģināšu atrast izeju.

– Paklausies. – Viņš velk mani kājās. – Mēs abi zinām, ka uzvarētājam ir jābūt. Uzvarēt var tikai viens no mums. Lūdzu, uzvari. Manis dēļ. – Viņš turpina stāstīt, cik ļoti mīl mani un kāda būtu dzīve bez manis, bet es vairs neklausos, jo man domās izmisīgi atbalsojas viņa iepriekšējie vārdi.

Mēs abi zinām, ka uzvarētājam ir jābūt.

Jā, uzvarētājam ir jābūt. Bez uzvarētāja Spēļu rīkotājiem klātos plāni. Viņi būtu pievīluši Kapitoliju. Varbūt viņiem pat piespriestu nāvessodu – lēnu un mokošu –, ko pārraidītu visā valstī.

Ja mēs ar Pītu nomirtu abi vai arī šie domātu, ka mirstam...

Ar pirkstiem saķeru maisiņu pie jostas un paņemu to rokā. Pīta to pamana un sagrābj manu rokas locītavu.

– Nē, es tev to neļaušu.

– Uzticies man, – es počukstu. Viņš ilgi skatās man acīs un tad palaiž vaļā. Atsienu maisiņu un ieberu viņam plaukstā mazliet ogu. Tad savējā. – Skaitīsim līdz trīs?

Pīta pieliecas un īsi, ļoti maigi mani noskūpsta. – Līdz trīs, – viņš piekrīt.

Mēs stāvam, saspiedušies kopā ar mugurām un cieši sadevuši brīvās rokas.

– Izstiep tās. Es gribu, lai visi to redz, – viņš saka.

Es paplešu pirkstus, un tumšās ogas iemirdzas saulē. Pēdējo reizi paspiežu Pītas roku, dodot signālu un atvadoties, un mēs sākam skaitīt. – Viens. – Varbūt es kļūdos. – Divi. – Varbūt ir vienalga, ka mēs abi nomirsim. – Trīs! – Ir par vēlu pārdomāt. Es paceļu roku pie mutes un pēdējo reizi paskatos pasaulē. Tikko ogas pieskaras manām lūpām, kad atskan trompetes.

Vēl skaļāk par trompetēm atskan Klaudija Templsmita drudžainās klaigas: – Beidziet! Beidziet! Dāmas un kungi, man ir tas gods stādīt priekšā Septiņdesmit ceturto Bada Spēļu uzvarētājus – Katnisu Everdīnu un Pītu Melārku! Iepazīstieties – tie ir Divpadsmitā apgabala pārstāvji!

Es izspļauju ogas no mutes un noslauku mēli ar krekla stērbeli, lai nepaliktu ne pilītes sulas. Pīta mani aizvelk pie ezera, mēs abi izskalojam mutes ar ūdeni un saļimstam viens otra skavās.

– Vai tu nenoriji? – es pajautāju.

Viņš papurina galvu. – Un tu?

– Ja es būtu norijusi, tad jau būtu pagalam, – es nosaku. Redzu, kā viņa lūpas sakustas, man atbildot, bet viņa balsi nesadzirdu, jo pa skaļruņiem pārraidītā rēkoņa no Kapitolija ir skaļāka.

Mums virs galvas parādās helikopters un nolaižas divas kāpnes, tikai es nekādā gadījumā netaisos laist vaļā Pītu. Es aplieku viņam roku un palīdzu piecelties, un mēs abi uzliekam kāju uz pirmā pakāpiena. Elektriskā strāva mūs piekaļ pie kāpnēm, taču šoreiz es par to priecājos, jo neesmu īsti droša, ka Pīta varētu noturēties. Un, palūkojoties lejup, es redzu, ka mūsu muskuļi gan ir sastinguši nekustīgi, bet asins plūsmu no Pītas kājas nekas nekavē. Tai pašā mirklī, kad aiz mums aizveras durvis un strāva atslābst, Pīta bezsamaņā sabrūk uz grīdas.

Es joprojām esmu iekrampējusies viņa jakas mugurpusē – tik cieši, ka tad, kad viņu no manis atrauj, man saujās paliek melna auduma skrandas. Sterilos, baltos virsvalkos, maskās un cimdos tērpušies ārsti ķeras pie darba. Pīta bāls un nekustīgs guļ uz sudrabainā galda, un uz visām pusēm no viņa stiepjas vadi un caurulītes. Es pēkšņi it kā piemirstu, ka Spēles ir beigušās, un uzskatu ārstus par vēl vienu draudu, par vēl vienu mutantu baru, kas radīti, lai viņu nogalinātu. Šausmu pārņemta, es metos viņam pakaļ, bet mani saķer un iegrūž atpakaļ otrā telpā, un starp mums aizveras stikla durvis. Dauzu stiklu ar dūrēm un kliedzu pilnā rīklē. Visi mani ignorē, izņemot kādu Kapitolija apkalpotāju, kas uzrodas man aiz muguras un piedāvā padzerties.

Es atslīgstu uz grīdas, piespiežu seju durvīm un neko nesaprotošām acīm lūkojos uz kristāla glāzi savā rokā. Ledaini aukstajā glāzē ir apelsīnu sula, un tajā ir ielikts salmiņš ar mežģīņotu apmalīti. Manā asiņainajā, notraipītajā rokā ar netīrumiem piedzītām panadzēm un rētām tā izskatās galīgi nevietā. No dzēriena smaržas man mutē saskrien siekalas, bet es uzmanīgi nolieku glāzi uz grīdas, neuzticēdamās tik tīram un skaistam priekšmetam.

Caur stiklu es redzu, kā ārsti ar saspringumā sarauktām uzacīm drudžaini darbojas ap Pītu. Es noskatos, kā pa caurulītēm plūst dažādi šķidrumi, un lūkojos, kā uz sienas mirgo gaismas un diagrammas, kas manās acīs neko nenozīmē. Neesmu pārliecināta, bet man šķiet, ka Pītas sirds divas reizes apstājas.

Ir tāda sajūta, it kā es atkal būtu mājās, tikai dienā, kad pie mums atved kādu bezcerīgi sakropļotu raktuvju strādnieku, kādu sievieti, kam jau trešo dienu turpinās dzemdības, vai bada novārdzinātu bērnu, kas cīnās ar plaušu karsoni. Manai mātei un Primai sejās ir tāda pati izteiksme. Tagad ir laiks aizbēgt mežā, paslēpties kokos, kamēr pacients nomirst un kaut kur citur Vīlē sāk klaudzēt āmuri, dzenot zārkā naglas. Bet mani piespiež palikt vietā helikoptera sienas un tā nepārraujamā saikne, kas notur cilvēkus pie mīļoto nāves gultas. Neskaitāmas reizes es esmu redzējusi mirstošo tuviniekus stāvam ap mūsu virtuves galdu un domājusi: *Kāpēc viņi neiet prom? Kāpēc viņi paliek un noskatās?*

Un tagad es zinu, kāpēc. Tāpēc, ka citādi nevar.

Es saraujos, pamanījusi kādu lūkojamies manī tikai dažu collu attālumā, un aptveru, ka tas ir manis pašas sejas atspulgs stiklā. Mežonīgas acis, iekrituši vaigi, sapinkājušies mati. Es izskatos neganta. Mežonīga. Traka. Nav nekāds brīnums, ka visi turas no manis pa gabalu.

Nu jau mēs piezemējamies uz Apmācības centra jumta un Pītu ved projām, bet mani atstāj aiz durvīm. Es sāku dauzīties pret stiklu, kliedzu, un man rādās, ka uz mirkli samanu rozā matus – tā noteikti ir Efija. Efija noteikti nāk mani glābt – bet tad manā mugurā ieduras adata.

Pamodusies es sākumā baidos pakustēties. Griesti viscaur viz maigā, dzeltenā gaismā, un es redzu, ka atrodos telpā, kur nav nekā cita kā tikai mana gulta. Nav ne durvju, ne logu. Gaisā jaušas asa antiseptisku līdzekļu dvaka. Manā labajā rokā ir iedurtas vairākas caurulītes, kas stiepjas uz sienu aizmugurē. Es esmu kaila, bet gultasveļa maigi piekļaujas ādai. Piesardzīgi paceļu kreiso roku virs segas. Tā ir ne tikai pilnīgi nomazgāta, arī mani nagi ir apvīlēti nevainojamos ovālos un apdegumu rētas ir mazāk pamanāmas. Aptaustu savu vaigu, lūpas, raupjo rētu virs uzacs un, izlaižot pirkstus caur zīdainajiem matiem, sastingstu. Es uzmanīgi saberzēju matus pie kreisās auss. Nē, tā nebija nekāda ilūzija. Es atkal dzirdu!

Mēģinu piecelties sēdus, bet man ap vidu ir kaut kāds plats apsējs, kas to neļauj izdarīt vairāk par dažām collām. Fiziskais ierobežojums izraisa manī paniku, un es cenšos celties un sāku locīties zem apsēja, bet daļa sienas paslīd sāņus un iekšā ienāk sarkanmatainā eivoksu meitene ar paplāti rokās. Viņu ieraugot, es nomierinos un pārtraucu mēģinājumus atbrīvoties. Man gribas viņai uzdot miljoniem jautājumu, bet es baidos: ja es kaut kā izrādīšu, ka viņu pazīstu, tas varētu viņai kaitēt. Mani noteikti rūpīgi novēro. Meitene uzliek paplāti man uz augšstilbiem un kaut ko nospiež, un mani pieceļ sēdus. Kamēr viņa sakārto man spilvenus, es riskēju uzdot vienu jautājumu. Es runāju skaļi un tik skaidri, cik vien spēju savā piesmakušajā balsī, lai neizskatītos, ka gribu kaut ko paturēt noslēpumā. – Vai Pīta ir dzīvs? – Meitene pamāj, un tad, kad viņa ieliek man rokā karoti, es jūtu, ka viņa draudzīgi paspiež man roku.

Laikam jau viņa tomēr nevēlēja man nāvi. Un Pīta ir dzīvs. Protams, ka viņš ir dzīvs. Te ir tik daudz dārgas tehnikas, tomēr es līdz šim nebiju pārliecināta.

Kad eivoksa aiziet, aiz viņas bez skaņas aizveras durvis, un es izsalkusi pievēršos paplātei. Uz tās ir bļodiņa dzidra buljona, neliela porcija ābolu biezeņa un glāze ūdens. *Un tas ir viss?* es sapīkusi nodomāju. Vai tad manai atgriešanās maltītei nevajadzētu būt mazliet bagātīgākai? Nu es pamanu, ka ir grūti notiesāt pat tik pieticīgu maltīti. It kā mans kuņģis būtu sarāvies kastaņa lielumā. Es sāku prātot, cik ilgi esmu bijusi bezsamaņā, jo pēdējā rītā arēnā man nebija nekādu problēmu apēst krietnas brokastis. Starp sacensību beigām un uzvarētāja parādīšanos publikai parasti ir dažas dienas, lai izbadējušos, savainoto un izmocīto uzvarētāju atkal dabūtu uz kājām. Sinna un Porcija pašlaik noteikti izstrādā mūsu tērpus publiskajam uznācienam. Heimičs un Efija rīko banketu mūsu atbalstītājiem un pārlūko jautājumus gala intervijām. Mājās, Divpadsmitajā apgabalā, droši vien valda īsts juceklis, jo mājinieki mēģina savīkšīt atgriešanās svinības man un Pītam, bet pēdējo reizi ko tādu rīkoja gandrīz pirms trīsdesmit gadiem.

Mājas! Prima un mana māte! Geils! Pat iedomājoties māsas veco, noplukušo runci, es pasmaidu. Drīz es būšu mājās!

Man gribas tikt ārā no gultas. Satikt Pītu un Sinnu un uzzināt vairāk par notikušo. Un kāpēc gan ne? Es jūtos labi. Bet, tiklīdz es sāku izlocīties no apsēja, jūtu, kā pa vienu no caurulītēm man vēnā ieplūst salts šķidrums un es gandrīz uzreiz zaudēju samaņu.

Tas turpinās nenoteiktu laiku. Es pamostos, paēdu un, kaut arī es pretojos kārdinājumam izmukt no gultas, mani atkal sazāļo. Es dzīvoju savādā nepārtraukta mijkrēšļa zonā. Atceros tikai nedaudzas lietas. Sarkanmatainā eivoksu meitene kopš barošanas vairs nav nākusi, manas rētas pamazām izzūd un... vai es būtu to iztēlojusies? Vai arī tiešām dzirdu klaigājam kādu vīrieša balsi? Nevis ar Kapitolija akcentu, bet raupjāku, kā mūsu mājās. Nespēju pretoties vārgai, mierinošai sajūtai – kāds par mani rūpējas.

Un tad beidzot pienāk brīdis, kad es atmostos un manā labajā rokā vairs nekas nav iesprausts. Apsēja ap manu vidu arī vairs nav, un es varu brīvi kustēties. Cenšos piecelties, bet tad sastingstu, ieraudzījusi savas rokas. Āda ir nevainojama, gluda un mirdzoša. Bez pēdām ir pazudušas ne tikai arēnā gūtās rētas, bet arī tās, kas bija sakrājušās pēc vairākiem medībās pavadītiem gadiem. Mana piere ir gludena kā satīns, un, kad es mēģinu ieraudzīt apdegumu uz apakšstilba, tur nekā nav.

Es izceļu kājas no gultas, noraizējusies, vai tās spēs noturēt manu svaru, bet tās ir stipras un stabilas. Gultas kājgalī ir nolikts ietērps, kuru ieraugot es saraujos. Tās ir tās pašas drēbes, kas visiem pārstāvjiem bija arēnā. Es blenžu uz apģērbu tā, it kā tas varētu man iekost, bet tad atceros, ka, protams, tieši tā man jāģērbjas, satiekoties ar savu komandu.

Mazāk nekā pēc minūtes esmu apģērbusies un sāku knibināties ap sienu, kur, kā zinu, ir durvis, kaut arī tās nevar redzēt, bet tās piepeši pašas atslīd vaļā. Ieeju plašā, tukšā zālē, kurā nav redzamas nevienas citas durvis. Bet tādas noteikti ir. Un aiz vienām noteikti ir Pīta. Tagad, kad esmu pie samaņas un kustos, es par viņu raizējos arvien vairāk. Viņam noteikti viss ir labi, citādi jau eivoksu meitene nebūtu tā teikusi. Bet man ir jāpārliecinās pašai.

– Pīta! – es izsaucos, jo nav neviena, kam pajautāt. Es dzirdu, kā atbildot kāds sauc manu vārdu, bet tā nav Pītas balss. Tā ir balss, kas liek man izjust aizkaitinājumu, bet tad – dedzību. Efija.

Es pagriežos un ieraugu visus – Efiju, Heimiču un Sinnu – gaidām lielā telpā zāles galā. Bez kavēšanās metos skriet. Varbūt uzvarētājai vajadzētu izturēties atturīgāk, ar pārākumu, īpaši jau zinot, ka visu filmēs, bet man ir vienalga. Skriešus brāžos viņiem pretī un pārsteidzu pat sevi, vispirms metoties Heimiča skavās. Viņš iečukst man ausī: – Labi pastrādāts, sirsniņ, – un tas neizklausās dzēlīgi. Efija mazliet šņaukājas un visu laiku glauda man matus, un atkārto, kā esot visiem teikusi, ka mēs esam pērles. Sinna mani vienkārši klusēdams cieši apskauj. Tad es pamanu, ka nav Porcijas, un mani pārņem nelāgas nojautas.

– Kur ir Porcija? Vai viņa ir pie Pītas? Viņam viss ir labi, vai ne? Viņš taču ir dzīvs, ko? – es drudžaini vervelēju.

– Viss ir labi. Tikai viņi grib, lai jūsu satikšanās būtu tiešajā ēterā ceremonijā, – Heimičs paskaidro.

– Āā... Tad tāpēc, – es novelku. Briesmīgās bailes, ka Pīta varētu būt miris, ir rimušās. – Laikam jau es arī kaut ko tādu gribētu redzēt.

– Ej līdzi Sinnam. Viņam ir tevi jāsagatavo, – Heimičs izrīko.

Es jūtos atvieglota, ka esmu viena ar Sinnu, ar viņa sargājošo roku ap pleciem. Viņš ved mani prom no kamerām, pa dažiem gaiteņiem un tad uz liftu, kas nogādā mūs Apmācības centra foajē. Tātad slimnīca ir dziļi zem zemes, pat vēl dziļāk par vingrošanas zāli, kur pārstāvji trenējās siet mezglus un mest šķēpus. Foajē logi ir aptumšoti, un tur stāv nedaudzi sargi. Neviens cits neredz, kā mēs dodamies uz pārstāvju liftu. Mūsu soļi atbalsojas klusumā. Braucot augšā uz divpadsmito stāvu, man domās pazib visu to pārstāvju sejas, kuri nekad neatgriezīsies, un man krūtis tukši sažņaudz smagums.

Kad lifta durvis atveras, man apkārt sastājas Vīnija, Flāvijs un Oktāvija, un visi trīs čalo tik aši un sajūsmināti, ka es pat nesaprotu vārdus. Tomēr izjūtas ir skaidras. Viņi no sirds priecājas mani redzēt, un arī es priecājos redzēt viņus, kaut arī ne tā, kā priecājos, ieraugot Sinnu. Drīzāk tā, kā cilvēks varētu priecāties, pēc labi grūtas dienas ieraugot īpaši pieķērīgu mājdzīvnieku trio.

Trijotne mani ieved ēdamistabā, un es dabūju īstu maltīti – rostbifu un zirnīšus, un mīkstas maizītes –, bet manas porcijas joprojām ir stingri ierobežotas. Kad es lūdzu papildporciju, man atsaka.

– Nē, nē, nē. Tu nedrīksti vemt uz skatuves, – Oktāvija rājas, bet slepus pastumj man zem galda vienu maizīti, lai es zinātu, ka viņa ir manā pusē.

Atgriežamies manā istabā, un Sinna nozūd, kamēr palīgi mani sagatavo.

– O, tev bija ķermeņa pulēšana, – Flāvijs skaudīgi vērtē. – Tava āda ir nevainojama.

Bet, paskatoties spogulī uz savu kailo ķermeni, es redzu tikai to, cik kaulaina esmu. Kad iznācu no arēnas, droši vien bija vēl sliktāk, bet arī tagad var viegli saskaitīt ribas.

Palīgi parūpējas par dušas noregulēšanu un, kad esmu nomazgājusies, ķeras pie maniem matiem, nagiem un grima. Viņi čivina nepārtraukti, tā ka man tik tikko ir laiks atbildēt, un tas ir labi, jo man diez ko prāts nenesas uz plāpāšanu. Jocīgi, kaut arī viņi runā par Spēlēm, sarunas vijas tikai ap to, ko viņi darīja vai kā jutās, kad norisinājās kāds konkrēts notikums. – Es vēl biju gultā! Man tikko bija nokrāsotas uzacis! Zvēru, es gandrīz pagību! – Runa ir tikai par viņiem, nevis mirstošajiem zēniem un meitenēm arēnā.

Mēs Divpadsmitajā apgabalā par Spēlēm tā netīksmināmies. Mēs sakožam zobus un skatāmies, jo jāskatās ir, un, kad Spēles ir galā, cenšamies pēc iespējas ātrāk atsākt ikdienas gaitas. Lai nesāktu ienīst sagatavošanas komandu, es neklausos lielākajā daļā viņu pļāpu.

Ienāk Sinna ar gluži neuzkrītoša izskata dzeltenu kleitu rokās.

– Vai tev vairs nepatīk "meitene ugunī"? – es pajautāju.

– Paskaties pati, – viņš attrauc un uzslidina kleitu man pāri galvai. Es uzreiz pamanu, ka man uz krūtīm ir polsteri, piedodot man apaļumus, ko ir laupījis bads. Es pieskaros krūtīm un saraucu pieri.

– Zinu, – Sinna steigšus ierunājas, pirms es pagūstu ko iebilst. – Bet Spēļu rīkotāji gribēja veikt ķirurģiskas izmaiņas. Heimičs ar viņiem krietni nocīnījās. Šis te ir kompromiss. – Viņš mani aptur, pirms pagūstu paskatīties spogulī. – Pagaidi, neaizmirsti kurpes. – Venija palīdz man uzvilkt ādas sandales bez papēža, un es pagriežos.

Es joprojām esmu "meitene ugunī". Plānais audums maigi viz. Vissīkākās kustības liek sīkiem vilnīšiem noņirbēt pār manu augumu. Salīdzinājumā ar šo mans kostīms ratos šķiet bezgaumīgi spilgts, bet intervijas tērps – pārāk izsmalcināts. Šajā kleitā es izskatos tā, it kā būtu ģērbusies sveces liesmiņā.

– Kā tev patīk? – Sinna jautā.

– Man šķiet, ka šī kleita ir labākā no visām, – es uz
358 slavēju. Kad man izdodas atraut acis no vizošā auduma,

mani pārņem viegls šoks. Mani mati ir izlaisti un saņemti atpakaļ ar vienkāršu lenti. Grims noapaļo un izlīdzina asos vaibstus manā sejā. Mani nagi ir nolakoti ar caurspīdīgu laku. Bezpiedurkņu kleitas jostasvieta ir paaugstināta un gandrīz nolīdzina polsteru radītos apaļumus. Kleitas apakšmala sniedzas tieši līdz ceļiem. Kurpēs bez papēžiem ir redzams, cik gara es esmu patiesībā. Es izskatos vienkārši pēc meitenes. Jaunas meitenes. Augstākais četrpadsmit gadus vecas. Nevainīgas. Nekaitīgas. Pārsteidzoši, ka Sinna ir nolēmis radīt tādu tēlu, ja atceras, ka tikko esmu uzvarējusi Spēlēs.

Tēls ir rūpīgi izrēķināts. Sinna neko nedara nejauši. Es iekožu lūpā, mēģinādama izprast viņa motivāciju.

– Es biju domājusi, ka es izskatīšos... mazliet izsmalcinātāk, – es nomurminu.

– Man šķita, ka šādi Pītam patiks labāk, – Sinna piesardzīgi atteic.

Pītam? Nē, te nav runas par Pītu. Runa ir par Kapitoliju, Spēļu rīkotājiem un skatītājiem. Kaut arī es vēl nesaprotu Sinnas nolūku, tas ir atgādinājums, ka Spēles vēl nav pavisam beigušās. Un viņa labdabīgajā atbildē es sajūtu brīdinājumu. Par kaut ko, ko viņš nevar teikt pat paša komandas priekšā.

Mēs ar liftu nobraucam uz stāvu, kurā trenējāmies. Uzvarētājs un viņa komanda parasti paceļas aiz skatuves. Vispirms palīgi, tad pavadītāji, stilists, padomdevējs un beidzot pats uzvarētājs. Tikai šogad, kad ir divi uzvarētāji, kam ir kopīgi pavadoņi un padomdevējs, viss ir bijis jāizdomā no jauna. Es ienāku vāji apgaismotā telpā aiz skatuves. Ir uzbūvēta pavisam jauna metāla platforma, kas mani uzvedīs augšā. Šur tur joprojām mētājas nelielas skaidu kaudzītes, un gaisā jaušas svaigas krāsas smārds. Sinna un sagatavošanas komanda aiziet, lai pārģērbtos, un atstāj mani vienu. Apmēram desmit pēdas tālāk krēslā es ieraugu uzslietu sienu un nospriežu, ka aiz tās ir Pīta.

Ārā skaļi murd pūlis, tāpēc es nepamanu Heimiču, iekams viņš pieskaras manam plecam. Es izbijusies atsprāgstu, laikam joprojām pa pusei juzdamās kā arēnā.

– Nomierinies, tas esmu tikai es. Paskatīsimies uz tevi, – Heimičs runā. Es paplešu rokas un apgriežos.

– Būs labi diezgan.

Tas nav nekāds dižais kompliments. – Bet? – es pajautāju.

Heimičs pārlaiž skatienu piesmakušajai telpai un laikam pieņem kādu lēmumu. – Nekādus "bet". Kā būtu ar apskāvienu veiksmei?

Nu labi, tāda prasība no Heimiča puses ir dīvaina, bet mēs galu galā esam uzvarētāji. Varbūt apskāviens veiksmei pieileras pie lietas. Bet tad, kad es aplieku rokas viņam ap kaklu, es jūtu, ka viņš mani cieši sagrābj. Viņš ļoti ātri un klusi sāk man čukstēt ausī, paslēpis lūpas man matos.

– Klausies labi. Tev ir nepatikšanas. Runā, ka Kapitolijs ir pārskaities, kā jūs viņus izāzējāt arēnā. Viņi nevar ciest, ka par viņiem smejas, un tagad viņi ir kļuvuši par izsmieklu visā Panemā, – Heimičs nober.

Mani pamazām pārņem bailes, bet es iesmejos, it kā Heimičs stāstītu kaut ko ļoti jautru, jo manu muti nekas neaizsedz. – Un tad?

– Tava vienīgā iespēja aizstāvēties ir – notēlot, ka esi tik neprātīgi iemīlējusies, ka nespēj atbildēt par savu rīcību. – Heimičs atraujas un sakārto manu matu lenti. – Saprati, sirsniņ? – Tagad viņš varētu runāt par jebko.

– Sapratu, – es atbildu. – Vai tu to pateici Pītam?

– Tas nebija jādara, – Heimičs attrauc. – Viņš tāpat visu izdarīs, kā vajag.

– Bet tu domā, ka es ne? – pajautāju, izmantodama iespēju sakārtot koši sarkano tauriņu, ko Sinnam ir izdevies padomdevējam uzspiest.

– Kopš kura laika manas domas ir svarīgas? – Heimičs atcērt. – Ieņemsim vietas. – Viņš pieved mani pie metāla plāksnes. – Šī nakts ir tava, sirsniņ. Izbaudi. – Viņš noskūpsta mani uz pieres un nozūd krēslā.

Es paraustu svārkus, vēlēdamās, kaut tie būtu garāki, kaut tie apsegtu manus trīcošos ceļus. Tad es saprotu, ka no tā nav jēgas. Es viscaur drebu kā apšu lapa. Cerams, to norakstīs uz satraukumu. Galu galā, šī ir mana nakts.

Man šķiet: es nosmakšu miklajā it kā pelējuma smakā zem skatuves. Mani pārklāj auksti, lipīgi sviedri, un visu laiku rēgojas – dēļi virs galvas tūlīt sabruks un mani dzīvu apraks drupās. Kad es atstāju arēnu, kad atskanēja trompetes, man vajadzēja būt drošībā. No tā brīža. Visu manu dzīvi. Bet, ja Heimiča teiktais ir tiesa, un melot viņam nav nekāda pamata, tad es vēl nekad neesmu bijusi tādās briesmās kā tagad.

Ir daudz, daudz ļaunāk nekā tad, kad mūs trenkāja pa arēnu. Tur es varēju tikai mirt. Un viss. Bet tagad Prima, mana māte, Geils, Divpadsmitā apgabala iedzīvotāji, visi, kas man mājās ir svarīgi... viņus visus varbūt sodīs, ja man neizdosies nospēlēt līdz ausīm samīlējušās meitenes lomu, kā ieteica Heimičs.

Man tomēr vēl ir iespēja. Jokaini, bet arēnā, kad es izņēmu tās ogas, es domāju tikai par to, kā varētu izrādīties gudrāka par Spēļu rīkotājiem, nevis par to, kā manu rīcību uztvers Kapitolijā. Bet Bada Spēles ir viņu ierocis, un tam ir jābūt neuzvaramam. Tāpēc tagad Kapitolija vadība izliksies, ka visu laiku visu kontrolēja. It kā viņi visu būtu izplānojuši – pat līdz dubultajai pašnāvībai. Bet tas nostrādās tikai tad, ja es viņiem piespēlēšu.

Un Pīta... arī Pīta cietīs, ja kaut kas noies greizi. Bet ko Heimičs teica, kad es viņam jautāju, vai viņš ir visu izstāstījis Pītam? Ka viņam jāizliekas, ka ir neprātīgi iemīlējies?

Tas nebija jādara. Viņš tāpat visu izdarīs, kā vajag.

Vai viņš atkal domā soli uz priekšu un labi apzinās, kādas briesmas mums tagad draud? Vai arī... vai arī viņš jau ir neprātīgi iemīlējies? Nezinu. Es vēl pat neesmu sākusi pārdomāt savas jūtas pret Pītu. Tas ir pārāk sarežģīti. Ko es tikai tēloju Spēlēs? Un ko es izdarīju no sirds, noskaitusies uz Kapitoliju? Vai arī tāpēc, ka zināju, ko par mani domātu Divpadsmitajā apgabalā? Vai arī vienkārši tāpēc, ka tas bija vienīgais, ko varēja darīt? Vai tāpēc, ka Pīta man nav vienaldzīgs?

Šos jautājumus es atšķetināšu mājās, meža mierā un klusumā, kad neviens neskatīsies. Nevis te, kur man ir pievērstas visu acis. Bet tādu greznību es nevarēšu atļauties vēl nez cik ilgi. Un tūlīt sāksies Bada Spēļu bīstamākā daļa.

27

Manās ausīs nodun himna, un es dzirdu, kā Cēzars Flikermans sveic skatītājus. Vai viņš zina, cik ārkārtīgi svarīgi ir, sākot ar šo brīdi, uzmanīt katru vārdu? Noteikti. Viņš gribēs mums palīdzēt. Stāda priekšā sagatavošanas komandas, un pūlis sāk aplaudēt. Es iztēlojos, kā Flāvijs, Vīnija un Oktāvija lēkā un klanās kā atsperīgas lelles. Viņi noteikti neko nezina. Tad stāda priekšā Efiju. Viņa tik ilgi ir gaidījusi šo momentu. Es ceru, ka viņa spēj to izbaudīt, jo, lai cik juceklīga Efija būtu, viņai dažreiz ir ass instinkts un viņa noteikti vismaz nojauš, ka esam nepatikšanās. Porcija un Sinna, protams, saņem milzīgas ovācijas – viņi ir spoži pastrādājuši, un viņu debija bija žilbinoša. Tagad es saprotu, kāpēc Sinna man šovakar izvēlējās tādu kleitu. Man būs jāizskatās tik nevainīgai un meitenīgai, cik vien iespējams. Kad parādās Heimičs, pūlis sāk rībināt kājas un nerimstas vismaz piecas minūtes. Nujā, viņš ir paveicis ko vienreizīgu. Noturējis pie dzīvības nevis vienu, bet divus pārstāvjus. Ja nu viņš nebūtu mani laikā brīdinājis? Vai es būtu izturējusies citādi? Metusi plānu ar ogām Kapitolijam sejā? Nē, diez vai. Bet es noteikti būtu bijusi daudz nepārliecinošāka, nekā man būs jābūt tagad. Tieši šobrīd. Jūtu, ka plāksne ceļ mani augšā uz skatuves.

Žilbinošas gaismas. Metāls man zem kājām vibrē apdullinošajā pūļa rēkoņā. Un tad tikai dažas pēdas tālāk parādās Pīta. Viņš izskatās tik tīrs un vesels, un skaists, ka es viņu tik tikko pazīstu. Bet viņa smaids ir tāds pats gan dubļos, gan Kapitolijā, un, to ieraugot, es pasperu trīs soļus un metos viņa skavās. Viņš sagrīļojas un gandrīz zaudē līdzsvaru, un es ievēroju, ka slaidais metāla rīks viņa rokā ir kaut kāds spieķis. Viņš noturas, un mēs vienkārši apskaujamies. Skatītāji jūk prātā. Pīta mani skūpsta, un es visu laiku domāju: *Vai tu zini? Vai zini, cik lielas briesmas mums draud?* Pēc kādām desmit minūtēm Cēzars Flikermans uzsit Pītam pa plecu, lai turpinātu, un Pīta pat nepaskatījies atstumj viņu malā. Pūlis satrakojas. Apzināti vai ne, bet Pīta vienmēr apietas ar pūli tieši tā, kā vajag.

Beigās mūs pārtrauc Heimičs, draudzīgi pabikstot uz uzvarētāju sēdekļa pusi. Parasti tas ir izrotāts krēsls, kurā uzvarētājs sēž un noskatās filmu ar Spēļu izteiksmīgākajiem brīžiem, bet, tā kā mēs esam divi, Spēļu rīkotāji ir pagādājuši greznu, ar sarkanu samtu apvilktu dīvāniņu. Tas ir mazs, manuprāt, mana māte tādu sauktu par mīlas sēdekli. Es apsēžos Pītam tik tuvu, ka esmu viņam gandrīz klēpī, bet Heimiča skatienā redzu, ka ar to nepietiek. Es nokratu sandales, pievelku sev klāt kājas un pieglaužu galvu Pītas plecam. Viņš automātiski apliek man roku, un es jūtos tā, it kā atkal būtu alā un spiežos viņam klāt, pūloties sasildīties. Viņa krekls ir no tā paša dzeltenā auduma kā mana kleita, bet Porcija ir viņam uzvilkusi garas, melnas bikses. Viņam nav arī sandaļu, bet pamatīgi, melni zābaki, ko viņš stabili noliek uz skatuves. Es vēlos, kaut Sinna būtu man piešķīris tādas pašas drēbes, savā gaisīgajā kleitā es esmu ļoti ievainojama. Bet laikam jau tieši tā arī vajadzēja.

Cēzars Flikermans izmet vēl dažus jokus, un ir laiks sākt izrādi. Tā ilgs tieši trīs stundas un ir obligāti jāskatās visiem panemiešiem. Kad satumst gaismas un uz ekrāna parādās spiedogs, es atskāršu, ka neesmu gatava. Es negribu noskatīties, kā mirst pārējie divdesmit divi pārstāvji. Es jau pirmajā reizē noskatījos pietiekami daudzu nāvē. Man sāk strauji sisties sirds, un es jūtu spēcīgu impulsu bēgt. Kā citi uzvarētāji ir to pārcietuši vienatnē? Kamēr rāda spilgtākos brīžus, augšējā ekrāna stūrī laiku pa laikam parāda nelielu attēlu ar uzvarētāja reakciju. Es domāju par iepriekšējiem gadiem... Daži triumfēja un sita dūres pret krūtīm. Lielākā daļa vienkārši šķita apstulbuši. Zinu tikai, ka vienīgais, kas notur mani uz dīvāna, ir Pīta – viņa roka man ap pleciem un otra – manās plaukstās. Iepriekšējos uzvarētājus gan, protams, Kapitolijs nekāroja nogalināt.

Aptvert vairākas nedēļas trīs stundās ir pamatīgs darbs, īpaši, ja ņem vērā, cik daudzas kameras darbojās vienlaikus. Tas, kurš veido montāžu, izvēlas filmas vadmotīvus. Šoreiz tas pirmo reizi ir mīlasstāsts. Es zinu, ka mēs ar Pītu esam uzvarējuši, bet mums tomēr jau no paša sākuma tiek veltīts neproporcionāli daudz laika. Bet es priecājos, jo tas tikai nostiprina mūsu neprātīgās mīlestības ilūziju, kas ir mana aizsardzība pret Kapitoliju, turklāt nozīmē, ka nepaliks tik daudz laika, lai skatītos pārējos mirstam.

Apmēram pirmo pusstundu filma vēsta par notikumiem pirms arēnas, par izlozi, par braucienu ratos pa

Kapitoliju, par mūsu punktiem apmācībā un mūsu intervijām. Pavadījumā tiek spēlēta kaut kāda mundra mūzika, kas visu padara vēl divreiz šausmīgāku, jo gandrīz visi uz ekrāna redzamie taču ir miruši.

Tad filma pievēršas arēnai, parāda detalizētu asinspirts apskatu un tālāk pamīšus rāda skatus ar mirstošiem pārstāvjiem un skatus ar mums. Patiesībā lielākoties rāda Pītu, jo nav ne mazāko šaubu, ka viņš ir mīlasstāsta svarīgākais varonis. Es redzu to, ko redzēja skatītāji, – kā viņš karjeristiem radīja mānīgu iespaidu par mani, kā visu nakti palika nomodā zem sekotājdzēlēju koka, kā cīnījās ar Kāto, lai es varētu aizbēgt, un kā viņš pat tad, kad gulēja dubļos upes malā, miegā čukstēja manu vārdu. Es salīdzinājumā ar viņu esmu gatavā bezsirde – es izvairos no uguns lodēm, mētājos ar lapseņu pūžņiem un spridzinu pārtikas krājumus. Līdz dodos meklēt Rū. Viņas nāvi parāda pilnā garumā – kā viņā ieduras šķēps, kā man neizdodas viņu glābt, kā mana bulta ieurbjas Pirmā apgabala zēna rīklē, kā Rū izdveš pēdējo elpas vilcienu manās rokās. Un dziesmu. Mani parāda līdz pēdējai notij. Kaut kas manī noslēdzas, un es kļūstu pārāk nejutīga, lai kaut ko manītu. Ir tāda sajūta, it kā es noskatītos absolūtos svešiniekos kādās citās Bada Spēlēs. Bet es tomēr atklāju, ka tā filmas daļa, kur es izrotāju Rū ar ziediem, ir izlaista.

Pareizi. Jo pat tas ož pēc dumpja.

Es parādos labākā gaismā uzreiz pēc tam, kad paziņo, ka drīkstēs dzīvot abi pārstāvji no viena apgabala, un es saucu Pītas vārdu un aizšauju mutei priekšā plaukstu.

Ja iepriekš es biju vienaldzīga pret viņu, tad tagad to

atsveru, viņu atrodot, izārstējot, aizejot uz dzīrēm pēc zālēm un brīvi dāļājot skūpstus. Skaidrs, ka es redzu mutantus un Kāto nāvi, un tas ir tikpat šausmīgi kā pirmo reizi, bet man atkal ir sajūta, ka tas notiek ar cilvēkiem, ko nekad dzīvē neesmu satikusi.

Un tad pienāk aina ar ogām. Es dzirdu, kā skatītāji kušina cits citu, negribot neko palaist garām. Mani pārņem dziļa pateicība pret filmas veidotājiem, kad viss nebeidzas pēc paziņojuma par mūsu uzvaru, bet pēdējā ainā ir redzams, kā es dauzos pret stikla durvīm helikopterā un kliedzu Pītas vārdu, kamēr viņu mēģina atdzīvināt.

Izdzīvošanai tas ir svarīgākais brīdis šovakar.

Atkal atskan himna, un mēs pieceļamies, kad uz skatuves uzkāpj pats prezidents Snovs. Viņam seko maza meitenīte ar spilvenu, uz kura atrodas kronis. Bet kronis ir tikai viens, un var dzirdēt, kā pūlis mulsi iemurdas – uz kuras galvas to liks? –, līdz prezidents Snovs kroni viegli pagriež, un tas sadalās divās daļās. Pirmo viņš smaidīdams uzliek galvā Pītam. Uzliekot otro pusi uz galvas man, viņš joprojām smaida, bet viņa acis – tikai dažu collu attālumā no manējām – ir aukstas kā čūskai.

Tajā mirklī es saprotu: kaut arī ogas būtu ēduši mēs abi, vainīga esmu es, jo tā bija mana ideja. Es esmu ierosinātāja. Mani ir jāsoda.

Seko liela klanīšanās un ovācijas. Man no māšanas gandrīz nokrīt roka, kad Cēzars Flikermans beidzot novēl skatītājiem labu nakti un atgādina atkal skatīties rīt, kad būs pēdējās intervijas. It kā varētu arī neskatīties.

Mūs ar Pītu pavada uz prezidenta savrupnamu, kur rīko Uzvarētāju pieņemšanu, un mums ir ļoti maz laika ēšanai, jo visu laiku Kapitolija ierēdņi un devīgākie atbalstītāji ar elkoņiem cenšas izlauzt ceļu, lai nofotografētos kopā ar mums. Cita pēc citas nomainās starojošas sejas, un vakara gaitā tās kļūst arvien apskurbušākas. Laiku pa laikam sev par mierinājumu pamanu Heimiču un par šausmām – prezidentu Snovu –, bet es visu laiku smejos un pateicos, un smaidu fotogrāfiem. Tikai Pītas roku es neatlaižu ne uz mirkli.

Pie apvāršņa jau parādās šaura saules maliņa, kad mēs nokļūstam atpakaļ Apmācības centra divpadsmitajā stāvā. Es ceru, ka beidzot varēšu pārmīt kādu vārdu tikai ar Pītu, bet Heimičs viņu kopā ar Porciju aizsūta prom kaut ko pielabot intervijas tērpam un pats pavada mani līdz istabas durvīm.

– Kāpēc es nevaru ar viņu aprunāties? – es jautāju.

– Kad tiksim mājās, runāšanai būs daudz laika, – Heimičs attrauc. – Ej gulēt, divos sākas pārraide.

Par spīti Heimiča mēģinājumiem iejaukties, esmu apņēmusies satikt Pītu personīgi. Pēc dažu stundu mētāšanās un grozīšanās gultā izslīdu gaitenī. Vispirms man iešaujas prātā pārbaudīt jumtu, bet tas ir tukšs. Pat pilsētas ielas tālu lejā pēc iepriekšējās nakts ir kā izmirušas. Es uz kādu laiku atgriežos gultā, tomēr nolemju doties taisnā ceļā uz Pītas istabu. Kad mēģinu nospiest durvju rokturi, izrādās, manas guļamistabas durvis ir aizslēgtas no ārpuses. Es turu aizdomās Heimiču, taču mani pārņem daudz dziļākas bailes, ka varbūt mani novēro un ierobežo Kapitolijs. Jau kopš Bada Spēļu sākuma man nebija nekādu iespēju aizbēgt, bet tagad tas liekas citādi, daudz personiskāk. Ir tāda sajūta, it kā es būtu ieslodzīta par noziegumu un gaidītu sodu. Žigli atgriežos gultā un izliekos, ka guļu, kamēr Efija Trinketa atnāk mani modināt, lai sāktu vēl vienu "lielu, lielu, lielu dienu!".

Man ir apmēram piecas minūtes, lai izēstu bļodiņu karstas putras un sautējuma, un tad atnāk sagatavošanas komanda. Man tikai ir jāpasaka: – Pūlim jūs likāties dievīgi! – un tad dažas nākamās stundas nav nekādas vajadzības runāt. Kad ierodas Sinna, viņš izdzen palīgus ārā un ietērpj mani plānā, baltā kleitā un rozā kurpēs. Tad viņš pats personiski pielabo manu grimu, kamēr sāk izskatīties, ka es izstaroju maigu, rožainu gaismu. Mēs brīvi tērzējam, bet es baidos stilistam jautāt jebko tiešām svarīgu, jo pēc starpgadījuma ar durvīm nespēju atbrīvoties no sajūtas, ka mani visu laiku novēro.

Intervija notiek tepat gaiteņa galā dzīvojamā istabā. Tur ir atbrīvota vieta, ielikts mazais dīvāniņš un apkārt vāzēs saliktas sarkanas un sārtas rozes. Interviju ierakstīs tikai dažas kameras. Vismaz nebūs publikas.

Kad es ienāku, Cēzars Flikermans mani mīļi apskauj. – Apsveicu, Katnis. Kā tev klājas?

– Labi. Es nervozēju par interviju, – es atzīstos.

– Neuztraucies. Mēs lieliski pavadīsim laiku! – Viņš mīlīgi papliķē man vaigu.

– Es nemāku runāt par sevi, – es bilstu.

– Tu nevari neko pateikt nepareizi, – viņš mierina.

Un es nodomāju: *Ak, Cēzar, ja vien tas būtu pa īstam. Bet patiesībā prezidents Snovs jau šai pašā brīdī varbūt plāno kādu "negadījumu".*

Tad ienāk glītā, sarkanbaltā tērpā saģērbts Pīta un pavelk mani malā.

– Es tevi gandrīz neredzu. Heimičs, šķiet, apņēmies mūs turēt pa gabalu vienu no otra.

Patiesībā Heimičs ir apņēmies mūs noturēt pie dzīvības, bet pašlaik mūsos klausās pārāk daudz ausu, tāpēc es vienkārši atbildu: – Jā, pēdējā laikā viņš ir kļuvis ļoti atbildīgs.

– Nu ko, vēl tikai intervija, un tad mēs brauksim mājās. Tur viņš mūs nevarēs visu laiku pieskatīt, – Pīta priecājas.

Es jūtu, kā man pārskrien drebuļi un nav laika apdomāt, kāpēc, jo viss ir gatavs. Mēs mazliet stīvi apsēžamies uz dīvāniņa, bet Cēzars saka: – Ai, nu nekautrējies tak, saritinies viņam blakus, ja gribi. Tas izskatījās ļoti mīļi. – Tā nu es pievelku kājas sev klāt, un Pīta piekļauj mani pie sāna.

Kāds skaita atpakaļ, un mēs esam dzīvajā ēterā visā valstī. Cēzars Flikermans ir brīnišķīgs, zobgalīgs un aizveras, kad tā vajag. Viņi jau pirmajā Pītas intervijā labi saspēlējās ar viegliem jokiem, tāpēc es tikai daudz smaidu un mēģinu runāt pēc iespējas mazāk. Drusku jau es runāju, tiklīdz varu, novirzu sarunu atkal uz Pītu.

Beigu beigās Cēzars tomēr sāk uzdot jautājumus, uz kuriem vajag izvērstākas atbildes. – Nu ko, Pīta, no alā pavadītajām dienām mēs zinām, ka tev tā bija mīlestība no pirmā acu uzmetiena... piecu gadu vecumā?

– No pirmās reizes, kad viņu ieraudzīju, – Pīta apliecina.

– Bet tev, Katnis, tev tas bija galvu reibinoši. Man šķiet, ka skatītājiem visaizraujošāk bija vērot, kā tu viņā iemīlies. Kad tu saprati, ka mīli viņu? – Cēzars tincina.

– O, tas ir grūts jautājums... – Es vārgi un saraustīti iesmejos un skatos lejup uz savām rokām. Palīgā!

– Es zinu, kad to sapratu *es*. Tas bija tai vakarā, kad tu biji kokā un sauci viņa vārdu, – runā Cēzars.

Paldies, Cēzar! es nodomāju un turpinu viņa ideju. – Jā, laikam jau tā arī bija. Tas ir, līdz tam brīdim es tiešām mēģināju vispār nedomāt par savām jūtām, jo viss bija tik mulsinoši, un, ja viņš man tiešām nebūtu vienaldzīgs, tas visu padarītu vēl ļaunāku. Bet tad tajā kokā viss mainījās, – es muldu.

– Kā tu domā, kāpēc? – Cēzars mudina.

– Varbūt... tāpēc, ka pirmo reizi... bija iespēja, ka varēšu viņu paturēt.

Redzu, kā aiz kamerām Heimičs atvieglojumā nošņācas, un zinu, ka tā ir bijusi pareizā atbilde. Cēzars izvelk kabatlakatu un atvainojas, jo ir aizkustināts. Es jūtu, ka Pīta piespiež pieri man pie deniņiem un pajautā: – Nu, un tagad, kad es tev esmu, ko tu ar mani darīsi?

Es pagriežos pret viņu. – Aizvedīšu tevi tur, kur ar tevi nekas nevar notikt. – Kad viņš mani noskūpsta, istabā visi no sirds nopūšas.

Tad Cēzars gluži dabiski sāk runāt par to, kas ar mums notika arēnā, par apdegumiem, kodumiem un ievainojumiem. Bet tikai tad, kad tiekam līdz mutantiem, es aizmirstu, ka mani filmē. Cēzars pajautā Pītam, kā darbojas viņa "jaunā kāja".

– Jaunā kāja? – Es nesaprotu un nedomājot pasniedzos, un pavelku uz augšu Pītas bikšu staru. – Ak nē, – es nočukstu, ieraugot metāla un plastmasas ierīci, kas ir viņa miesas vietā.

371

– Tev neviens nepateica? – Cēzars klusi jautā. Es papurinu galvu.

– Man nebija tādas iespējas. – Pīta viegli parausta plecus.

– Tā ir mana vaina, – es gaužos. – Jo es uzliku to žņaugu.

– Kā tad, tā ir tava vaina, ka esmu dzīvs, – Pīta zobojas.

– Viņam ir taisnība, – Cēzars piebalso. – Bez tā viņš noteikti būtu noasiņojis līdz nāvei.

Laikam jau tas ir tiesa, bet es nespēju par to neraizēties tik stipri – baidos, ka sākšu raudāt. Es atceros, ka valstī visi mani vēro, un vienkārši paslēpju seju Pītas kreklā. Paiet pāris minūtes, kamēr viņiem izdodas mani no turienes izdabūt, jo kreklā, kur neviens mani neredz, ir labāk, un, kad es iznirstu, Cēzars pārtrauc iztaujāšanu, lai es varētu atgūties. Patiesībā viņš mani gandrīz liek mierā, kamēr neuzpeld jautājums par ogām.

– Katnis, es zinu, ka tu nupat pārdzīvoji šoku, bet man ir tas jāpajautā. Tajā brīdī, kad tu izvilki ogas. Par ko tu tajā brīdī domāji... mmm?

Es ilgi klusēju, pirms atbildēt, mēģinādama apkopot domas. Šis ir izšķirošais brīdis – vai nu es izaicināju Kapitoliju, vai arī tā izsamisu no domas, ka zaudēšu Pītu, ka neatbildēju par savu rīcību. Vajadzētu garu, dramatisku runu, bet man sanāk tikai viens, gandrīz nedzirdams teikums. – Nezinu, es vienkārši... nespēju paciest domu par... dzīvi bez viņa.

– Pīta? Vai tev ir kas piebilstams? – Cēzars jautā.

– Nē. Pēc manām domām, Katnisa atbildēja par mums abiem, – viņš atbild.

Cēzars beidz raidījumu, un viss ir galā. Visi smejas un raud, un apskaujas, bet es vēl neesmu īsti droša, kamēr netieku līdz Heimičam. – Vai bija labi? – es čukstus jautāju.

– Nevainojami.

Atgriežos savā istabā, lai šo to paņemtu, un redzu, ka viss ir tukšs, izņemot Medžas doto piespraudi ar zobgaļsīli. Kāds to pēc Spēlēm ir atnesis uz manu istabu. Mūs ved cauri Kapitolijam mašīnā ar aptumšotiem logiem, un mūs sagaida vilciens. Tik tikko pietiek laika atvadām no Sinnas un Porcijas, kaut gan viņus mēs vēl satiksim pēc dažiem mēnešiem, kad apceļosim apgabalus, lai piedalītos uzvarētāju ceremonijās. Tā Kapitolijs visiem atgādina, ka Bada Spēles nekad pilnīgi nebeidzas. Mums dos kaudzēm nejēdzīgu piemiņas plākšņu, un visiem būs jāizliekas, ka mūs mīl.

Vilciens sāk kustēties, un mēs ienirstam naktī. Tunelis beidzas, un es pirmo reizi kopš izlozes brīvi ievelku elpu. Efija brauc atpakaļ kopā ar mums un Heimičs, protams, arī. Mēs paēdam krietnas pusdienas, klusēdami iekārtojamies pie televizora un noskatāmies intervijas atkārtojumu. Kapitolijs ik sekundi paliek arvien tālāk, un es sāku domāt par mājām. Par Primu un māti. Par Geilu. Uz mirkli izeju, novelku kleitu un pārģērbjos vienkāršā kreklā un biksēs. Lēnām un rūpīgi nomazgāju no sejas grimu un sapinu matus bizē, un sāku atkal izskatīties pēc sevis pašas – Katnisas Everdīnas. Meitenes, kas dzīvo Vīlē. Medī mežos. Tirgojas Centrā. Es blenžu spogulī un cenšos atcerēties, kas es esmu un kas – neesmu. Kad atkal pievienojos pārējiem, Pītas roka ap maniem pleciem šķiet sveša.

373

Vilciens uz īsu brīdi apstājas, lai uzpildītu degvielu, un mums atļauj iziet ārā ieelpot svaigu gaisu. Mūs apsargāt vairs nav vajadzības. Mēs ar Pītu rokrokā ejam pa sliedēm, un es apjaušu, ka tagad, kad esmu palikusi ar viņu divatā, man nav ko teikt. Viņš apstājas un saplūc man savvaļas puķu pušķi. Kad viņš to pasniedz, es nopūlos izskatīties iepriecināta. Jo viņš jau nevar zināt, ka sārti baltie ziedi ir savvaļas sīpolu kāti un atgādina man par stundām, ko esmu pavadījusi kopā ar Geilu, tādus vācot.

Geils. Iedomājoties, ka tikai pēc dažām stundām satikšu Geilu, mans vēders saraujas čokurā. Bet kāpēc? Es īsti nespēju to saprast. Es tikai zinu: man ir tāda sajūta, it kā es melotu cilvēkam, kas man uzticas. Vai, pareizāk sakot, diviem cilvēkiem. Līdz šim es esmu palikusi nesodīta, pateicoties Spēlēm. Bet mājās vairs nebūs, aiz kā paslēpties.

– Kas noticis? – Pīta pajautā.

– Nekas, – es attraucu. Mēs ejam tālāk aiz vilciena, kur pat es esmu diezgan droša, ka retajos krūmos neslēpjas kameras. Vārdi joprojām nenāk.

Mani iztrūcina Heimiča roka uz muguras. Pat te, nekurienes vidū, viņš runā klusināti. – Labi pastrādāts. Tikai turpiniet tāpat arī apgabalā, kamēr kameras būs prom. Visam vajadzētu būt kārtībā. – Es vēroju, kā viņš aiziet atpakaļ uz vilcienu, un izvairos no Pītas skatiena.

– Ko viņš ar to domā? – Pīta jautā.

– Runa ir par Kapitoliju. Viņiem nepatika mūsu eksperiments ar ogām, – man izsprūk.

– Ko? Par ko tu runā? – viņš nesaprot.

– Tas izskatījās pārāk dumpinieciski. Tāpēc Heimičs man pēdējās dienās visu laiku deva padomus. Lai es visu nepadarītu vēl ļaunāku, – skaidroju.

– Deva tev padomus? Man gan ne, – Pīta mulst.

– Viņš zināja, ka tu esi pietiekami gudrs, lai visu izdarītu pareizi.

– Es nezināju, ka kaut kas ir jādara pareizi. – Pīta ir sarūgtināts. – Tātad tu gribi teikt, ka dažās pēdējās dienās un laikam... laikam arī arēnā... tā bija tikai tāda stratēģija, ko jūs abi izdomājāt?

– Nē. Es taču arēnā ar viņu pat nevarēju sarunāties, vai ne? – es protestēju.

– Bet tu zināji, ko viņš grib, lai tu dari, vai ne tā? – Pīta neliekas mierā. Es iekožu lūpā. – Katnis? – Viņš atlaiž manu roku, un es pasperu soli, it kā zaudētu līdzsvaru.

– Tas viss bija Spēļu dēļ, – Pīta saka. – Tas, ko tu darīji.

– Viss ne, – es noliedzu, cieši turēdama savus ziedus.

– Tad kas? Nē, aizmirsti. Laikam jau īstais jautājums ir: cik daudz no tā būs palicis, kad tiksim mājās?

– Nezinu. – Jo tuvāk mēs esam Divpadsmitajam apgabalam, jo vairāk es apjūku. Viņš gaida tālāku paskaidrojumu, bet tāds neseko.

– Nu ko, tad pasaki, kad būsi izdomājusi, – viņš izmoka ar gandrīz taustāmām sāpēm balsī.

Es zinu, ka manas ausis ir izārstētas, jo pat ar visu lokomotīves rūkoņu dzirdu katru Pītas soli, viņam ejot atpakaļ uz vilcienu. Kad es iekāpju, Pīta jau ir savā istabā. Arī nākamajā rītā es viņu nesatieku. Viņš vispār parādās tikai tad, kad mēs iebraucam Divpadsmitajā apgabalā. Viņš man pamāj bez jebkādas izteiksmes sejā.

Man gribas viņam pateikt, ka rīkojas netaisni. Ka mēs bijām svešinieki. Ka es darīju to, ko vajadzēja, lai paliktu dzīva, lai mēs abi arēnā paliktu dzīvi. Ka es nevaru paskaidrot, kas ir starp mani un Geilu, jo pati to nezinu. Ka mani nav jēgas mīlēt, jo es tāpat nekad neprecēšos, un viņš mani vēlāk ienīstu. Ja arī man ir jūtas pret viņu, tām nav nozīmes, jo es nekad nevarēšu atļauties tādu mīlestību, kas nozīmē ģimeni un bērnus. Un kā viņš to drīkst? Kā viņš drīkst pēc tā, ko mēs nupat esam pārdzīvojuši?

Man gribas viņam arī pateikt, ka man jau tagad viņa pietrūkst. Bet tas no manas puses nebūtu godīgi.

Tāpēc mēs vienkārši klusēdami stāvam un noskatāmies, kā vilciens iebrauc mūsu mazajā, noplukušajā stacijā. Pa logu es redzu, ka uz perona drūzmējas kameras. Visi kāri noskatīsies, kā atgriežamies mājās.

Ar acs kaktiņu es pamanu, ka Pīta pastiepj roku. Es nedroši paveros viņā. – Vēl vienu reizi? Skatītājiem? – viņš jautā. Viņa balsī nav dusmu. Tā ir tukša, un tas ir vēl ļaunāk. Zēns ar maizi jau tagad kļūst arvien tālāks.

Es cieši saņemu viņa roku un sagatavojos filmēšanai, baidīdamās no brīža, kad būs viņa plauksta jāatlaiž.

PIRMĀS GRĀMATAS BEIGAS